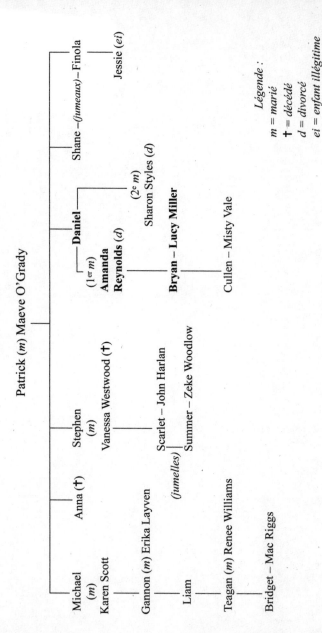

Les ELLIOTT

Patrick (m) Maeve O'Grady

Anna (†)

Stephen (m)
Vanessa Westwood (†)

(jumelles)
Scarlet – John Harlan
Summer – Zeke Woodlow

Michael (m)
Karen Scott

Gannon (m) Erika Layven
Liam

Teagan (m) Renee Williams
Bridget – Mac Riggs

Daniel

(1er m)
Amanda Reynolds (d)

(2e m)
Sharon Styles (d)

Bryan – Lucy Miller
Cullen – Misty Vale

Shane –(jumeaux)– Finola
Jessie (ei)

Légende :
m = marié
† = décédé
d = divorcé
ei = enfant illégitime

Au cœur du désir

L'épouse insoumise

KARA LENNOX

Au cœur du désir

*éditions*Harlequin

Titre original : UNDER DEEPEST COVER

Traduction française de FLORENCE MOREAU

HARLEQUIN®
est une marque déposée par le Groupe Harlequin

PASSIONS®
est une marque déposéé par Harlequin S.A.

© 2006, Harlequin Books S.A. © 2007, Harlequin S.A.
83/85 boulevard Vincent-Auriol 75646 PARIS CEDEX 13.
Service Lectrices — Tél. : 01 45 82 47 47
ISBN 978-2-2808-3314-1 — ISSN 1950-2761

Re : le cas Alliance Trust

Aujourd'hui, j'ai sauvé un témoin que j'ai conduit dans un lieu sûr. Pour sa propre sûreté, elle a pris une autre identité. Personne ne saura jamais qui elle est. Moi-même, je la reconnais à peine depuis sa transformation.

Sa présence me complique la tâche en ce qui concerne ma famille qui ne doit rien savoir de mes activités d'agent secret. Mais je n'avais pas le choix.

Je suis sur les traces de l'auteur du détournement de fonds grâce aux données que notre taupe a téléchargées. J'espère avoir terminé le cas à la fin du mois. Mes investigations ont mis en évidence des faits inquiétants qui me donnent à penser qu'il ne faut vraiment faire confiance à personne.

Je ne perds jamais longtemps de vue mon témoin, on ne sait jamais ce qui peut arriver. Ce qui n'est pas très contraignant, étant donné sa beauté. En revanche, je dois me rappeler constamment à l'ordre pour ne pas oublier qu'elle représente une mission pour moi.

Une chose est sûre : je ne lésinerai pas sur les moyens pour assurer sa sécurité.

- 1 -

— Il faut que vous me sortiez de ce guêpier ! chuchota Lucy Miller d'un ton urgent dans l'appareil.

Le téléphone portable crypté qui lui avait été remis quelques semaines auparavant avait sonné au moment où elle sortait d'une réunion du personnel. Elle s'était alors précipitée vers les toilettes où elle avait vérifié chaque cabine pour s'assurer qu'elle était bien seule.

— Du calme, Lucy, répondit la voix apaisante de son correspondant.

Une voix qu'elle connaissait à présent fort bien et qui l'avait fait fantasmer maintes fois : à quoi pouvait bien ressembler l'homme qui possédait un timbre si profond et si sexy ? Mais pour l'heure, elle était trop apeurée pour se poser ce genre de questions. Une seule pensée l'obsédait : sortir indemne de la situation.

— Je voudrais bien vous y voir, vous ! rétorqua-t-elle d'une voix basse et fébrile. Comment puis-je me calmer alors que quelqu'un, dans cette banque, cherche à me liquider ?

— *Liquider ?* répéta-t-il d'un ton presque amusé. Allons, Lucy, vous regardez trop de séries télévisées ! Personne n'a l'intention de vous tuer.

— Vous n'avez pas vu l'homme qui me suivait ! s'exclama-t-elle. Croyez-moi, je sais reconnaître un tueur quand j'en vois un. Celui-ci portait un manteau alors qu'il fait presque vingt degrés dehors.

— Il pleut aujourd'hui, à Washington, répliqua-t-il d'un ton placide. Il devait s'agir d'un imperméable.

— Casanova, vous ne m'écoutez pas ! J'ai été démasquée, comprenez-vous ? Une personne s'est introduite chez moi. De deux choses l'une : soit vous acceptez de m'aider, soit je prends le premier vol pour l'Amérique du Sud et, autant vous prévenir, j'emporte toutes les informations avec moi.

— Quelle idée ! Lucy, soyez raisonnable…

— Je le suis, Casanova, l'interrompit-elle d'un ton grave. J'ai obéi à tous vos ordres sans vous poser la moindre question. Je vous ai fait confiance de façon spontanée alors que je ne vous ai jamais rencontré et que j'ignore votre véritable nom. A vous maintenant de me croire quand je vous assure que ma vie est en danger !

En désespoir de cause, Lucy eut de nouveau recours à la menace.

— Si vous ne venez pas à ma rescousse, poursuivit-elle, je jette le portable que vous m'avez donné dans une bouche d'égout et je disparais de la circulation, si bien que vous n'entendrez plus jamais parler de moi.

— Très bien ! trancha son interlocuteur. Je serai à Washington à 17 h 30, au plus tard 18 heures. Pourrez-vous tenir jusque-là et rentrer chez vous ?

Lucy prit une large inspiration, s'efforçant de se calmer.

Trois jours auparavant, elle s'était rendu compte de la filature, et hier, son appartement avait été visité. Toutefois, jusqu'à présent, son observateur l'épiait à distance. Peut-être pourrait-elle tenir quelques heures encore…

Luttant pour retrouver une voix normale, elle reprit :

— Je ferai de mon mieux. S'il devait m'arriver malheur, dites à mes parents que je les aime.

— Tout se passera bien, ne versez pas dans le mélodrame, ironisa-t-il.

Lucy mit fin à la communication avant de proférer des paroles qu'elle aurait par la suite regrettées. Elle, mélodramatique ? s'insurgea-t-elle en silence. N'avait-elle pas fait ses preuves au cours des dernières semaines ? Casanova la suspectait-il donc de paranoïa ? Casanova… Quel genre d'homme était son contact pour s'attribuer un tel nom de code ?

Replaçant le téléphone dans son sac, elle s'apprêtait à sortir des toilettes lorsqu'elle croisa sa propre image dans le miroir. Elle avait l'air égaré ! pensa-t-elle. Des mèches de sa chevelure châtaine s'étaient échappées de son chignon et formaient des frisottis autour de son visage. Ses joues étaient toutes rouges à cause de la panique qu'elle nourrissait, et ses prunelles dilatées de peur, derrière ses lunettes. Impossible de se montrer ainsi en public !

Elle entreprit alors de se recoiffer, de se poudrer le nez et de se mettre du rouge à lèvres, même si, en temps normal, elle se maquillait peu : simple employée de banque à Alliance Trust, elle n'avait nul besoin de se distinguer et s'efforçait de s'intégrer sans attirer l'attention.

Cinq minutes plus tard, jugeant qu'elle était de nouveau présentable, Lucy sortit de son refuge pour se diriger vers son bureau, espérant s'y terrer tout l'après-midi sans que personne ne vienne l'importuner, tant elle redoutait de s'effondrer en présence d'un tiers.

« Quelle espionne tu fais, ma pauvre Lucy !, pensat-elle avec dérision. Au premier signe de danger, il n'y a plus personne ».

Comme elle tournait à l'angle du couloir, elle se heurta au directeur de la banque en personne. C'était bien sa veine.

— Bonjour, Lucy, fit ce dernier d'un ton affable. Quel heureux hasard ! Justement, je vous cherchais.

— Désolée, j'étais aux toilettes, marmonna-t-elle avant d'ajouter, mue par une audace inaccoutumée : en réalité, je crains d'avoir un dérangement intestinal.

A ces mots, le directeur parut embarrassé. « Bien joué ! » pensa-t-elle. Elle avait parié sur sa confusion, certaine qu'il ne lui poserait pas d'autres questions sur son état par crainte de se montrer indiscret. Il se mit toutefois à l'observer avec une attention redoublée, de son œil unique. D'après ce qu'elle avait compris, il avait perdu l'autre dans un accident. Un frisson d'appréhension la parcourut : avait-il vu clair en son jeu ?

— C'est vrai que vous n'avez pas l'air en forme, conclut-il enfin, l'air sincèrement préoccupé.

« Typique de lui ! » se dit-elle. M. Vargov était un homme affable et paternel, un ami de son oncle Dennis par qui elle avait obtenu ce poste, à Alliance Trust, après avoir occupé un emploi de vérificatrice des comptes, en dessous de ses compétences. Et même si, en dépit de son diplôme de comptabilité, elle manquait d'expérience, elle avait vite donné toute satisfaction à M. Vargov qui la jugeait très consciencieuse.

Un peu trop consciencieuse, d'ailleurs. Voilà pourquoi il n'avait pas pris au sérieux ses soupçons concernant les détournements de fonds, sûrement persuadé qu'il s'agissait d'un excès de zèle. Aussi s'était-elle directement adressée au Département de la Sécurité Intérieure, un ministère dédié à la protection des données et des citoyens, et travaillant en étroite collaboration avec l'étranger. C'était de cette façon qu'elle s'était retrouvée en contact avec Casanova.

— Rentrez donc chez vous pour vous reposer, proposa alors M. Vargov.

— C'est impossible. Je dois terminer les rapports que vous attendez.

— Je peux encore patienter un peu. Votre oncle m'en tiendrait rigueur s'il savait que je vous fais travailler alors que vous êtes malade.

— Merci, monsieur Vargov, répondit-elle d'un ton poli. Je partirai sans doute un peu plus tôt si je ne me sens pas mieux.

— Je vous le conseille fortement.

Au fond, si elle quittait le bureau en milieu d'après-midi, peut-être pourrait-elle tromper la vigilance de l'homme qui la filait, songea-t-elle. Et si, en raison des circonstances, elle ne devait jamais revenir travailler ici, elle ne regretterait rien.

Bien sûr, elle était reconnaissante à Alliance Trust de lui avoir procuré la sécurité dont elle avait besoin à l'époque pour se refaire une santé mentale et reprendre pied, après les déboires qu'elle avait connus. Ses collègues avaient été adorables avec elle, et les conditions de travail tout à fait satisfaisantes. Par ailleurs, son chef n'avait rien d'un tyran et son salaire était bien plus élevé que ce à quoi elle pouvait prétendre, eu égard à son âge et son expérience.

Toutefois, il était temps pour elle de tourner la page. Elle allait enregistrer autant d'informations que possible sur sa clé USB, puis elle quitterait l'établissement bancaire, vraisemblablement pour toujours.

Casanova la cacherait dans un lieu sûr. Il le lui avait promis. Quand la police aurait procédé à toutes les arrestations requises et que les coupables seraient sous les verrous, elle pourrait repartir de zéro. Se mettre en quête d'un nouvel emploi, commencer une nouvelle vie.

Le paradis, en somme, après l'enfer qu'elle avait vécu dans son rôle de taupe à Alliance Trust. Un rôle qu'elle avait endossé bien malgré elle.

A 15 h 10, la clé USB était pleine. Elle la plaça dans son soutien-gorge — qui viendrait la chercher ici ? — et, s'emparant de son sac et de son parapluie, alla annoncer à Peggy Holmes, la secrétaire de M. Vargov, qu'elle rentrait chez elle car elle souffrait d'une intoxication alimentaire.

— Ma pauvre ! s'exclama cette dernière. J'espère que vous serez vite rétablie. Depuis que vous travaillez ici, vous avez été une seule fois absente et pour un motif tout à fait valable : vous deviez vous faire arracher une dent de sagesse. La gauche, en bas, si je me souviens bien.

Lucy esquissa un faible sourire. Peggy Holmes approchait la soixantaine et était la secrétaire dévouée du directeur depuis presque trente ans. En dépit de ses airs de grand-mère, elle possédait toujours une mémoire phénoménale et était d'une redoutable efficacité.

— Tout ira bien, répondit Lucy, en espérant dire vrai.

Pourtant, à l'idée de regagner sa voiture garée dans le parking souterrain, un frisson la parcourut. Nul doute qu'un des vigiles de la banque aurait été ravi de la raccompagner jusqu'à son véhicule. Toutefois, si un tueur l'attendait, il ne transigerait pas et les éliminerait tous les deux.

N'était-il pas plus judicieux de rompre avec ses habitudes et de prendre le bus, par exemple ? Il y avait un arrêt non loin de la banque.

Le temps était chaud et humide ; une pluie fine et persistante tombait depuis le matin. En sortant du bâtiment, Lucy sentit pourtant un froid intérieur la saisir. Elle ouvrit son parapluie et en profita pour balayer les alentours d'un regard discret… Rien de suspect à l'horizon.

Elle prit la direction de l'arrêt, ses talons résonnant sur le trottoir mouillé. Elle fit alors mine d'observer les vitrines, peu désireuse d'attendre trop longtemps sous l'abribus où elle constituerait une cible idéale. Dès que le bus fut en vue, elle se rua vers l'arrêt et monta dedans à temps. A l'intérieur, il y avait pour seuls passagers une mère et son enfant. Ouf ! pensa-t-elle. Quelques minutes de répit jusqu'à son domicile.

Quand elle descendit à Arlington Virginia, elle n'avait toujours rien repéré de suspect : peut-être avait-elle réussi à échapper à la filature ? A moins que l'inconnu qui la pistait n'ait renoncé, estimant que sa proie n'était pas un élément déterminant, dans la mesure où il n'avait rien trouvé de compromettant à son domicile, puisque Lucy ne se séparait jamais de la clé USB qui comportait les preuves du délit.

Son pavillon ne possédait qu'une entrée ; le matin même, en partant, elle avait recouru à un stratagème pour savoir d'emblée, à son retour, si elle avait reçu de la visite. Elle vérifia : le cheveu qu'elle avait placé entre la porte et son encadrement était toujours là. Rassurée, elle introduisit la clé dans la serrure, et entra chez elle.

Cela faisait deux ans qu'elle occupait cette petite maison. Encore une fois, c'était grâce à son oncle qu'elle l'avait obtenue, et elle avait signé le contrat de location sans même la visiter. L'intérieur était confortable et conventionnel, en d'autres termes un peu ennuyeux. Néanmoins, elle n'avait fait aucun effort pour s'approprier le lieu, aussi le quitterait-elle sans regret non plus.

Alors qu'elle refermait la porte, elle sentit une main se plaquer sur sa bouche et fut attirée sans ménagement contre un corps solide comme un roc. La panique la plus totale se saisit de son être. Par réflexe d'autodéfense, elle enfonça la pointe de son parapluie dans la cuisse de son agresseur… Ce dernier poussa un cri étranglé et relâcha son étreinte. Elle en profita pour se pencher et empoigner la jambe de son adversaire à qui elle fit perdre l'équilibre :

il tomba dans un bruit sourd sur le carrelage. Son parapluie toujours à la main, Lucy se redressa et dirigea la pointe de son arme improvisée vers le cou de l'homme à terre.

D'un geste rapide, ce dernier se saisit du parapluie et le détourna de son cou.

— Lucy, arrêtez ! C'est moi, Casanova.

A ces mots, il lui arracha son arme des mains pour la lancer un peu plus loin. Mouvement qui déstabilisa Lucy : elle s'écroula sur lui, se heurtant alors à des prunelles d'un bleu remarquable, un bleu comme elle n'en avait encore jamais vu.

— Casanova ? répéta-t-elle d'un ton peu assuré pour se donner une contenance.

De fait, elle savait que c'était lui : elle aurait reconnu sa voix entre mille.

— Bon sang, qu'est-ce qui vous a pris ? s'écria-t-il. Vous auriez pu me tuer !

— Vous vous êtes introduit chez moi à mon insu, vous me sautez dessus comme si j'étais un malfaiteur et après quoi, vous vous étonnez que je me défende ? s'insurgea-t-elle à son tour.

— Vous n'étiez pas censée rentrer si tôt ! protesta-t-il. J'ignorais que c'était vous. A propos, où avez-vous appris à lutter ?

— J'ai pris des cours d'autodéfense, lui expliqua-t-elle brièvement avant d'ajouter d'un ton plus dur : que faites-vous chez moi ? Et comment êtes-vous entré ? J'ai une alarme, elle aurait dû se déclencher.

— Votre voisine n'en a pas, répondit-il en souriant.

Ce fut alors que Lucy leva les yeux et regarda le mur mitoyen… Ou ce qu'il en restait, puisqu'un énorme trou le perçait !

— Vous avez défoncé le mur ? fit-elle, interloquée. Mme Pfluger a dû être terrifiée. Et que va dire mon propriétaire ?

— Vous n'en saurez rien, puisque nous n'allons pas nous attarder dans cette maison minée.

— Vous me croyez enfin, commenta-t-elle, soulagée. Mais que voulez-vous dire au juste par « minée » ?

— Cet endroit est truffé de dispositifs d'écoute. Il y en a bien plus qu'à l'ambassade américaine en Russie. Quelqu'un s'est bel et bien introduit chez vous.

A cet instant, un sourire éclaira les traits de Casanova.

— Est-on sur écoute en ce moment ? questionna Lucy à voix basse, d'un air inquiet.

— A mon avis, non. Ces dispositifs n'enregistrent qu'aux heures où vous êtes censée être chez vous. Toutefois, le temps nous est compté. Nous devons partir sans attendre, avant que l'ennemi ne nous rattrape. Je n'ai pas envie qu'il nous trouve ici. Aussi, si vous voulez bien…

A ces mots, Lucy se sentit rougir. Elle était encore allongée sur lui, et n'avait pas fait le moindre mouvement pour se redresser. Le contact de ce corps vigou-

reux et agréable retenait le sien comme un aimant…
Quoi de plus normal, au fond ? Depuis une éternité,
son intimité avec le sexe opposé se limitait à une
poignée de main.

Tentant de se relever, Lucy lui donna sans le vouloir
un coup de genou dans l'aine.

— Bon sang, vous êtes vraiment dangereuse !
grommela-t-il.

Sur ces mots, il s'assit et secoua la tête. Alors elle
vit son visage en entier pour la première fois. Dans
tous ses fantasmes, il était beau, mais elle n'était pas
pour autant préparée à affronter la réalité : Casanova
était superbe, oui ! Un mètre quatre-vingt au bas
mot, le teint hâlé, une chevelure épaisse et noire de
jais et des yeux… Des yeux d'un bleu incroyable.
Ses cheveux étaient tout ébouriffés en raison de leur
corps à corps imprévu. Il devait avoir cette tête, au
réveil, pensa-t-elle malgré elle.

« Oublie, Lucy ! » s'ordonna-t-elle tout de suite.

— Vous avez trois minutes montre en main pour
rassembler le strict nécessaire, déclara-t-il. Des
médicaments, une brosse à dents et des sous-vêtements de rechange. Ne vous préoccupez pas de votre
garde-robe.

Sentant que l'heure était grave, Lucy se rendit dans
sa chambre sans commentaire. Elle prit quelques sous-
vêtements, sa brosse à dents, son antihistaminique,
et mit le tout dans un petit sac à dos. Comme elle
disposait d'encore deux minutes sur les trois impar-

ties, elle retira sa jupe et ses collants pour enfiler un jean et des chaussures de sport. Elle ignorait leur destination, la durée du voyage et ses conditions, aussi préférait-elle se sentir à l'aise.

Elle sortit de la salle de bains alors qu'il lui restait encore quelques secondes. Casanova l'attendait, mâchoires serrées, nerveux.

— Enfin ! fit-il.

— Vous m'aviez donné trois minutes, j'ai pris trois minutes, répondit-elle avec un sourire malicieux.

— Et cela vous amuse !

— D'une certaine façon, admit-elle.

Cela faisait des années qu'elle n'avait pas éprouvé cette montée d'adrénaline si vivifiante et elle avait oublié à quel point la sensation était réjouissante.

— Avouez-le, vous aussi cela vous plaît, sans quoi vous ne seriez pas un espion, ajouta-t-elle.

« Touché ! » pensa-t-il en hochant la tête.

— Allons-y ! décréta-t-il.

Lui prenant le bras, il la conduisit vers la cavité qu'il avait faite dans la cloison.

— Heureusement que Mme Pfluger n'était pas chez elle, observa Lucy. Sans quoi, elle aurait été morte de peur.

— Pourquoi êtes-vous si sûre de son absence ? questionna-t-il d'un petit ton arrogant.

A cet instant, Lucy aperçut sa voisine âgée de quatre-vingt-deux ans, assise dans son fauteuil devant

21

la télévision. Mme Pfluger adressa pour sa part un sourire à Casanova.

— Ah, vous voici ! dit-elle d'un ton affectueux.

Bien que clouée par une mauvaise arthrite dans son fauteuil depuis quelques années, elle possédait un esprit aussi vif qu'à vingt ans.

— Bonjour, ma chère Lucy, ajouta-t-elle.

Cette dernière la fixa sans comprendre.

— Vous connaissez-vous ? demanda-t-elle enfin.

— Oui, depuis peu, l'informa sa voisine. Après avoir frappé à ma porte, ce jeune homme m'a expliqué que des terroristes étaient à vos trousses et qu'il avait besoin de mon concours pour vous aider à fuir. Je ne pouvais tout de même pas lui claquer la porte au nez.

— Mais la cloison…, commença Lucy, toujours sous le choc. Elle est détruite !

— Il m'a généreusement dédommagée, répondit Mme Pfluger, avant de se tourner vers Casanova pour poursuivre d'un ton mystérieux : pendant que vous étiez chez Lucy, j'en ai profité pour rassembler les affaires dont vous aviez besoin.

A cet instant, elle désigna un sac, près du fauteuil.

— Ce sont des vêtements qui me sont trop grands, et que je ne mettrai plus, précisa-t-elle. Avec le grand âge, on perd du poids.

Casanova inspecta le contenu du sac et parut satisfait.

— Parfait ! déclara-t-il. Lucy, à vous de jouer et de vous transformer en Bessie Pfluger.

Bryan Elliott, alias Casanova, s'efforça de ne pas sourire lorsque Lucy Miller apparut dans un pantalon de tergal orange bien trop large pour elle. Pas du tout déconfite, elle paraissait prendre son rôle avec bonhomie. Cette Lucy allait lui réserver de nombreuses surprises, pensa-t-il.

Il possédait déjà des informations à son sujet : il savait où elle avait grandi, quelles écoles elle avait fréquentées, et où elle avait travaillé jusque-là. Elle représentait la taupe idéale au sein d'Alliance Trust où avaient lieu les détournements de fonds. Elle était loyale, consciencieuse et intelligente. Au cours des dernières semaines, elle avait été d'une aide remarquable, téléchargeant quantité d'informations sur sa clé USB et suivant ses instructions sans poser la moindre question.

Tout à l'heure, cependant, elle lui avait offert un autre aspect de sa personnalité : il l'avait découverte fougueuse et capable de se défendre de façon tout à fait efficace. Avec l'entraînement approprié, elle pourrait peut-être… Assez ! Il ne devait pas envisager un tel avenir pour elle. Lui-même s'était laissé entraîner dans une vie constituée d'ombres et de mensonges, au point qu'il ne pourrait plus jamais recouvrer une existence normale. Non, il ne souhaitait pas une pareille destinée à la douce Lucy Miller.

Par-dessus son pantalon orange, elle portait une robe de chambre en mohair violette. Elle avait camouflé sa belle chevelure sous une perruque grise et troqué sa paire de lunettes contre une monture démodée.

— Mon vieux déambulateur est ici, déclara Mme Pfluger en désignant un angle du séjour.

— Personne ne croira que j'ai quatre-vingt-deux ans, soupira Lucy.

— Ne vous inquiétez pas ! fit Bryan. Si quelqu'un surveille votre maison, il ne s'occupera pas des va-et-vient du voisinage.

Plaçant le déambulateur devant Lucy, il ajouta :

— Faites-nous une démonstration.

Sans broncher, celle-ci s'approcha de l'appareil et imita de façon tout à fait convaincante une vieille dame percluse d'arthrite.

— Oh, mon Dieu ! Ne me dites pas que j'ai réellement cette démarche, s'exclama Mme Pfluger.

— Rassurez-vous, j'ai forcé la note, déclara Lucy avant de la prendre dans ses bras avec spontanéité : oh, Mme Pfluger ! Je ne vous remercierai jamais assez pour votre collaboration. Laisser un inconnu entrer chez vous et, qui plus est, détruire votre cloison…

— Il m'a montré son badge, coupa sa voisine d'un ton mystérieux, ignorant qu'il s'agissait d'un insigne de pacotille. Néanmoins, je lui aurais fait confiance sans preuve, rien qu'à son regard. Il prendra soin de vous, j'en suis convaincue.

— J'y compte bien, répondit Lucy en jetant un regard entendu à Bryan. Pouvons-nous partir, à présent ?

A son tour, Bryan remercia la vieille dame et « aida » Lucy à sortir de la maison.

— Baissez la tête, marmonna-t-il. Voilà, c'est parfait. Vous êtes remarquable. Si j'étais extérieur à la situation, je serais dupe.

Le problème, c'était qu'il l'avait vécue de l'intérieur et qu'il n'était pas dupe du tout. Tout à l'heure, en trébuchant sur lui, elle lui avait révélé un corps aussi ferme qu'élancé. Il en avait été d'autant plus troublé que son tailleur classique la mettait bien peu en valeur.

La Mercedes se trouvait juste devant le domicile de Mme Pfluger — là où il l'avait garée quelques heures plus tôt. Il avait ensuite sonné chez la vieille dame sans hésiter. Grâce aux renseignements qu'il possédait sur elle, il savait qu'elle serait à la maison et qu'il pourrait compter sur sa fibre patriotique : elle avait en effet exercé les fonctions d'infirmière militaire en Corée, et son défunt mari était un vétéran de la Seconde Guerre mondiale.

Il ne s'était pas trompé. Il ne se trompait jamais.

Dès qu'ils eurent démarré, il se détendit un peu en constatant que personne ne les suivait : leur observateur avait mordu à l'hameçon.

Il roula jusqu'au parking du centre commercial où il avait « emprunté » la Mercedes et la gara à son emplacement initial.

— Pourquoi nous arrêtons-nous ici ? questionna Lucy.

— Nous effectuons un échange de voitures, lui apprit-il avant de retirer la clé de contact.

— Qu'est-ce que c'est ? fit Lucy en désignant le curieux objet qu'il venait de brandir sous son nez avant de s'exclamer : oh, mon Dieu ! Un passe-partout ! Vous aviez volé la Mercedes.

— Il ne s'agit pas d'un vol, mais d'un emprunt, rectifia-t-il. Son propriétaire est en train de faire du shopping en toute tranquillité et ne saura jamais ce qui s'est passé.

— Il est déplorable que de telles clés existent et que les agents gouvernementaux volent des voitures, commenta-t-elle.

— Ils commettent des actes bien plus répréhensibles encore que le vol de véhicule, précisa Bryan. Désolé de vous retirer vos illusions.

« Lui-même ne venait-il pas de les perdre à ses dépens ? pensa-t-il, soucieux.

Cette fois, Lucy ne se servit pas du déambulateur, mais marcha d'un pas vif et gracile à côté de lui. Il l'entraîna vers une Jaguar gris métallisé.

— Est-ce aussi un véhicule volé ? demanda Lucy.

— Non, cette Jaguar m'appartient.

— J'ignorais que les agents secrets gagnaient assez d'argent pour s'offrir des Jaguar.

— Ce n'est pas grâce au salaire que me verse l'Etat que j'ai pu acheter cette voiture, répondit-il. Je possède d'autres sources de revenus.

Jamais il n'aurait cru que sa couverture, c'est-à-dire le restaurant qu'il avait ouvert pour se soustraire aux interrogations de sa famille et de ses amis, se révélerait un jour si lucratif.

Il lui ouvrit la portière passager et ajouta :

— Vous pouvez laisser tomber le déguisement. Nous sommes en sécurité, à présent.

— Dieu soit loué ! fit-elle en enlevant la perruque.

Sa longue chevelure châtaine tomba alors en cascade sur ses épaules, et Bryan en considéra la masse, médusé : c'était la première fois que des cheveux châtains lui faisaient un tel effet ! Mais ceux-ci étaient si épais et si brillants…

Quand il prit place derrière le volant, elle avait retiré la robe de chambre sous laquelle elle portait un chemisier cintré blanc.

— Oh non ! s'écria-t-elle soudain. J'ai oublié mon jean chez Mme Pfluger.

— Non, je l'ai mis dans…

Il s'interrompit. Lui aussi l'avait oublié, sous le charme de ses cuisses élancées quand elle s'était déshabillée pour se déguiser en vieille dame.

— Allons ! reprit-il, nous allons vous trouver des vêtements, soyez sans inquiétude.

Surtout, ne pas penser aux cuisses de Lucy Miller, s'ordonna-t-il en silence. N'avait-il pas déjà assez de problèmes ?

Il avait reçu un choc en découvrant les dispositifs d'écoute, chez elle. Et quand il avait examiné de plus près la puce placée dans son téléphone, la liste des éventuels suspects s'était réduite comme peau de chagrin. Il s'agissait d'un des derniers modèles du marché, en vente uniquement en Russie. Un modèle si nouveau qu'à part les Russes, seule sa propre agence en possédait. Et il ne pensait pas que des étrangers fussent mêlés à l'affaire.

Par conséquent, le traître appartenait à sa propre organisation. En d'autres termes, Lucy et lui couraient un grand danger tant qu'il n'aurait pas découvert et neutralisé l'agent double.

- 2 -

Ils roulaient en silence, Bryan empruntant des chemins de traverse afin d'être absolument certain que personne ne les filait. Il mit ensuite le cap vers le Nord ; un plan se formait peu à peu dans son cerveau.

— Tout va bien ? demanda-t-il à Lucy.

Le mutisme de la jeune femme le surprenait. N'aurait-il pas été plus normal qu'elle l'assaille de questions, l'interroge par exemple sur leur destination et la suite des événements — même si, soit dit en passant, il n'aurait pas été en mesure de répondre ?

— Oui, merci, répondit-elle.

— Désolé de vous avoir mise en danger.

— Je connaissais les risques encourus lorsque je me suis engagée dans cette histoire. Vous m'aviez prévenue.

Hélas, elle ne savait pas tout ! Toutefois, comment lui-même aurait-il pu prévoir que le danger viendrait de son propre camp ?

— Vous avez été formidable, lui dit-il. Dommage

que vous n'ayez pas pu aller jusqu'au bout de la mission.

— Détrompez-vous, rétorqua-t-elle.

— Pardon ?

— Après notre conversation téléphonique, j'ai compris que je ne remettrai probablement plus les pieds à Alliance Trust. Aussi, faisant fi de toute prudence, ai-je enregistré sur une clé USB toutes les informations susceptibles de servir notre cause, sans me soucier d'effacer les traces de l'opération, car je n'en avais plus le temps. De fait, j'ai presque téléchargé tout le système informatique de la banque. Incroyable tout ce qu'une petite clé peut contenir !

— Vous avez enregistré *toutes* les données de la banque ? répéta-t-il, incrédule.

— Presque, confirma-t-elle avec fierté. Il nous faudra du temps pour les analyser. La personne impliquée dans les détournements est très habile. Néanmoins, je dispose des agendas de tout le personnel, des listes téléphoniques, des temps de connexion, des mots de passe, et qui plus est, je sais qui et quand a assisté à telle réunion. En procédant par élimination, je serai en mesure de trouver l'auteur des retraits illégaux.

— Ce ne sera pas la peine, intervint-il alors. Notre agence dispose de meilleurs spé…

Il s'interrompit. Tant qu'il n'aurait pas démasqué le traître, il ne pourrait confier les informations à personne. Ne suffisait-il pas d'un malheureux clic pour effacer toutes les précieuses données que Lucy avait rassemblées au péril de sa vie ?

— Je peux tout à fait m'en charger, reprit-elle. J'adore résoudre des énigmes. Bien sûr, votre organisation dispose d'experts et d'une technique avancée ; toutefois, moi, je travaillais avec les personnes impliquées, et surtout, je connais le fonctionnement de la banque. Je suis la plus qualifiée pour analyser les données.

Elle avait sans doute raison, approuva mentalement Bryan avant de demander :

— De quoi avez-vous besoin ?

— D'un ordinateur assez puissant pour traiter la quantité d'informations concernées, ainsi que d'un endroit tranquille pour travailler. C'est tout.

Le plan qu'il était en train d'élaborer depuis tout à l'heure était déraisonnable, pensa-t-il, mais il mettrait Lucy à l'abri du danger. Bien sûr, l'agence possédait de nombreux lieux ultra protégés, mais tous les membres de la mission les connaissaient, c'est-à-dire, Scorpion, Arme fatale, Orchidée et Sibérie. Autrement dit, sa liste de suspects ! Quatre personnes à qui il aurait fait une confiance aveugle, il y avait une heure encore.

— Je crois que je peux accéder à vos désirs, dit-il.

— Parfait, répondit-elle en se calant dans son siège, d'un air satisfait. Où allons-nous ?

31

— A New York, répondit-il, ravi qu'elle s'intéresse enfin à leur destination.

— La ville dont vous êtes originaire, observa-t-elle à brûle-pourpoint.

Comment le savait-elle ? se demanda-t-il en ressentant malgré lui une certaine appréhension.

— Je l'ai deviné à votre accent ! poursuivit-elle avant qu'il n'ait le temps de lui poser la question à haute voix. Au lycée, j'avais un ami qui venait de New York. De Long Island pour être précise. Il avait le même accent que vous.

« Quelle perspicacité ! » pensa-t-il, un rien agacé. Durant sa période d'entraînement, il avait pourtant appris à effacer toute trace d'accent. Sa sécurité — et celle de sa riche famille — dépendait de sa vigilance à séparer de façon scrupuleuse sa vie personnelle de son travail d'espion. Et il en allait de même pour tous les agents avec lesquels il travaillait. Tous utilisaient des pseudonymes et ne devaient sous aucun prétexte révéler des informations personnelles.

Comment avait-il pu baisser la garde au point que Lucy ait deviné ses origines ? Etait-il encore à la hauteur ? En raison de l'intense pression à laquelle ils étaient soumis, les agents ne restaient pas longtemps dans l'organisation. Peut-être l'heure de partir approchait-elle pour lui.

— Travaillez-vous pour la CIA ? reprit-elle.

C'était par là qu'il avait commencé. On l'avait recruté à l'université, alors qu'il étudiait la gestion commerciale dans le dessein d'intégrer la *Elliott Publication Holding*, l'entreprise familiale. Il avait été choisi en raison de ses excellents résultats scolaires et de sa forme athlétique hors du commun.

Quelques années plus tard, une personne qu'il n'avait jamais rencontrée et dont il ignorait l'identité l'avait recruté pour travailler au *Département de la Sécurité Intérieure*, dans une toute nouvelle branche du ministère, spécialisée dans l'investigation. Une agence si secrète qu'elle ne possédait ni nom ni bureau central et n'était même pas mentionnée dans le budget national. Elle n'avait donc aucune existence formelle.

En raison de sa double vie, Bryan était habitué à mentir. C'était une des conditions de sa survie. Et voilà que, face à Lucy, cela lui posait tout à coup un problème de conscience ! Mais comme il ne pouvait pourtant pas continuer à se taire, il décida de lui dévoiler juste une partie de la vérité.

— Je travaille pour le Département de la Sécurité Intérieure, dit-il.

— J'ignorai que ce ministère possédait ses propres espions, observa-t-elle.

— Il est en pleine évolution, éluda-t-il.

— Comment devient-on espion ?

— Pourquoi ? Etes-vous intéressée ? plaisanta-t-il.

— Et pourquoi pas ? Ce doit être plus excitant que mon travail à la banque !

Il se tourna brièvement vers elle avant de lui demander :

— Pourquoi travaillez-vous à Alliance Trust si cela ne vous plaît pas ?

— C'était ce que l'on attendait de moi, fit-elle en haussant les épaules. Et puis, c'est un emploi bien rémunéré. Mais j'ai toujours nourri d'autres projets.

— Comme quoi ?

— Tout laisser tomber pour rejoindre un cirque, par exemple. Je ferais une excellente dompteuse de lions, déclara-t-elle dans un sourire.

— Vous ?

Le visage de Lucy s'assombrit et il regretta tout de suite sa réaction qui, de toute évidence, l'avait blessée.

— Pourquoi ne pourrais-je pas dompter des lions ? demanda-t-elle avec une certaine hauteur.

— Je suis convaincu que ce travail est dans vos cordes, lui assura-t-il alors. Vous pourriez les mater à coup de parapluie, par exemple.

— Vous vous moquez de moi, fit-elle, boudeuse. Permettez-moi de vous rappeler que vous étiez moins fier, lorsque je vous ai maîtrisé avec mon arme improvisée, tout à l'heure. J'aurais pu vous percer la gorge, vous savez.

Soudain, elle jeta un coup d'œil vers la banquette arrière et soupira :

— Le parapluie aussi, on l'a oublié. C'est dommage, je l'adorais.

— Je vous en achèterai un autre, plus beau encore, promit-il, légèrement inquiet.

La vie de Lucy venait de changer de façon définitive et selon lui, elle ne s'en était pas encore aperçue.

— Nous n'allons pas retourner de sitôt à Washington, si je comprends bien, fit-elle au bout d'une minute.

— Pas dans un futur proche, confirma-t-il.

— Tant mieux ! s'exclama-t-elle tout à trac. Cette ville est d'un mortel ennui, je suis ravie de la quitter.

Encore une fois, elle le prenait de court. Une minute plus tôt, il était persuadé qu'il allait devoir gérer la nostalgie qui ne manquerait pas d'envahir Lucy, et voilà qu'il découvrait à côté de lui une jeune femme intrépide et déterminée… Il avait pourtant effectué de nombreuses recherches sur Lucy Miller. Des recherches objectives qui ne permettaient pas de cerner sa personnalité, comprit-il alors. Originaire du Kansas et issue d'une famille unie de cultivateurs, elle avait étudié la comptabilité dans une université d'Etat et avait obtenu un diplôme honorable. Sa carrière professionnelle était encore plus transparente, puisque après avoir occupé provisoirement un poste en dessous de ses compétences, elle avait rejoint Alliance Trust.

Un mystère planait toutefois sur son curriculum vitæ : qu'avait-elle fait durant les deux années suivant l'obtention de son diplôme ? Bryan n'avait pu obtenir

aucun renseignement sur cette période. Son passeport indiquait qu'elle avait voyagé à l'étranger. Il en
déduisait qu'elle avait voulu élargir ses connaissances
et découvrir le monde avant de s'engager dans une
carrière. L'un de ses frères aînés travaillait en Hollande.
Peut-être avait-elle séjourné chez lui.

— Ma famille ne va pas comprendre, fit-elle
soudain, d'un air songeur.

— Vous ne pourrez pas entrer en contact avec eux,
la prévint Bryan.

— Jamais ? questionna-t-elle d'une voix fluette. Fais-
je désormais partie des témoins ultra protégés ?

— Je le crains.

Elle soupira.

— Notez que cela ne me dérange pas d'endosser
une nouvelle identité, dit-elle. J'ai toujours détesté
mon prénom. Pourrais-je choisir le nouveau moi-
même ?

— Si cela vous amuse. Que proposez-vous ?

— Pas un nom aussi extravagant que Casanova !
dit-elle en riant. Encore qu'à la façon dont vous avez
gagné les faveurs de Mme Pfluger, je suppose qu'il
est approprié.

— Ce n'est pas moi qui ai choisi ce surnom,
précisa-t-il avant d'ajouter : vous pouvez m'appeler
Bryan, si vous le souhaitez.

— Bryan, parfait. Et vous, appelez-moi… Euh,
Lindsay. Lindsay Morgan.

— C'est très distingué, commenta-t-il. Cela revêt-il

pour vous une signification particulière ? Connaissez-vous une Lindsay ? Ou une Morgan ?

— Non, mais j'aime beaucoup l'actrice Lindsay Wagner. Vous savez, Super Jaimie, la femme bionique. Je regarde les rediffusions de cette série tard la nuit, quand j'ai des insomnies. Quant à Morgan… Je ne sais pas, je trouve que cela sonne bien.

— Ce sera donc Lindsay Morgan, conclut-t-il.

Ce n'était pas un jeu, songea-t-elle. Elle allait *vraiment* endosser une nouvelle identité. Commencer une nouvelle existence. Avoir un nouvel emploi, une nouvelle maison, peut-être, dans une ville aussi excitante que New York. Elle aurait dû être terrifiée. Des malfaiteurs sans foi ni loi entretenant des liens étroits avec le terrorisme international étaient entrés par effraction dans sa maison pour la truffer de micros. Il se pouvait qu'ils soient déjà sur ses traces, dans l'intention de la tuer.

Pourtant, au lieu de trembler de peur, elle était animée d'un sentiment de griserie face au vent d'aventure qui soufflait sur sa vie. Même si cela allait signifier de très nombreux changements pour elle. Et pas seulement un changement de nom…

Elle retint un soupir. Bien qu'elle n'entretienne pas de liens étroits avec ses parents, elle espérait qu'ils ne se feraient pas trop de mauvais sang. Pourrait-elle les revoir un jour ? Elle n'osait formuler la question à haute voix, sentant que Bryan n'en connaissait pas la réponse. Quelque chose le troublait, mais quoi ? Elle avait l'impression qu'il avançait en terrain miné et que le tour pris par ses investigations ne lui plaisait pas.

Peut-être n'avait-il pas apprécié qu'elle lui force la main ? De fait, il ne l'avait pas crue quand elle lui avait affirmé être suivie, et s'il s'était rendu à Washington, c'était uniquement parce qu'elle l'avait menacé de disparaître dans la nature en emportant toutes les données. Il avait été fort surpris de découvrir qu'elle disait vrai et que l'opération volait en éclats. Pourvu qu'il ne pense pas que tout était sa faute…

— Vous savez, Bryan, déclara-t-elle tout à trac, je ne suis pour rien dans ce qui arrive aujourd'hui. J'ai toujours fait preuve d'une extrême prudence. Jusqu'à aujourd'hui, je téléchargeais par séquence de cinq ou dix minutes, jamais davantage, et toujours quand j'étais seule dans mon bureau et que la porte était fermée. Je n'ai jamais rien dit à personne. Par ailleurs, nul n'a pu avoir accès à ma clé USB : je la mettais toujours dans mon soutien-gorge.

— Vraiment ? fit-il en lui jetant un regard en biais. Y est-elle toujours ?

— Tout à fait.

A cet instant, et sans raison apparente, la Jaguar fit une légère embardée. Etait-ce la mention de son soutien-gorge qui avait troublé son conducteur ? se demanda Lucy, surprise. Allons, cet homme était un espion ! Il s'était retrouvé dans des situations inimaginables pour le commun des mortels. Aussi son allusion bien innocente à ses sous-vêtements n'avait-elle pas pu le déstabiliser.

D'ailleurs, pensa-t-elle avec dérision, ils n'avaient rien d'affriolant. Cela faisait une éternité que les hommes ne la regardaient plus. Il était vrai qu'elle avait savamment travaillé sa nouvelle image et su dompter la jeune fille brûlante et téméraire qu'elle était autrefois pour donner le change : avec des lunettes et des tailleurs classiques, elle avait désormais l'apparence d'une jeune femme rangée.

Par conséquent, si Bryan avait effectué une embardée, c'était forcément pour éviter une dénivellation de la chaussée.

Ils roulèrent durant cinq heures ; les journées de juillet étant longues, il faisait toujours jour quand ils atteignirent New York. Lucy avait séjourné de nombreuses fois dans la mégapole, mais elle n'y était pas revenue depuis fort longtemps. Elle avait oublié à quel point elle aimait cette ville, qui possédait une énergie incomparable. Même les yeux bandés, elle aurait su qu'ils venaient d'arriver à New York, rien qu'au bruit de la circulation et à cette atmosphère particulière qui la caractérisait.

— Habitez-vous à Manhattan ? demanda-t-elle.

— Oui.

— Allez-vous me déposer dans un hôtel ?

— Non. On vous demanderait des papiers d'identité et vous n'en possédez pas encore de nouveaux.

— Dans un appartement où je serai en sécurité, alors ?

— Oui, une sécurité garantie.

A ces mots, il lui adressa un bref sourire.

C'était la première fois qu'elle le voyait se détendre, et elle en fut presque confuse : pas étonnant que Mme Pfluger ait été coopérative ! Ce sourire allait droit au cœur des femmes qui, hypnotisées, étaient alors capables de commettre les pires folies. Elle-même ne s'était-elle pas déshabillée devant lui pour se déguiser en vieille dame ?

Ils traversèrent une partie de Manhattan en empruntant le Lincoln Tunnel. Et puis soudain, ils se retrouvèrent au beau milieu de l'île, entourés de gratte-ciel, de voitures, de bus, de taxis et de piétons. Les gens fourmillaient sur les trottoirs, les passages cloutés. Des gens de toutes les couleurs, de toutes les formes, de toutes les tailles ! Certains étaient vêtus de façon élégante — peut-être se rendaient-ils au théâtre, à cette heure. D'autres sortaient de toute évidence du bureau et tentaient de héler un taxi. Il y avait aussi, bien sûr, les vendeurs de hot dogs et de journaux, sans compter les revendeurs à la sauvette et les égarés en tout genre.

Elle avait oublié à quel point elle aimait la diversité de New York, même si elle y avait aussi de mauvais souvenirs. Elle évitait toujours de repenser à son dernier séjour ici, et surtout à son départ de la ville pour un retour à la case départ, au Kansas. Elle avait pleuré pendant tout le trajet. Aujourd'hui, elle s'autorisait enfin à y resonger : de curieuse façon, la douleur s'était émoussée pour laisser place à la tristesse et la mélancolie.

Durant ces deux dernières années, elle avait pansé ses blessures et s'était rétablie. La banque avait représenté un havre de paix salutaire, qui lui avait permis de se reconstruire. Néanmoins, le moment était venu pour elle de passer à une autre étape et de mettre à profit la sagesse et la maturité acquises. En un sens, elle était reconnaissante à l'escroc qui l'avait arrachée à son existence ennuyeuse et ronronnante, car elle n'aurait jamais eu l'audace de la quitter de son propre chef, trop effrayée à l'idée de se lancer de nouveau dans la vraie vie...

La vraie vie, comme remonter la Dixième Avenue dans la Jaguar d'un espion !

Submergée par une poussée d'adrénaline, Lucy ouvrit la fenêtre et, d'un coup, toutes les odeurs de la ville s'engouffrèrent à l'intérieur. Des effluves de nourriture exotique comme le curry et l'estragon vinrent titiller son estomac, et elle se rendit compte qu'elle n'avait rien avalé depuis le petit déjeuner, trop stressée pour penser à manger.

— Je meurs de faim, déclara-t-elle, avant d'ajouter, pleine d'espoir : l'appartement sécurisé où vous m'emmenez a-t-il un réfrigérateur bien rempli ? Sinon on pourrait peut-être commander de la nourriture chinoise ?

A présent, ils traversaient l'Upper West Side, via la fameuse rue bordée de boutiques sélectes, de restaurants branchés et de résidences réservées aux gens huppés. C'était là qu'autrefois elle passait la plupart de son temps. Là où se trouvait l'appartement de Cruz.

Ils venaient de passer devant un restaurant nommé Une Nuit, où les clients se pressaient déjà devant la porte bien qu'il fût encore bien tôt pour dîner eu égard aux habitudes new-yorkaises.

— J'ai lu une critique dans *People* sur cet endroit, déclara Lucy. Non, plutôt dans *Buzz*. Une star de cinéma y a fêté son anniversaire récemment.

— C'était l'une des sœurs Hilton, précisa Bryan.

— Vous êtes au courant des derniers potins mondains ? observa-t-elle, surprise. Où diable un espion trouve-t-il le temps de lire *Buzz* ?

— Je n'ai rien lu, j'y étais.

— Vous voulez dire que vous connaissez les sœurs Hilton ?

Lucy avait toujours été attirée par les personnages en vue. Depuis son enfance, elle lisait la presse spécialisée et rêvait d'appartenir à la jet-set. Des années plus tard, elle avait appris à ses dépens que ce genre de vie n'était pas uniquement constitué de fêtes et de glamour. Les paillettes masquaient une réalité bien moins glorieuse. Toutefois, même si elle avait souffert de cette vie, elle la fascinait encore.

Sans répondre, Bryan s'engouffra dans un parking souterrain, en introduisant une carte prioritaire dans la machine.

— Euh… Nous n'allons pas dîner ici, n'est-ce pas ? fit-elle en jetant un coup d'œil à son pantalon en tergal orange. Habillée de la sorte, on ne me laissera pas entrer.

Ces paroles le firent sourire.

— En ma compagnie, on ne vous créerait aucun problème, lui assura-t-il. Toutefois, nous n'allons pas nous rendre dans la salle de restaurant ce soir. Cet immeuble est la maison sécurisée dont je vous ai parlé.

Sur ces mots, il se gara dans un emplacement réservé et coupa le moteur.

— Je l'imaginais un peu plus… isolée, fit-elle, désorientée.

— Un endroit sûr peut se trouver n'importe où, dès lors que personne ne connaît sa fonction, répondit-il.

Il la conduisit vers une porte qui portait l'écriteau « Une Nuit ». Néanmoins, une fois à l'intérieur du petit vestibule, ils ne suivirent pas le fléchage qui menait au restaurant, mais prirent un minuscule ascenseur. Bryan appuya alors sur un bouton dépourvu de numéro.

— Mot de passe, s'il vous plaît, demanda une voix d'ordinateur.

— Café Enchilada, répondit Bryan d'un ton tranquille.

Comme par magie, l'ascenseur se mit en marche.

La surprise qui s'afficha sur le visage expressif de Lucy lui procura une bouffée de plaisir. Il devait admettre qu'en dépit de la gravité de la situation, les réactions de la jeune femme l'amusaient beaucoup. Il s'attendait à trouver un cas désespéré, une partenaire paranoïaque. Or, elle montrait une présence d'esprit et un humour remarquables.

— J'ai l'impression d'être une James Bond girl, déclara-t-elle. Cet ascenseur est-il *vraiment* protégé par un mot de passe ?

— Tout à fait, ce n'est pas un gag. Je suis le seul à le connaître. Et je le change deux fois par jour.

— Habitez-vous ici ?

— Oui. Cela a l'air de vous poser problème.

— Non… Mais je ne savais pas que les espions avaient le droit d'emmener chez eux des témoins sous protection spéciale.

— Je fais une exception à la règle, précisa-t-il.

— Pourquoi ? Notre cas est-il si singulier ?

Il hésita un instant. Le moment n'était-il pas venu de lui révéler la vérité ? Autant qu'elle sache qu'à part lui, elle ne pouvait faire confiance à personne.

— J'ai toutes les raisons de croire que j'ai été trahi

par les miens, lui annonça-t-il. De sorte que tous les abris sûrs que possède notre organisation ne le sont plus. Mon appartement est le seul lieu où vous ne courez aucun danger.

— Vos collaborateurs ne savent-ils donc pas où vous résidez ? s'étonna-t-elle.

— Ils ne connaissent même pas mon nom. Pour eux, je suis Casanova. Même mon chef ne connaît pas ma véritable identité.

Elle se remettait de la confidence au moment où les portes de l'ascenseur s'ouvrirent. Ils pénétrèrent alors dans un coquet vestibule.

Quelques années plus tôt, Bryan avait acheté toute la résidence où était situé le restaurant, rénové le rez-de-chaussée qui abritait Une Nuit et transformé le premier étage en bureaux et entrepôts. Un peu plus tard, il avait aménagé un duplex aux deuxième et troisième étages.

Il avait dépensé sans compter. Il était vrai qu'il pouvait se le permettre : outre l'argent familial et la rémunération importante que lui valait son poste d'agent secret, il disposait aussi des recettes d'Une Nuit. Recettes avec lesquelles il avait financé son appartement. Le restaurant, destiné au départ à lui servir de couverture, s'était révélé bien plus rentable qu'il ne le croyait, drainant chaque jour un nombre croissant de clients.

Le vestibule ouvrait sur une immense cuisine moderne qu'il avait lui-même conçue, et dotée d'appareils ménagers en acier brossé. Elle donnait sur un espace salle à manger, où la lumière entrait à profusion par de larges baies vitrées faisant face à Columbia Avenue. Le plancher d'époque avait été raboté et lustré, et brillait d'une belle couleur sable. Certains murs étaient en briques apparentes, tandis que d'autres avaient été peints en blanc laqué, un choix esthétique des plus réussis.

Le mobilier, moderne et confortable, ne surchargeait pas l'espace. Des œuvres d'art étaient disposées ici et là, de façon discrète : un tableau abstrait au-dessus d'un canapé, une sculpture moderne sur un guéridon. Des œuvres achetées à des artistes fauchés mais qui devaient à présent être cotées sur le marché de l'art.

— J'adore cet endroit, déclara Lucy en pivotant sur elle-même. Est-ce vraiment là que vous habitez ?

— Oui, quand je suis à New York — ce qui n'était guère fréquent ces derniers temps.

— Combien de temps vais-je rester ici ? Non que je m'en plaigne, c'est juste pour me préparer psychologiquement. Témoignerai-je à un procès ? Pourrai-je sortir ou devrai-je rester cantonnée dans l'appartement ?

Son flot de questions le fit sourire. Cette jeune femme était à la fois exubérante et radieuse. Et dire qu'il l'avait crue commune ! Quelle erreur ! Même dans l'horrible pantalon de sa voisine, elle était ravissante. Son sourire était contagieux et ses yeux d'un bleu pâle rare.

— Vous ne serez pas prisonnière, dit-il. Nous pourrons sortir. Je doute que, si loin de chez vous, vous rencontriez des têtes connues.

Néanmoins, songea-t-il, elle ne pourrait pas éviter sa famille. Comment allait-il leur expliquer la soudaine présence de Lucy chez lui ?

— En réalité, j'ai déjà vécu à New York, déclara-t-elle tout à trac.

— Pardon ?

Ce fut alors qu'il se rappela les deux années mystérieuses dans son C.V., celles où elle avait disparu de la circulation.

— Avez-vous déjà entendu parler du groupe de rock In Tight ? questionna-t-elle.

— Bien sûr, ils ont beaucoup de succès en ce moment, répondit-il. Ils ont participé au Super Bowl, cette année, n'est-ce pas ?

Elle hocha la tête.

— J'ai travaillé pour eux, dit-elle.

Il ouvrit de grands yeux.

— Vous ?

— J'ai répondu à une annonce sur Internet et j'ai travaillé comme comptable pour le groupe, confirma-t-elle.

Bryan la dévisagea d'un air suspicieux. Il n'arrivait pas à l'imaginer en compagnie de rockers : n'était-elle pas en train de lui mentir ?

— Curieux, finit-il par lâcher. J'ai effectué des recherches sur vous, et cette collaboration n'est mentionnée nulle part…

— Ils me payaient au noir. A l'époque, ils n'étaient pas si populaires. Par ailleurs, ils m'hébergeaient gratuitement. Si je vous ai livré ces informations, c'est pour que vous ne soyez pas étonné si quelqu'un me reconnaît dans la rue, car j'ai habité dans ce quartier.

— Mais c'est précisément ce que nous voulons à tout prix éviter ! s'écria Bryan.

Il la considéra alors d'un air attentif. Avec une coupe différente et des lentilles de contact de couleur, serait-elle reconnaissable ?

— Il faut que vous changiez d'apparence, conclut-il.

— Avec plaisir, renchérit-elle. Puis-je me transformer en blonde platine ? C'est ainsi que j'imagine Lindsay Morgan.

Il ne put s'empêcher de sourire. Cette Lucy était fantastique. N'importe quelle autre femme de sa connaissance aurait protesté, tenté de le faire changer d'avis, mais elle, non. Au contraire : loin de prendre ombrage de sa proposition, elle lui en était reconnaissante.

— Si tel est votre désir. Ma cousine Scarlet travaille pour le magazine *Charisma*. Elle pourra vous fournir des vêtements et du maquillage, et s'occuper de vos cheveux. Vos lunettes vous sont-elles indispensables ?

— Si je ne veux pas me cogner aux murs, oui.

— Dans ces conditions, il faudra porter des lentilles. Peut-être des vertes, même s'il est fort dommage de cacher vos beaux yeux bleus.

Elle détourna le regard, gênée.

— Vous me flattez, mais ils sont d'un bleu tout à fait ordinaire, marmonna-t-elle.

— Tel n'est pas mon avis, lui assura-t-il d'un ton soudain plus grave. Vous avez de très beaux yeux.

— Et quand va avoir lieu la métamorphose ? enchaîna-t-elle, désireuse de changer de sujet.

— Après dîner ? suggéra Bryan.

Il la conduisit alors dans la chambre d'amis qui disposait d'une salle de bains privée.

— Où dormez-vous ? demanda-t-elle.

— A l'étage, répondit-il. Je vous montrerai plus tard. Mon ordinateur est dans le bureau qui jouxte ma chambre. Je pense que vous allez y passer de longues heures, si votre proposition de déchiffrer les données de la clé USB tient toujours.

— Tout à fait !

— Bien, je vous laisse vous rafraîchir pendant que j'organise le dîner.

— Euh… Que puis-je mettre, à part le pantalon de Mme Pfluger ?

— Je vous apporte quelque chose.

Il monta dans sa chambre et ouvrit sa commode.

Tiens, ce pyjama que lui avait offert sa grand-mère et qu'il n'avait jamais porté ferait tout à fait l'affaire. Malheureusement, il n'avait pas de nuisette à lui proposer.

Quand il redescendit, elle était sous la douche et la porte de communication entrouverte. Soudain, l'envie urgente de passer la tête par l'entrebâillement et d'admirer son corps nu le saisit… En fait, comprit-il alors, c'était ce dont il rêvait depuis qu'elle était tombée sur lui, lors de leur rencontre mouvementée.

Mais il n'en fit rien, tout en maudissant les bonnes manières qu'on lui avait inculquées. N'était-il pas un espion, un homme habitué à fureter dans la vie des autres pour découvrir leurs secrets ? Résigné, il posa le pyjama sur le lit et descendit au rez-de-chaussée afin de commander le dîner. Après quoi, il appellerait Scarlet.

— Tu sais que j'adore ce genre de défi ! s'exclama cette dernière lorsqu'il lui eut exposé le projet. John est en voyage d'affaires, je suis libre comme l'air. Le temps de passer à *Charisma* prendre tout ce dont j'ai besoin pour la métamorphose et je suis là dans une heure.

— Quand allez-vous enfin vous marier, John et toi ? demanda-t-il.

— Pas avant l'année prochaine. Franchement, Bryan, si tu étais un peu moins absent, tu serais au courant. Je croyais pourtant qu'à New York on trouvait les épices du monde entier.

Hum ! Peut-être que son prétexte standard pour ses fréquentes absentes, en l'occurrence l'achat d'épices exotiques, avait fait long feu.

— Je dois m'assurer qu'elles sont d'excellente qualité et vérifier sur place leur provenance, se justifia-t-il.

— Si tu le dis, répondit sa cousine, l'air peu convaincu. Mais dis-moi plutôt, où as-tu rencontré cette fille ? En général, les femmes avec qui tu sors n'ont pas besoin de relooking.

— Oh, ce n'est pas ma…

Il se mordit la lèvre. Mais oui ! Scarlet venait de lui livrer la solution pour expliquer la présence de Lucy chez lui.

— Elle n'est pas mon type habituel, poursuivit-il. Mais Lindsay est… comment dire ? Particulière. En toute honnêteté, je la trouve parfaite. Elle a un genre très nature. Hélas, elle s'estime trop provinciale pour New York. C'est elle qui souhaite cette métamorphose pour se sentir plus en symbiose avec la ville.

— Je serai ravie de l'aider ! fit Scarlet avec empressement.

Bryan comprit le message. Nul doute que sa cousine allait soutirer le maximum d'informations à Lindsay sur son histoire avec son cousin. N'était-il pas préférable d'annoncer sans tarder à Lucy qu'elle était devenue sa petite amie ?

- 3 -

Lucy n'en croyait pas ses oreilles.

Malgré elle, en se rendant dans la cuisine, elle avait entendu la discussion téléphonique de Bryan et de sa cousine. Et elle venait d'apprendre qu'il la faisait passer pour sa nouvelle petite amie !

Au moment où Bryan se retourna et aperçut Lucy, il comprit, à son expression, qu'elle avait tout entendu.

— Désolé, dit-il, mais c'était la seule façon d'expliquer votre présence chez moi. Ma famille ignore que je suis un agent secret. Personne n'est au courant. Et personne ne doit savoir. Pour la sécurité de chacun, je dois séparer mon travail d'espion et ma vie de famille. Vous comprenez, n'est-ce pas ?

— Oui, mais...

— Vous avez déjà prouvé que vous pouviez rester calme dans les pires circonstances. Quand Scarlet sera ici, laissez-moi vous guider, entendu ?

L'idée de jouer sa petite amie était des plus excitantes ! Seulement, il y avait un petit problème...

— Je veux bien, mais en toute honnêteté, qui va croire à notre couple ?

— Je ne comprends pas, dit-il en sourcillant.

— C'est pourtant simple, non ? fit-elle dans un soupir agacé. Je suis une simple employée de banque alors que vous, vous êtes… un…

— Moi, je possède un restaurant, trancha-t-il. C'est tout !

A cet instant, le téléphone sonna et il décrocha.

— O.K., merci, dit-il à son correspondant avant de se tourner de nouveau vers Lucy pour ajouter : Notre dîner est prêt. Je vais le chercher.

Une fois qu'il fut parti, Lucy tenta de se concentrer sur son nouveau rôle. De fil en aiguille, elle se mit à penser à sa relation malheureuse avec Cruz, le batteur des In Tight : à l'époque, il était, à en croire les tabloïds, l'un des hommes les plus sexy du pays. Quand elle avait accepté de travailler pour le groupe, elle s'était juré de ne pas se comporter comme une groupie. Ne devait-elle pas déjà s'estimer heureuse de graviter dans le sillage de musiciens aux débuts prometteurs ?

Et puis Cruz avait commencé à flirter avec elle, et elle n'avait pas pu lui résister. Elle avait cru tous les mensonges qu'il lui avait racontés. Il lui jurait qu'elle était superbe, sexy, brûlante… Il l'avait emmenée en tournée avec lui, lui offrant la première classe et des cadeaux onéreux.

Jusqu'à ce qu'elle finisse par découvrir qu'il répétait

les mêmes paroles à toutes les femmes avec qui il couchait… simultanément ! Fallait-il qu'elle ait été naïve pour croire qu'elle était l'unique à ses yeux, elle qui n'avait rien d'une femme fatale.

Voilà pourquoi, cette fois, elle ne devait nourrir aucune illusion au sujet de Bryan. Cet apollon pouvait sortir avec les plus belles créatures de la terre, ce qui la mettait d'emblée hors course. Par ailleurs, il connaissait le Tout New-York, puisque son restaurant attirait des célébrités comme les sœurs Hilton. Comment rivaliser avec elles ? pensa-t-elle, déconfite.

En soupirant, elle se mit en quête d'assiettes et de couverts dans les placards de la cuisine puis les plaça sur le comptoir en granit poli. Quelques minutes plus tard, une agréable odeur aromatique envahissait ses narines, annonçant le retour de Bryan. Lucy entendit son estomac crier famine.

— Ça sent divinement bon ! Qu'est-ce que vous nous rapportez ? demanda-t-elle en louchant vers les deux sacs en papier blanc que Bryan tenait à la main.

— Une fricassée de crevettes aux feuilles de mauve, lui annonça-t-il d'un air solennel.

— De la mauve ? Quelle sorte de cuisine servez-vous exactement, au Une Nuit ? interrogea-t-elle alors.

— Nous misons sur le métissage : il s'agit essentiellement d'une cuisine française avec des

accents asiatiques, qui peuvent aller de la Chine à
la Thaïlande.

Il posa alors ses sacs sur le comptoir en la jaugeant
rapidement. Elle portait un haut de pyjama qui lui
arrivait presque aux genoux — une tenue tout à fait
décente compte tenu de la saison, avait-elle pensé.
Pourtant, sous son regard pénétrant, elle regrettait de
n'avoir pas enfilé le bas. Elle se sentait bien vulnérable les jambes nues.

— Mon pyjama vous sied à ravir, lui dit-il avant
de sortir la nourriture des sacs, sans s'apercevoir que
son compliment l'avait fait rougir.

« Grandis un peu ! », s'ordonna-t-elle. Nul doute
que Bryan avait vu quantité de femmes dans des
tenues bien plus légères.

— Aimez-vous le vin ? lui demanda-t-il en débou-
chant une bouteille de vin blanc.

— Non, euh… oui.

Elle s'apprêtait à dire qu'elle ne buvait pas d'alcool.
Elle y avait renoncé en revenant au Kansas, bien
décidée à changer de vie et à devenir une adulte, au
lieu de persister dans son rôle d'éternelle adolescente
en révolte.

Toutefois, après la journée riche en émotions qu'elle
venait de vivre, un petit verre de chardonnay était
des plus tentants.

Bryan remplit deux verres en cristal de vin blanc
et lui en tendit un.

— Portons un toast à ta nouvelle vie dans la peau de Lindsay Morgan, dit-il.

— A Lindsay, fit-elle en toussotant, troublée par le tutoiement qui s'imposait néanmoins, étant donné la mascarade.

Les verres tintèrent et elle avala une gorgée d'un vin frais et fruité. Revigorée, elle grimpa sur un tabouret et se délecta d'une nourriture délicieuse, aux saveurs inattendues.

— C'est succulent, lui dit-elle. Pas étonnant que votre... que ton restaurant connaisse un franc succès. Est-ce toi qui as lancé le concept ou l'as-tu repris avec les murs ?

— Il s'agissait au départ d'un bistrot français. J'ai étoffé le concept et il semblerait que j'aie visé juste.

— C'est le moins que l'on puisse dire.

Le mélange subtil d'épices, de couleurs et de textures différentes fondait littéralement sous le palais. Si Bryan lui servait chaque jour ce genre de petits plats, elle allait vite prendre du poids ! Elle devrait fréquenter de façon régulière la salle de gymnastique qu'elle avait aperçue, du couloir.

Le repas à peine terminé, l'Interphone sonna, indiquant l'arrivée de Scarlet. Bryan quitta la pièce pour aller accueillir la jeune femme, et Lucy se sentit soudain nerveuse à l'idée de rencontrer sa cousine. Allons ! tenta-t-elle de se convaincre, l'avis que Scarlet porterait sur elle n'avait aucune importance : Bryan et elle ne formaient pas un couple réel, et puis, la situation était provisoire.

Hélas, elle ne parvenait pas à se sentir détachée. Elle voulait à tout prix que Scarlet l'apprécie, redoutant en même temps le jugement de cette jeune *fashionata* qui travaillait pour l'un des magazines de mode les plus célèbres du pays. Elle avait l'habitude de rencontrer et d'habiller des mannequins et des actrices, pas des petites employées de banque en pyjama d'homme !

L'ascenseur s'ouvrit et Bryan en sortit le premier, un énorme sac de vêtements dans les bras. Une superbe créature, elle aussi chargée de sacs, lui emboîta le pas. D'une taille presque égale à celle de son cousin, Scarlet possédait une silhouette de rêve ; une chevelure rousse aussi brillante qu'abondante tombait en grosses boucles sur ses épaules et dans son dos. Elle portait un T-shirt vert vif dégagé sur les épaules et un pantalon dans un imprimé coordonné, le tout s'harmonisant de façon étudiée avec ses yeux vert pâle. Des yeux qu'elle braqua sur Lucy et auxquels rien ne semblait échapper.

— C'est donc toi ma victime, fit-elle d'un ton jovial, en déposant le sac qu'elle portait, ainsi qu'une imposante mallette de maquillage. Je suis Scarlet, la cousine de Bryan. Et tu dois être Lindsay, sa petite amie.

D'un pas énergique, elle s'avança vers Lucy. Cette dernière serra la main qu'elle lui tendait, et adopta à son tour un ton léger alors qu'elle tremblait en son for intérieur. Mon Dieu, dans quel guêpier s'était-elle fourrée ? Elle nageait en plein mensonge. Allait-elle être convaincante dans le rôle de petite amie ? Si, à cause d'elle, la famille de Bryan découvrait qu'il était un espion, elle ne se le pardonnerait jamais.

— Lève-toi ! lui ordonna gentiment Scarlet. Nous allons voir ce que nous devons retravailler.

Accoudé au comptoir, Bryan les observait, avec un intérêt évident. Lucy se sentit rougir. Son relooking allait déjà être suffisamment pénible comme ça sans qu'elle ait besoin d'un spectateur… Percevant sa gêne, Scarlet se retourna vers son cousin.

— N'as-tu donc rien à faire, ce soir ? questionna-t-elle. Il me semble que tu es propriétaire d'un restaurant, non ? Martin se plaignait tout à l'heure des trop lourdes responsabilités qui reposent sur ses épaules en ton absence.

— Martin adore être aux commandes. Et moi, je veux assister à la métamorphose de Lindsay, déclara-t-il, les yeux fixés sur Lucy.

— Non ! trancha Scarlet d'un ton ferme. C'est à Lindsay de choisir ce qu'elle veut devenir, pas à toi de fantasmer sur la femme idéale. Allez ouste, va t'occuper de tes clients ! Et ne reviens pas avant minuit.

Bryan marmonna, mais se dirigea vers l'ascenseur. Se ravisant tout à coup, il revint vers Lucy et déclara :

— Amuse-toi bien. A tout à l'heure.

Il lui effleura alors la joue, avant d'enserrer avec douceur son menton pour déposer un baiser sur sa bouche. Un baiser dont la fulgurance transperça Lucy tel un choc électrique. Chancelante, elle se retint au comptoir.

Eh bien, elle était dans de beaux draps ! Surtout, ne pas perdre de vue que tout cela était factice, s'exhorta-t-elle. Bryan était habitué à endosser des rôles : en l'occurrence, il tenait avec un naturel bluffant celui de son fiancé. Elle, en revanche, n'était pas rompue à ce genre de procédé. La possessivité qu'exprimait son baiser lui avait semblé terriblement réelle.

Sans se rendre compte des fortes émotions qui traversaient la jeune femme, Scarlet évaluait le poids et la texture de sa chevelure encore humide.

— Tu as des cheveux remarquables, dit-elle. Epais et éclatants. Si tu veux les garder longs, on peut les dégrader juste un peu…

— Non, je préfère les couper ! annonça-t-elle. Je veux un changement radical de look. Je souhaiterais devenir blonde.

— Tu veux des mèches, c'est bien cela ?

— Non, une teinture. Blond intégral.

Un large sourire éclaira le visage de Scarlet.

— Excellent choix ! déclara-t-elle. Fais-moi confiance, et tu pourras faire la une de *Charisma*.

— C'est très flatteur mais tout à fait irréaliste ! fit Lucy en riant.

— Pourquoi ? Tu as un visage aux traits réguliers, des dents parfaites. Bien sûr, il faudra troquer les lunettes contre des lentilles.

— C'était mon intention, répondit Lucy, se rappelant les instructions de Bryan. Je voudrais des lentilles vertes. En revanche, pour ma poitrine, je crains que l'on ne puisse pas modifier grand-chose…

— Détrompe-toi ! La plupart de nos mannequins ont une poitrine bien plus petite que la tienne ; toutefois, grâce à des soutiens-gorge rembourrés, elles affichent des seins fort généreux. Lindsay, ta silhouette est parfaite, tu es mince et tous les habits t'iront, j'en suis sûre. Mais en attendant, aide-moi à porter les sacs dans ta chambre pour qu'on puisse commencer.

— Je suis installée…

Aïe! La couverture de Bryan avait manqué voler en éclats, puisqu'elle s'apprêtait à révéler qu'elle dormait dans la chambre d'amis. Or, au titre de *petite amie* de Bryan, elle partageait son lit.

— Je vais m'installer ici pour quelque temps, se corrigea-t-elle, et je n'ai pas du tout de vêtements. J'ai besoin de tout.

— Qu'est-il arrivé à ta garde-robe ? demanda Scarlet, flairant une histoire intéressante. Tu peux tout me dire, tu sais, je ne serai pas choquée : ma jumelle est mariée à une rock star.

— Ah bon ? Qui est-ce ?

Par pitié ! Pas un ami des In Tight, pria-t-elle en silence.

— Zeke Woodlow, répondit Scarlet.

Un immense soulagement envahit Lucy… jusqu'à ce qu'elle fasse le rapprochement : elle avait lu tous les détails du mariage de Zeke, dans *Buzz*.

— Tu es la sœur jumelle de Summer Elliott ? Les Elliott du groupe de presse ?

En d'autres termes, l'une des familles les plus riches de ce côté-ci de l'Atlantique, qui possédait la plupart des journaux et des magazines qui comptaient dans le pays.

— Tu ne le savais pas ? s'étonna Scarlet.

Lucy se mordit la langue. Quelle idiote ! Elle avait trop parlé.

— C'est-à-dire que… je ne savais pas que Bryan appartenait à ces Elliott-là, répondit-elle. Tu connais ton cousin, il est si discret… Et puis, nous sortons ensemble depuis peu. Mais pour répondre à ta question, je n'ai plus de vêtements car je les ai brûlés.

Scarlet la dévisagea d'un air étonné.

— Brûlés ?

— Oui, je voulais faire table rase du passé. Cela s'est passé au Kansas. Dans une ferme, précisa-t-elle, se rappelant qu'il était interdit d'allumer un feu, à New York.

— Que faisait Bryan au Kansas ? Je le croyais à Paris, observa Scarlet.

Lucy retint un soupir d'agacement. Si elle continuait

à enchaîner gaffe sur gaffe, la couverture de Bryan tomberait vite à l'eau. Vraiment, il fallait qu'elle se surveille.

— Oui, c'est bien à Paris que nous nous sommes rencontrés. Mais après, je suis retournée au Kansas…

— Donc, si je te suis bien, vous vous rencontrez à Paris, puis tu reviens au Kansas afin de brûler ta garde-robe et tu rentres à New York retrouver Bryan, nue comme un ver, afin de faire peau neuve ?

— Tu as tout compris, approuva Lucy en affichant son plus innocent sourire.

— Lindsay, tu me plais beaucoup ! décréta Scarlet.

Bryan regagna le restaurant tout en tâchant de mettre de l'ordre dans ses pensées. Lui et Lucy se devaient d'être convaincants dans leur rôle : sa famille allait les observer de près, dans la mesure où il n'avait jamais entretenu de relation sérieuse avec une femme. Après un essai infructueux, il s'était rendu compte que les femmes n'aimaient pas les hommes qui disparaissaient pour de longues semaines. Aussi, tant qu'il serait espion, avait-il décidé de renoncer à toute relation stable. Sans compter qu'outre les absences, il courait aussi le risque de ne jamais revenir en cas de problème.

Oh, bien sûr, il sortait de façon occasionnelle avec

des femmes et couchait avec elles si elles étaient consentantes et conscientes de la règle du jeu. Mais il était rare qu'il les invite dans son duplex ; en l'occurrence, c'était la première fois qu'il en installait une à domicile. Il devrait donc jouer les amoureux transis et multiplier les démonstrations d'affection en public pour bluffer son entourage.

Nul doute qu'il aurait dû mieux préparer Lucy à son rôle. Ils n'avaient même pas mis au point une histoire probable concernant leur rencontre. Allons, il pouvait compter sur l'intelligence et l'imagination de celle-ci. Il suffirait qu'elle lui rapporte tous les détails livrés à Scarlet pour qu'ils accordent leur violon.

Bryan repensa soudain au baiser qu'il lui avait donné. Lucy avait ouvert des yeux de biche effarouchée quand elle avait deviné son intention. Néanmoins, c'était lui qui avait été le plus surpris. Ses lèvres étaient douces et chaudes, et sa vulnérabilité s'était communiquée à son âme dès l'instant où il avait effleuré sa bouche.

Oui, ce baiser bref et innocent avait remué tout son être, comme aucun autre.

Au moment où il pénétra dans les cuisines du Une Nuit, Bryan avait à peu près retrouvé ses esprits, mais le souvenir du baiser demeurait bien vivant dans un coin de son cerveau.

— Enfin de retour, patron ! s'écria avec une joie sincère l'un des cuisiniers.

— Monsieur Bryan ! renchérit un autre. Goûtez-moi ces fougasses, s'il vous plaît !

Kim, le chef cuisinier qui dirigeait les cuisines comme un capitaine son vaisseau, leva les yeux de sa poêle où mijotaient des morceaux de bœuf.

— Il était temps ! marmonna-t-il.

O.K., c'était de bonne guerre. Bryan avait négligé le restaurant, ces derniers temps. Le cas Alliance Trust l'avait occupé presque jour et nuit. Il n'était pas facile d'exercer deux professions à la fois ! Tandis que Lucy travaillait avec vaillance à un bout de la chaîne, il avait traqué les personnes qui recevaient les fonds détournés, en collaboration avec deux agents français qui veillaient à ce que l'argent n'arrive pas à destination, sans éveiller pour autant les soupçons des fournisseurs. Délicat équilibre !

— Où est Martin ? demanda Bryan.

— En salle, en train de se la couler douce en faisant du charme aux happy few de ce monde !

L'insinuation était injuste, pensa Bryan, dans la mesure où c'était Martin qui faisait marcher le restaurant en son absence. Il vivait quasiment ici et veillait autant à la satisfaction des clients qu'au bien-être du personnel.

— Bryan, quelle joie de te retrouver ! s'exclama Martin dans son anglais teinté d'un accent français quand Bryan l'eut rejoint.

Agé de trente ans, Martin Lemire était animé d'un dynamisme remarquable, et représentait le manager idéal pour un propriétaire aussi souvent absent que Bryan.

— Eh bien, où te cachais-tu ? Le restaurant aurait eu le temps de se transformer en un stand de hot dog en ton absence !

Bryan avait préparé une longue histoire sur ses tribulations en Europe. Au lieu de quoi, il répondit simplement :

— J'ai rencontré quelqu'un.

Se mettant à décrire la belle Lucy, il fut troublé par les accents de vérité qui résonnaient dans sa voix.

Allons, tenta-t-il de se reprendre, il ne pouvait se permettre de ressentir des émotions envers sa partenaire, dans cette mission haut à risque.

Lucy se regarda dans la glace.

Scarlet ne l'avait pas autorisée à s'y mirer avant la fin de la transformation, si bien qu'elle reçut un choc en voyant sa nouvelle image. Sa propre mère ne l'aurait pas reconnue ! Ce qui était le but de l'opération, d'ailleurs.

De longues mèches châtaines jonchaient le sol. Scarlet lui avait coupé les cheveux au niveau du menton avant de lui faire un brushing bien lisse, de sorte qu'ils retombaient à présent comme un rideau doré qui ondulait au moindre de ses mouvements. Ses sourcils avaient été redessinés et le maquillage que Scarlet avait appliqué avec grand art sculptait son visage, affirmant les courbes de sa bouche et soulignant des pommettes dont Lucy n'avait pas eu conscience jusque-là.

En ce qui concernait les vêtements, Scarlet avait tranché : Lucy avait besoin de coupes moulantes et sexy aux couleurs discrètes. Vert bouteille, prune, ou encore fauve. Ce soir, elle lui avait suggéré un corsaire vert et un haut prune qui recouvrait à peine son ventre et épousait la moindre de ses formes. Des sandales à semelles compensées et des bijoux en verroterie complétaient l'ensemble.

Le plus intrigant, c'était son décolleté, pensa Lucy. Le Wonderbra que Scarlet avait déniché lui offrait généreusement deux tailles de bonnet supplémentaires.

Lucy remit ses lunettes et s'éloigna du miroir pour avoir une vue d'ensemble, avant de les retirer de nouveau afin de s'admirer de plus près. Elle ne parvenait pas à y croire, pourtant, le miroir ne mentait pas : elle était désormais crédible en tant que petite amie de Bryan Elliott et pouvait aisément passer pour une New-Yorkaise ! Quand elle avait vécu ici, autrefois, elle était toujours demeurée une fille du Kansas. Une page venait de se tourner.

— C'est confondant, dit-elle pour la troisième fois.

— Les modèles que l'on photographie pour les magazines sont comme toi et moi, à cette différence près qu'elles disposent d'un bon styliste et d'un éclairage flatteur.

Si Lucy approuvait les derniers propos de Scarlet, elle craignait cependant qu'il ne lui manque un atout majeur pour être tout à fait convaincante : la confiance en soi dont Scarlet vibrait par tous les pores.

— Crois-tu que je vais pouvoir donner le change longtemps ? demanda-t-elle.

— Bien sûr ! Si tu n'étais pas unique, Bryan ne t'aurait pas choisie.

« Si Scarlet savait ! » pensa Lucy. Préférant songer à autre chose, elle renchérit :

— Es-tu proche de ton cousin ?

— Tous les cousins Elliott sont très uni, tu sais ! Mais tu t'en rendras vite compte par toi-même.

— La plupart d'entre vous travaillez pour l'empire Elliott, n'est-ce pas ? demanda Lucy, juchée sur le lit pendant que Scarlet s'affairait à marquer l'ourlet de son pantalon à l'aide d'épingles.

Elle prodiguait de gros efforts pour ne pas être obnubilée par le lit de Bryan. Par les draps dans lesquels il se glissait, la nuit venue… Dans son plus simple appareil ?

Assez ! s'ordonna-t-elle.

— Oui, à l'exception de Bryan. Il est le seul à avoir échappé à cette fatalité.

— Comment cela se fait-il ?

— Sûrement est-ce lié à ses problèmes cardiaques qui l'ont un peu mis à l'écart du clan. Tourne-toi…

Jusqu'à son opération, il ne pouvait ni courir ni jouer avec nous. Or, nous étions une tribu très remuante.

Bryan, des problèmes cardiaques ?

— Après son opération, enchaîna Scarlet, il s'est mis au sport et a rattrapé le temps perdu. Il a battu tous les scores de son frère et de ses cousins, sans doute était-ce une forme de revanche pour lui. Il ne ressentait aucun attrait pour la presse, même s'il a fait des études de commerce dans le vague dessein d'intégrer l'entreprise familiale. Il était sans doute trop indépendant pour travailler sous l'emprise de grand-père. Et si tu veux mon avis, c'est lui qui a fait le bon choix.

— Pourquoi ? N'est-ce pas le rêve de travailler pour *Charisma* ?

— En temps normal, oui. Mais en ce moment, avec l'esprit de compétition qui règne entre nous… Bryan t'a-t-il mise au courant ?

— Non. De quelle compétition s'agit-il ?

— Mon grand-père Patrick a décidé de prendre sa retraite et l'un de ses enfants doit lui succéder au poste de directeur général. Chacun dirige un magazine du groupe Elliott : *Pulse*, *Snap*, *Buzz* et *Charisma*. Celui qui affichera les plus gros bénéfices en fin d'année verra son directeur obtenir le fauteuil suprême. Nul besoin de préciser que chacun est à couteaux tirés. Mon chef, tante Fin, vit pratiquement sur son lieu de travail, obsédée par le poste. Quant à mon oncle Michael, au lieu de s'occuper de sa femme Karen qui se remet d'un cancer du sein, il tente lui aussi de rivaliser !

Scarlet s'aperçut soudain qu'elle était devenue amère et s'interrompit.

— Désolée, dit-elle. Bryan me hacherait menu s'il savait que je suis si bavarde avec sa nouvelle petite amie.

— Je ne dirai rien, je te le promets, lui assura Lucy.

Elle regarda alors sa nouvelle montre au bracelet couleur cuivre. 1 heure du matin ! Où était Bryan ? De toute évidence, il n'était pas pressé de la retrouver. Au contraire, il devait être soulagé d'être libéré de sa présence pendant quelques heures.

— Il est fort tard, reprit-elle, et je vais hélas être obligée de défaire ton travail et de me démaquiller. Merci beaucoup, Scarlet. J'ai passé une soirée très agréable en ta compagnie.

— Le plaisir était partagé, répondit cette dernière. Cela fait du bien d'échapper à la pression familiale.

Les deux femmes s'embrassèrent et Lucy ressentit une réelle gratitude envers Scarlet. A Washington, elle n'avait noué aucune amitié. De temps en temps, elle allait au cinéma ou prenait un verre avec des collègues, mais elle gardait toujours ses distances, sous prétexte qu'elle devait rester concentrée sur son travail. En réalité, elle s'autocensurait par crainte de se laisser entraîner. Son goût pour les divertissements lui avait valu bien trop de problèmes, aussi les avait-elle éliminés de sa vie.

Contrairement à elle, Scarlet devait avoir de nombreuses amies. Des amies qu'elle n'aurait pas le temps de rencontrer car une rude tâche l'attendait : l'analyse des données de la clé USB…

Après avoir aidé Scarlet à ranger ses affaires, Lucy la raccompagna jusqu'à l'ascenseur. Une fois sa nouvelle amie partie, elle retourna dans la chambre de Bryan, à l'étage, afin de transporter sa garde-robe dans ses quartiers, avant le retour de ce dernier. Pas de chance ! Elle entendit l'ascenseur s'ouvrir au moment où elle descendait l'escalier, les bras chargés de vêtements.

— Lucy ? appela-t-il de la cuisine avant de se heurter à elle. Ah, te voilà ! J'ai passé plus de temps que prévu dans les cui… Qu'as-tu fait à tes cheveux ?

— Tu n'aimes pas ?

Elle sentit un frisson glacé la parcourir. Pourquoi s'était-elle coupé les cheveux ? Elle savait qu'en général les hommes préféraient les longues chevelures. Allons, se rappela-t-elle avec sévérité, le but du jeu était de changer de tête, pas de plaire à Bryan…

Et pourtant, elle aurait tant aimé que la nouvelle Lucy, ou plus exactement Lindsay, soit à son goût !

— Tu as l'air si… Allons, va d'abord poser ces vêtements que je puisse t'admirer.

Elle lui obéit, consciente de son regard. A son retour, il la jaugea de la tête aux pieds, puis la fit pivoter, affichant un visage impénétrable. Tout à coup, il s'approcha d'elle et lui retira ses lunettes pour mieux observer son visage.

— Scarlet m'a donné l'adresse d'un opticien chez qui je pourrai acheter des lentilles vertes adaptées à ma vue. Je m'y rendrai dès demain.

— Très bien, dit-il.

Toutefois, au lieu de lui redonner ses lunettes, il les plaça dans la poche de sa chemise.

— Qu'en penses-tu ? Le résultat est-il satisfaisant ou bien ai-je l'air ridicule ?

Un sourire sensuel barra le visage de Bryan. Un sourire qu'elle perçut dans un léger flou.

— Tu as l'air d'une star, Lucy.

Confuse, elle repensa malgré elle au baiser qu'il lui avait donné en toute décontraction alors qu'elle était prête à défaillir… Tout cela n'était qu'un jeu pour lui ; il était impératif qu'elle reste sur ses gardes.

— Appelle-moi plutôt Lindsay, lui dit-elle. Et la prochaine fois que tu m'embrasses, préviens-moi avant.

— Nous sommes censés être éperdument amoureux l'un de l'autre, aussi puis-je t'embrasser à tout moment.

— Bien, très bien…

— Cela te pose-t-il problème ? demanda-t-il alors en la saisissant par les bras. Si tu crains de ne pas bien pouvoir tenir ton rôle, il faut que nous trouvions de toute urgence une autre couverture.

Effrayée à l'idée qu'il ne change d'avis et ne l'emmène dans un endroit isolé sans confort, elle répondit :

— Sois sans crainte, je pourrai donner le change ! Mais j'aimerais que l'on répète... Je veux dire, il faut que nous mettions au point une histoire de sorte que...

Elle s'interrompit. Pourquoi scrutait-il sa bouche avec une telle attention ?

— Que se passe-t-il ? Ai-je des traces de rouge autour des lèvres ?

— Pas du tout, ma chérie, tu es parfaite. Mais tu ne dois pas avoir l'air d'une biche effarouchée chaque fois que je t'embrasse ou que je te touche. Par conséquent, tu as raison, nous devons répéter.

Sur ces mots, il se pencha vers elle et l'embrassa.

- 4 -

Lucy avait le goût troublant des cerises sauvages. Et ce qui avait commencé comme un baiser destiné à lui prouver qu'elle ne devait pas avoir peur de lui se transforma en bien autre chose.

Avant qu'il ne comprenne ce qui se passait, Lucy noua les bras autour de son cou et lui rendit son baiser avec une telle ferveur qu'il comprit que le mot « peur » ne faisait pas partie de son vocabulaire. Il était évident qu'elle n'était pas la jeune vierge maladroite pour qui il l'avait prise, au premier abord.

A moins que ce ne fût lui qui ait éveillé un talent caché en elle. Oui, il préférait cette idée. Il ne voulait pas l'imaginer embrassant d'autres hommes. Ou pire, se donnant à eux.

Non qu'il ait l'intention de coucher avec elle ; cela aurait été pousser la mascarade un peu loin. Les baisers, en revanche, étaient nécessaires pour entretenir la crédibilité de leur couple aux yeux des autres…

Poussant un grognement, il enfouit ses doigts dans la chevelure lissée et courte. De la soie pure ! Au fond, il ne regrettait pas ses cheveux longs et épais : sa nouvelle coupe procurait d'incroyables sensations à ses paumes.

Alors qu'il s'apprêtait à presser ses hanches contre les siennes pour lui donner la mesure de son excitation, un éclair de raison lui revint. Aussi se contenta-t-il de renforcer l'intensité de son baiser, mêlant avec fougue sa langue à la sienne, s'enivrant de son odeur poudrée, de son shampoing, et de ses nouveaux habits qui épousaient son corps comme une seconde peau…

Jusqu'à ce qu'elle le repousse et le regarde avec de grands yeux surpris.

— Qu'est-ce que tu fais ? s'exclama-t-elle.

D'un geste nonchalant, il caressa ses cheveux.

— Ne devions-nous pas nous exercer ? Apprendre à être plus à l'aise ensemble ?

— Je crois que j'ai assimilé mon rôle, fit-elle très vite en s'éloignant d'un pas. Nous avons assez répété.

— En es-tu bien sûre ? fit-il dans un sourire lascif.

— Tout à fait !

Elle passa une main nerveuse dans sa chevelure, afin d'y remettre un peu d'ordre, puis lissa ses vêtements. Elle respirait lourdement, sa poitrine se levant et s'abaissant de façon saccadée. Une poitrine dont il n'avait pas jusque-là remarqué la générosité.

— Je tombe de sommeil, marmonna-t-elle. Demain, nous réviserons l'histoire de notre rencontre, car j'ai beaucoup discuté avec Scarlet, et il ne faudrait pas que des détails nous trahissent.

— Quel genre de détails ?

— Je lui ai dit que nous nous étions rencontrés à Paris, puis que j'étais rentrée chez moi, au Kansas, où j'avais brûlé ma garde-robe avant de repartir pour New York, nue comme un ver.

— *Pardon ?*

— Bah, nous reparlerons de tout cela demain, dit-elle dans un bâillement étouffé. Bonne nuit, Bryan, et merci pour tout.

Reprenant sa pile de vêtements, elle regagna la chambre d'amis, ses talons compensés résonnant de façon bien peu discrète sur le parquet.

Pourquoi avait-elle inventé une histoire si baroque ? pensa-t-il. D'autant qu'à présent, l'image d'une Lucy toute nue embarquant pour New York ne cesserait de l'obséder…

Cette femme était une sirène au chant des plus ensorcelants. Le désir cingla soudain ses reins : il n'aurait aucun mal à jouer les amoureux devant sa famille — le problème étant de se maîtriser en privé.

Quel espion pathétique il était devenu ! Lucy était le témoin clé d'une affaire probablement liée au terrorisme international : il n'avait pas le droit de l'embrasser, ni même d'envisager de coucher avec elle.

Elle lui avait affirmé qu'elle pourrait jouer le rôle

de sa fiancée. Par conséquent, il n'y aurait plus de répétitions. Il se devait d'être professionnel. Il ne pouvait pas tirer avantage d'une femme dont la vie venait de subir un tel chamboulement.

N'écoutant que sa fibre patriotique, elle s'était adressée au Département de la Sécurité Intérieure, et qu'avait-elle récolté en retour ? On l'avait espionnée, elle avait perdu son travail, sa maison, et plus personne de son entourage ne pouvait désormais entrer en contact avec elle. Il était sa seule ancre dans l'orage. Pourquoi jouer avec le feu en titillant sa vulnérabilité ? D'autant qu'elle ne semblait pas être du genre à se contenter d'une aventure, la seule chose qu'il pouvait lui offrir.

Bien qu'elle tombât de sommeil, Lucy n'arrivait pas à s'endormir. Elle ne cessait de repenser au baiser de Bryan, de le revivre… Elle se rappelait toutes les nuances, sa chaleur enivrante, sa possessivité. Elle sentait encore ses mains vigoureuses dans ses cheveux…

Jamais elle n'avait eu l'impression d'être aussi vivante. Elle s'était sentie transcendée. Oui, ce baiser avait été transcendant. Et bien plus que cela encore. Les mots lui manquaient pour le décrire.

Hélas ! Pour Bryan, il ne s'agissait que d'un banal baiser. Une répétition. La routine, en somme : veiller à la sécurité du témoin, s'assurer qu'elle connaissait son rôle et faire en sorte que la famille n'y voie que du feu.

Comment l'en blâmer ? Après tout, ce n'était pas la faute de Bryan si elle avait réagi de manière si violente à son baiser. Elle sentit un frisson la parcourir de nouveau. Tout son être en vibrait encore... Il fallait dire que durant ces deux dernières années, elle avait mené une existence fort monotone et répétitive, bannissant tout désir de sa vie afin d'éviter les problèmes.

Mais voilà que les problèmes l'avaient rattrapée... Cette fois, se promit-elle, elle ne devait pas agir sans réfléchir, comme lorsqu'elle avait tout abandonné pour se mettre au service des In Tight. Il ne fallait surtout pas qu'elle se laisse emporter par la ferveur de son imagination : comment avait-elle pu croire, autrefois, qu'une rock star l'épouserait ?

Aujourd'hui, la situation n'était pas sans présenter des points analogues. De nouveau, elle se tenait aux portes d'un monde excitant, à cette différence près que le sexe, la drogue et le rock'n roll avaient laissé la place aux espions, aux escrocs et aux terroristes. Un monde qui lui était encore plus étranger.

Elle ne devait pas l'oublier et se mettre à fantasmer sur les sentiments de Bryan à son endroit. S'il jouait un double jeu, il n'y avait chez lui aucune ambiguïté.

Le sommeil finit par la gagner et, quand elle se réveilla, la lumière du jour inondait sa chambre. Elle prit alors conscience de la délicieuse odeur qui flottait dans l'appartement. Incapable de résister à la tentation, elle se leva sans attendre et sauta sous la douche.

Elle enfila ensuite avec plaisir les sous-vêtements de soie que Scarlet lui avait apportés. Ils étaient encore dans leur papier d'emballage. Les designers peu connus mais talentueux envoyaient des échantillons gratuits aux magazines de mode, dans l'espoir que des mannequins ou des actrices seraient photographiées dedans.

Lucy sourit en se regardant dans la glace. En général, quand elle n'allait pas travailler, elle portait un jean et un T-shirt. Ce qui ne correspondait pas du tout au style de « la nouvelle Lindsay » pour reprendre les termes de Scarlet. Elle devrait désormais s'habituer aux minijupes et aux pantalons ajustés, ainsi qu'aux hauts courts et moulants.

Elle choisit une minijupe couleur fauve et une blouse chocolat sans manche, finement rayée d'or. Aujourd'hui, pas de maquillage ni de bijoux, elle les réservait pour les sorties. Après tout, il ne fallait pas que Bryan pense qu'elle cherchait à le séduire…

Quand elle arriva dans la cuisine, elle comprit ce qui sentait si bon : les gaufres qu'il était en train de confectionner.

— A ce régime-là, je vais rapidement prendre des kilos !

— Bonjour, Lucy, dit Bryan sans lever les yeux vers elle, concentré sur son travail. Bien dormi ?

— Oui, merci, mentit-elle.

Elle n'allait tout de même pas lui reprocher son baiser et l'insomnie qu'il lui avait valu… D'ailleurs, elle redoutait que ce ne fût la première d'une longue série : avec ses cheveux ébouriffés et sa barbe naissante, Bryan était tout simplement craquant. Ce matin, il portait un short et un T-shirt affichant le logo du Boca Royce Country Club, un club sélect pour gens très, très fortunés.

Il ne l'avait pas encore regardée. A présent, il remplissait deux tasses de café. Jamais elle n'avait vu une telle cafetière, digne de l'équipement de la NASA. L'odeur de gaufre et de café mêlés était décidément irrésistible et son estomac se manifesta.

— Je viens de faire un footing, lui dit-il. J'en fais un tous les matins. Tu pourras te joindre à moi, si tu le souhaites.

— Pourquoi pas ? fit Lucy, qui n'avait pas l'âme d'une véritable sportive.

Toutefois, s'il devait lui confectionner chaque jour d'aussi bons petits plats, cela serait nécessaire. Avec une joie non dissimilée, elle mordit dans la gaufre toute chaude qu'il venait de déposer dans son assiette, en savourant la texture croquante à l'extérieur et moelleuse à l'intérieur.

— Je vais devoir acheter des chaussures de sport pour courir, enchaîna-t-elle.

— Tu les choisiras quand nous sortirons pour te trouver des lentilles de contact, tout à l'heure.

— Je ne peux plus utiliser ma carte de crédit, n'est-ce pas ?

— Non, tu ne dois réaliser aucune transaction en ton nom. Ni donner de coups de téléphone, d'ailleurs. A personne. Toutes tes connaissances, même les moins proches, sont susceptibles d'être sur écoute.

Cette remarque ramena Lucy sur terre. Un frisson la parcourut à l'idée que ses conversations téléphoniques avaient été écoutées, après que des inconnus s'étaient introduits chez elle pour y dissimuler des puces.

Soudain, elle sentit le regard de Bryan peser sur elle… Un regard insistant et perplexe. Alors elle comprit.

— Ne t'attends pas à me voir maquillée dès le matin ! le prévint-elle. Je ne peux pas être glamour vingt-quatre heures sur vingt-quatre !

— Ai-je émis le moindre reproche ?

— Ton regard est suffisamment évocateur.

— Je ne me suis pas encore habitué à la métamorphose, c'est tout, dit-il alors.

— Moi non plus, lui avoua-t-elle.

— Et pourtant, c'est bien toi.

Il prit alors place près d'elle, autour du comptoir. Si près qu'elle sentit son odeur de savon et musc mêlés. Une odeur définitivement saine et masculine.

— Tu as le même sourire, poursuivit-il. Un superbe sourire… Dommage qu'il n'éclaire pas plus souvent ton visage.

— En toute franchise, je n'ai pas matière à sourire, en ce moment, repartit-elle.

Vraiment ? objecta une petite voix en elle. Soit, elle était devenue la cible d'individus peu recommandables, et elle avait, dans la foulée, perdu son poste, sa maison et son identité. Mais les avantages qu'elle avait gagnés en échange ne compensaient-ils pas tous ces inconvénients ? Elle fréquentait à présent un espion dangereusement sexy et possédait une garde-robe à faire pâlir d'envie toute femme digne de ce nom. Deux atouts majeurs.

— C'est mieux, dit Bryan.

Et Lucy s'aperçut qu'elle venait de lui donner, malgré elle, le sourire qu'il attendait.

Quatre heures plus tard, Lucy entrait chez Victoria's Secret et se sentait presque des affinités avec Julia Roberts dans *Pretty Woman*. Ils s'étaient tout d'abord rendus chez l'opticien qui avait tout de suite trouvé une paire de lentilles vertes adaptées à sa vue. Elle était ressortie du magasin avec un sentiment de légèreté retrouvée, enfin débarrassée des lourdes montures qu'elle s'était imposées ces dernières années.

Bryan l'avait ensuite entraînée dans un magasin de sport, où il lui avait acheté une paire de Nike, les dernières, et deux tenues conçues par un designer, ce qui lui avait coûté une fortune. Etait-il raisonnable de débourser une pareille somme pour des vêtements de sport ? Il était vrai qu'ils étaient très confortables et l'inciteraient sans doute à faire de l'exercice.

Puis elle s'était rappelé qu'elle n'avait pas de chemise de nuit. Ce qui pourrait être fort gênant. Elle l'avait signalé à Bryan qui l'avait conduite sur-le-champ chez Victoria's Secret, une boutique de lingerie réputée et fort onéreuse.

— Je peux parfaitement acheter une chemise de nuit dans une boutique plus ordinaire, protesta-t-elle. Tu as déjà dépensé beaucoup…

— Je peux me le permettre. J'ai envie que tu te sentes bien dans des vêtements de qualité, et non dans de vulgaires pyjamas en polyester.

— Crois-tu que je serais à l'aise dans une nuisette à moitié transparente comme celle-ci ? dit-elle en désignant un modèle fort sexy.

Toutefois, après une rapide inspection, elle constata qu'il y avait aussi des tenues de nuit fort décentes et tout à fait originales. Elle venait de repérer une chemise de nuit en coton dans des dégradés de pêche. Au moment où elle la saisit, elle entendit Bryan toussoter pour attirer son attention.

Un frisson la parcourut : les individus qui la traquaient l'avaient-ils déjà cernée ?

— Qu'y a-t-il ? fit-elle en balayant l'endroit du regard, en quête d'une cachette où se réfugier le cas échéant.

— Ma belle-mère vient d'entrer dans la boutique… Il ne manquait plus que ça ! Repose cette chemise de nuit. Ce n'est pas *du tout* le genre de tenue que j'achèterais à ma petite amie. Prends plutôt cela...

Sur ces mots, il attrapa trois nuisettes, et les lui mit d'autorité dans les mains.

— Va les essayer, enchaîna-t-il en baissant la voix. Peut-être qu'elle ne te verra pas... Ah, la barbe ! Elle vient de nous repérer.

La femme que Bryan semblait redouter comme la peste était petite et menue. Sa coupe de cheveux indiquait qu'elle fréquentait des salons de coiffure onéreux. Elle portait un jean dernier cri et un T-shirt moulant soulignait sa poitrine siliconée.

Sans l'air méprisant qu'elle affichait, elle aurait été jolie.

— Bryan, que diable fais-tu ici ? s'exclama-t-elle.

— Tiens, bonjour Sharon ! dit-il sans grand enthousiasme. J'achète un cadeau à ma fiancée, Lindsay Morgan. Lindsay, je te présente ma belle-mère, Sharon Elliott.

— Et Dieu merci, sur le point de redevenir Sharon Styles, précisa cette dernière en jetant un regard perçant à Lucy.

— Ravie de vous rencontrer, dit poliment la jeune femme avant d'ajouter à l'adresse de Bryan : je vais essayer ces chemises de nuit.

Sur ces mots, Lucy se précipita vers les cabines, impatiente d'échapper à la tension ambiante. Ainsi, Bryan pourrait expliquer leur rencontre à sa façon, sans qu'elle ne commette d'impair. Elle était si novice en matière d'imposture qu'elle préférait s'y habituer à petites doses. Elle ne s'était pas encore remise de l'histoire à dormir debout qu'elle avait racontée à Scarlet, mais qui était désormais la leur.

Comment Bryan avait-il fait pour choisir en quelques secondes la bonne taille et la bonne coupe ? se demanda-t-elle quelques minutes plus tard en se mirant dans la glace de la cabine, satisfaite. Et malgré elle, elle s'imagina en train de porter le déshabillé dans le duplex de Bryan. Sous le regard approbateur de ce dernier… Bien que seule dans la cabine, elle se sentit rougir. Qu'à cela ne tienne, elle allait prendre ce modèle et les deux autres ! Elle en avait assez d'être mal habillée.

— Qui est-ce ? s'enquit Sharon dès que Lucy eut le dos tourné.

— Je l'ai rencontrée à Paris, elle est originaire du Kansas, répondit prudemment Bryan.

Même si Sharon n'avait plus guère de contact avec les Elliott depuis le début du divorce, elle s'entretenait de temps en temps avec son père concernant les détails litigieux de la procédure. Et elle était fort capable de lui raconter par le menu la rencontre impromptue chez Victoria's Secret.

— Et tu lui achètes de la lingerie ?

— Est-ce interdit ?

— Ah oui, c'est vrai, c'est ta fiancée ! C'est nouveau, ça.

— Tu vois, tout arrive, dit-il, diplomate et peu désireux de se quereller.

— En tout cas, elle a l'air sympathique, dit Sharon tout en examinant tranquillement des soutiens-gorge.

Ce fut alors qu'elle ajouta sur un ton aussi naturel que blasé :

— Je suis invitée à un vin d'honneur au Carlyle, et comme je porte une robe sans bretelles, j'ai besoin d'un soutien-gorge adapté. Il y aura certainement des gens célèbres. Ah ! Je déteste ce genre de monda-nités !

« Menteuse, pensa Bryan, elle en raffolait, oui ! »

Elle était elle-même issue d'une famille fortunée. D'ailleurs, n'était-ce pas Patrick qui l'avait choisie pour son fils, estimant qu'elle représentait un bon parti ? Comparée à celle des Elliott, sa richesse était toutefois relative, aussi son mariage avec Daniel, le père de Bryan, lui avait-il permis de s'élever dans la société… et de mépriser toutes ses anciennes amies. Aujourd'hui, elle s'efforçait encore de poursuivre son ascension sociale.

Au fond, Bryan ne la détestait pas. Elle avait été relativement tolérante envers lui et son frère Cullen, qui n'étaient pas, soit dit en passant, des enfants modèles. Toutefois, elle n'avait jamais été chaleureuse avec eux. Par ailleurs, il n'appréciait pas qu'elle cherche à soutirer le maximum d'argent à son père, dans le cadre du divorce.

Absorbée par ses recherches, Sharon s'éloigna, et Bryan se retrouva seul, cerné par des nuisettes, des soutiens-gorge, des bas. Et aussitôt, une image s'imposa à son esprit. Celle de Lucy dans ces tenues…

Hier soir, il avait cru avoir cédé à une impulsion déclenchée par la métamorphose de Lucy. Mais ce matin, il avait compris que quelque chose de plus profond l'attirait de façon irrésistible, chez elle.

Elle possédait une générosité de cœur qui irradiait tout son être. Jamais il n'avait rencontré une femme comme elle. Lui, en revanche, appartenait à un monde obscur et glauque. Elle et lui, c'était la collision de deux mondes opposés. Un duo voué à l'éphémère. Elle n'appartenait pas à sa planète et lui n'avait rien à faire dans la sienne.

Il devait garder cette pensée à l'esprit.

Quelques minutes plus tard, Lucy réapparut.

— Est-elle partie ? demanda-t-elle.

Il hocha la tête. Sharon avait choisi deux soutiens-gorge en dentelle transparente — il n'avait pas pu s'empêcher de la surveiller du coin de l'œil, par déformation professionnelle, sans doute —, les avait payés avec une carte de crédit et était sortie en lui faisant un vague signe de la main. Trouverait-elle un prétexte pour appeler son père et lui mentionner la rencontre ? En dépit de leur contentieux, Sharon adorait les commérages. Il doutait qu'elle puisse résister.

— Donne-moi ces nuisettes, lui dit-il. A présent, tu peux essayer les chemises de nuit qui te plaisent.

— Non, je veux celles-ci.

Il considéra de nouveau les tenues audacieuses… et un frisson de désir parcourut ses reins.

Il fallait absolument qu'il résiste. Il ne devait pas l'imaginer dans ces tenues affriolantes. Il n'en avait pas le droit.

- 5 -

Cette nuit-là, Lucy enfila sa nuisette bleu métallique. Elle se sentait si sexy dans cette tenue que des pensées qu'elle n'aurait pas dû nourrir envahirent son esprit… C'était comme si, après avoir passé deux ans à se persuader qu'elle était un être asexué, elle ne pouvait et ne voulait plus censurer son imagination. Il était si merveilleux de se sentir de nouveau vivante.

Le lendemain matin, elle revêtit un short de sport fuchsia et un T-shirt noir, sur lequel était imprimé en lettres argentées le mot « Diva ». Un large bandeau assorti à son short ceignait par ailleurs son front.

Quand elle arriva dans la cuisine, Bryan était en train de broyer des grains de café dans une machine tout aussi futuriste que sa cafetière.

— Prête ? fit-il en laissant glisser son regard sur ses jambes nues.

Ouf ! Il n'avait pas prêté attention à sa poitrine : ce matin, sans Wonderbra, elle avait retrouvé des proportions plus modestes.

— Oui, dit-elle. Mais je te préviens : je manque sérieusement d'entraînement.

— Nous n'irons pas vite.

Cinq minutes plus tard, Lucy se demandait ce que signifiait pour lui courir vite dans la mesure où elle était déjà hors d'haleine. A son côté, Bryan courait avec souplesse, le souffle régulier. Elle finit tout de même par trouver son rythme et se sentir un peu mieux. Elle se mit alors à observer son entourage : les gens qui se pressaient pour prendre le bus ou monter dans un taxi, les vendeurs de petits pains, les volées de pigeons. Sans compter les coups de Klaxon intempestifs.

Oh, comme elle aimait cette ville ! Elle ne l'avait pas souvent vue à cette heure-ci, les journées des In Tight ne commençant jamais avant midi. Et pourtant, le matin, New York contenait une énergie toute particulière, forte de tous les possibles que la journée allait proposer.

— Ça va ? s'enquit Bryan.

Elle hocha la tête.

Ils prirent la direction de Central Park où des dizaines d'autres joggeurs s'entraînaient déjà. Lucy ralentit un peu l'allure, ce qui lui permit d'observer Bryan de dos. Il possédait des jambes incroyablement musclées et bronzées, et un postérieur à se damner… Son audacieuse pensée lui donna envie de rire et, cherchant à se contenir, elle se mit à tousser. Elle dut alors s'arrêter pour se calmer. Bryan lança un coup d'œil par-dessus son épaule et revint vers elle.

— Je crois que nous allons faire demi-tour, dit-il. Pour une première fois, c'est déjà bien.

Elle hocha la tête, puis lui sourit. Il lui rendit son sourire et elle sentit son cœur fléchir… Comme elle aurait aimé qu'il ne soit pas aussi attentionné envers elle ! Oui, elle aurait aimé ne pas représenter une mission pour lui, une responsabilité dont il devait s'acquitter. Elle aurait aimé qu'ils se rencontrent dans d'autres circonstances afin qu'ils puissent sortir ensemble normalement.

Sauf que sa vie était devenue tout sauf normale ! se rappela-t-elle alors.

Elle suait à grosses gouttes lorsqu'ils atteignirent Une Nuit. Au lieu de monter directement chez Bryan, ils passèrent par le restaurant, et ce dernier lui présenta Martin, un charmant jeune homme qui s'exprimait avec un accent français appuyé et qui la regarda d'un œil scrutateur tandis que Bryan choisissait des pâtisseries.

— C'est elle, n'est-ce pas ? fit-il.

— Oui, c'est elle, confirma Bryan dans un sourire embarrassé.

Qu'avait-il donc raconté à leur sujet ? se demanda Lucy tout en inspectant les cuisines du regard. C'était un immense espace semblable à une forêt d'acier inoxydable : chaque ustensile étincelait et possédait une place bien précise. Trois hommes et une femme coiffés d'une toque s'affairaient derrière les fourneaux tout en plaisantant et en riant, dans une atmosphère bon enfant.

Une atmosphère qui n'avait rien à voir avec ce qu'elle avait connu à Alliance Trust, où chacun se devait de murmurer et où la seule odeur répertoriée était celle de l'argent.

— Veux-tu visiter le restaurant ? demanda Bryan.

— Oh, oui, avec plaisir !

Ils passèrent une porte à double battant pour rejoindre la salle de restaurant, et Bryan actionna quelques interrupteurs au passage. Des petites lumières rouges illuminèrent alors des tables en cuivre, entourées de fauteuils en daim noir. Les tables étaient disposées selon des angles inattendus, de sorte que les convives avaient la sensation de déjeuner ou dîner en toute intimité.

Le sol était recouvert de carreaux noirs et roses, et des chandeliers contemporains en fer forgé étaient disposés ici et là, tous différents.

— C'est superbe, dit-elle. C'est toi qui t'es occupé de la déco ?

— Non, j'ai fait appel à un professionnel. Il a aussi décoré mon appartement. Moi, j'ai juste choisi les œuvres d'art.

— C'est une réussite. Tu crois que nous pourrons manger ici, de temps en temps ?

Elle rêvait d'un dîner en tête à tête avec Bryan. Qui

plus est, en public, ils devraient se conduire comme un couple d'amoureux. Ce qui, comprit-elle soudain, ne devrait pas être trop difficile pour elle…

— Tu pourras venir ici aussi souvent que tu le souhaites. Martin te traitera comme une hôtesse de marque.

Elle retint un soupir de dépit. Ce n'était pas tout à fait la réponse qu'elle attendait. En fait, elle avait espéré qu'il lui proposerait de partager avec elle tous les plats exotiques qui figuraient au menu.

Sans noter son trouble, Bryan lui montra ensuite le coin bar. Les tables y étaient plus petites et des tabourets avaient été substitués aux fauteuils : c'étaient là que patientaient les convives qui attendaient une table ou sirotaient un cocktail.

— Au sous-sol, il y a une salle privée pour les fêtes. Je te la montrerai une autre fois, car la matinée est déjà bien avancée.

— Entendu, répondit-elle. D'autant que j'ai du pain sur la planche !

Ils remontèrent à l'appartement. Chacun alla prendre sa douche et ils se retrouvèrent ensuite autour du comptoir de la cuisine pour savourer les pâtisseries, accompagnées d'un café. Un footing quotidien serait une nécessité, pensa Lucy en savourant son gâteau.

Quelques heures plus tard, elle était toujours devant l'écran de l'ordinateur, dans le bureau de Bryan.

Non seulement elle devait analyser les données de la clé USB, mais aussi toutes les informations qu'elle avait fait parvenir à son contact depuis les dernières semaines. Lui-même s'était déjà penché dessus, avec les experts du Département de la Sécurité Intérieure ; cependant, aucun d'entre eux n'avait pu trouver l'auteur des détournements de fonds, à Alliance Trust. L'opération frauduleuse était si bien maquillée qu'elle passait pour une transaction normale. Les gestionnaires de portefeuille achetaient et vendaient des actions et des titres à tout moment. Aussi était-ce en comparant toutes les transactions avec les profils des différents gestionnaires qu'il serait possible d'obtenir la preuve de la fraude.

Durant les trois dernières heures, elle avait analysé tous les courriers électroniques personnels. Elle ressentait un certain malaise à fouiner dans l'intimité de ses anciens collègues, mais Bryan lui avait assuré que c'était légal et nécessaire. De son côté, il avait contacté les agents de sa cellule pour savoir s'ils progressaient, à l'autre bout de la chaîne.

Lorsqu'elle l'entendit monter l'escalier, elle se rendit compte qu'elle mourait d'envie de le voir. Elle voulut d'abord se convaincre qu'elle était impatiente de lui faire un rapport. Balivernes ! Elle était en train de s'attacher au super espion avec qui elle faisait équipe, oui ! Tout en sachant qu'elle n'en avait pas le droit et que ce béguin ne lui vaudrait que des déceptions…

Qu'y faire ? Elle ne pouvait exercer une dictature

sur ses émotions ! Quant à ses hormones, le contrôle lui en échappait tout à fait.

Lorsque Bryan pénétra dans le bureau, sourcils froncés, l'expression sombre, le sourire de Lucy s'évanouit immédiatement.

— Mauvaises nouvelles ? lança-t-elle.

— Un de nos agents est porté disparu, annonça Bryan. Il n'a plus donné de nouvelles depuis trois jours.

— C'est affreux ! Que s'est-il passé ?

— Il était en France pour infiltrer la fausse association caritative par laquelle transitent les fonds versés aux terroristes ; il avait repéré des transferts qui correspondaient aux sommes volées à Alliance Trust. Mais maintenant, il a disparu… Soit il a été démasqué, soit c'est un traître. Mais j'ai du mal à croire à cette dernière hypothèse : j'ai travaillé avec Arme Fatale sur deux autres missions, et je lui faisais une confiance aveugle.

— Arme Fatale ?

— Oui, fit-il en haussant les épaules, c'est son nom de code.

— Comment s'appellent les autres ?

— Scorpion, Orchidée et Sibérie. Sibérie est notre chef. Mais nous en changeons régulièrement. Et toi, qu'as-tu trouvé de ton côté ?

— Ah, si tu savais ! Figure-toi que les mails des employés m'ont révélé pas mal de secrets sur leurs petits travers… John Pelton, l'un de nos contrôleurs de gestion, passe son temps à télécharger des films pornographiques ! Jamais je ne l'aurais soupçonné d'une telle indélicatesse. Quant à Cassie Hall et Peter Glass, ils entretiennent une liaison torride, alors que tous deux sont mariés ! Je me suis fait l'effet d'une perverse en lisant leur courrier.

— Et concernant notre affaire ?

— Je suis en train d'établir la liste des personnes connectées durant le déroulement des transactions illégales. C'est un travail de fourmi, mais je pense que je pourrai identifier le coupable en procédant par élimination.

— As-tu déjà des suspicions ?

— Eh bien, j'ai réussi à écarter quelques personnes, mais il y en a encore des douzaines en lice. Beaucoup de gens restent connectés toute la journée. Toutefois, c'est un bon début.

— Parfait. Au fait, ajouta-t-il, il y a de la viande froide et une salade de fruits, au réfrigérateur. N'hésite pas à te servir si tu as faim.

A ces mots, Lucy regarda sa montre et fut surprise de découvrir qu'il était presque 14 heures. Elle était si absorbée à résoudre son énigme qu'elle n'avait pas vu le temps passer.

— J'ai une autre mauvaise nouvelle, annonça soudain Bryan d'un ton funèbre.

— De quoi s'agit-il ? demanda-t-elle, le cœur battant.

Ses parents n'avaient tout de même pas signalé

sa disparition ! Elle n'entretenait pas de rapports étroits avec eux, ils se téléphonaient tous les quinze jours et s'ils ne la trouvaient pas chez elle, ils ne s'inquiéteraient pas. Du moins pas déjà. Le silence de Bryan l'alarma cependant.

— Bryan ? répéta-t-elle sur un ton urgent.

— Mes grands-parents donnent un dîner ce soir, à leur maison de Long Island. Il s'agit d'une réception en notre honneur et nous ne pouvons pas décliner l'invitation.

— Oh…

De toute évidence, sa famille avait eu vent de la petite amie de Bryan et elle était sommée de se soumettre à une inspection.

— La bonne nouvelle, enchaîna-t-il, c'est que mes cousins, mes tantes et mes oncles sont aussi conviés, et comme ils sont tous à couteaux tirés en ce moment, nous ne serons pas le seul centre d'intérêt. Penses-tu que tu t'en sortiras ?

— Oui… Si personne ne me demande pourquoi j'ai quitté le Kansas en tenue d'Eve pour regagner New York !

Bryan arpentait nerveusement le salon tandis que Lucy se préparait pour le dîner aux Tides, la maison où il avait passé le plus clair de son adolescence.

Ses grands-parents, surtout son grand-père, étaient parfois si pointilleux. Et ils aimaient conserver le contrôle sur leur descendance. De façon parfois bien perverse, comme le démontrait la course pour le poste de président-directeur, orchestrée par Patrick.

C'étaient toutefois des gens aimants qui ne souhaitaient que le bonheur des leurs.

En entendant la porte de la chambre s'ouvrir et se refermer, Bryan leva les yeux en direction du couloir où Lucy n'allait pas tarder à apparaître. Il était impatient de voir la tenue qu'elle avait choisie ce soir.

Il ne fut pas déçu.

Elle portait une robe dos-nu dont la couleur évoquait un coucher de soleil flamboyant, robe qui se terminait juste au-dessus des genoux, et épousait toutes les formes de son corps. Elle avait drapé ses épaules dans une étole qui déclinait une riche gamme de couleurs allant du pêche pâle à l'orange foncé. Un lourd collier en argent attirait l'attention sur son décolleté plongeant.

— N'est-ce pas un peu trop osé ? demanda-t-elle, craintive. Je ne voudrais pas que ta famille voie en moi une femme facile. Encore que le fait d'emménager chez toi quelques semaines après notre supposée rencontre ne parle pas en ma faveur.

— Cette tenue est parfaite, lui dit-il, fasciné.

Comme il aurait aimé dénouer le nœud qui, dans son cou, retenait la robe et la faire glisser jusqu'à sa taille. Alors il aurait embrassé ses lèvres brillantes et titillé les pointes de ses seins jusqu'à ce qu'ils durcissent…

— Bryan ?

— Oui ?

— Il est temps de partir, sinon nous allons être en retard.

Il prit soudain conscience de la chaleur qui s'était emparée de lui depuis que Lucy s'était matérialisée devant lui. Il s'efforça alors de penser à son accident d'avion au Groenland, provoqué par un violent blizzard, et aux deux jours qu'il y avait passés avec pour seule nourriture quatre barres chocolatées. Il faisait froid, très froid, et il avait même manqué perdre un orteil...

L'exercice porta ses fruits puisqu'il sentit sa température intérieure baisser d'un cran.

— O.K., allons-y, déclara-t-il en lui proposant son bras. Tu as l'air d'une déesse, tu sais.

Sur la route de Long Island, ils répétèrent leur histoire. Ils s'étaient rencontrés dans un restaurant parisien, où Bryan échangeait des recettes avec un chef. Elle était venue dans cette ville pensant y trouver l'inspiration pour le roman qu'elle était en train d'écrire, mais la Ville lumière présentait trop de distractions pour qu'elle puisse se concentrer. Depuis son retour aux Etats-Unis, elle s'était remise avec sérieux à l'écriture. Elle pouvait se le permettre, dans la mesure où elle avait reçu un petit héritage qui la mettait à l'abri des difficultés financières pendant un certain temps.

Enfin, ils inventèrent un faux nom pour ses parents et une fausse ville au Kansas.

— Tu peux dire que tu as travaillé dans une banque, puisque tu connais cet univers, sans préciser qu'il s'agissait d'un établissement de Washington, lui dit Bryan.

— Et pour mes études, qu'est-ce que je dis ?

— Dis que tu as étudié la comptabilité à… Loyola, par exemple. Aucun membre de ma famille n'y est allé.

— Je ferai de mon mieux pour éviter que la conversation ne tourne autour de moi. Je poserai des questions sur toi. Cela a très bien marché avec Scarlet.

— Ah bon ? Et que t'a donc raconté Scarlet à mon sujet ?

Prenant son air le plus innocent, Lucy déclara :

— Elle m'a confié que, quand tu étais enfant, ton passe-temps favori consistait à arracher les ailes des mouches et à les brûler.

— Pardon ?

— Mais non ! Je plaisantais. Elle m'a dit que tu étais le seul Elliott à ne pas travailler pour l'entreprise familiale. Pourquoi ?

— J'en avais l'intention, j'ai même fait des études dans cette perspective. Mais le gouvernement m'a recruté avant que je n'obtienne mon diplôme.

— Pourquoi as-tu choisi un restaurant comme couverture ?

— Je connaissais Martin depuis le lycée. Comme il rêvait d'ouvrir un restaurant, j'ai acheté Une Nuit et je l'ai employé. C'est ainsi que tout a commencé.

— Parle-moi de ta famille, enchaîna Lucy. Qui sera là ce soir ?

— La plupart du clan. Aucun d'entre nous n'oserait refuser une invitation de Patrick, sauf s'il est en vacances au Sri Lanka, bien sûr. Encore qu'il faille tenir compte du contexte actuel haute tension !

— Tes parents seront-ils présents ?

— Pas ma mère. Elle ne met jamais les pieds aux Tides. Mais mon père, oui, probablement.

Lucy lui lança un regard interrogateur.

— Tes parents font-ils partie de ces divorcés qui ne se parlent plus ?

Scarlet lui avait confié que ses parents avaient divorcé quand il avait douze ans et l'idée que Bryan et son frère aient grandi dans une ambiance familiale tendue l'avait attristée.

— Pas du tout ! C'est Patrick que ma mère ne supporte pas.

— Ton grand-père ?

— Oui. Elle ne lui a pas adressé la parole depuis que je suis enfant. En revanche, elle a gardé des contacts étroits avec ma tante Karen.

— Mais pourquoi en veut-elle à ce point à ton grand-père ?

— Je suppose que ma mère en veut à Patrick à cause du divorce. Comme je te l'ai dit, il est très autoritaire. Et quand j'étais enfant... Bah, je ne vais pas t'importuner avec des affaires de famille ennuyeuses.

— Au contraire, je serais ravie de les entendre. Que s'est-il passé quand tu étais enfant ?

— J'ai dû subir une grave opération, le genre d'opération que les assurances ne prennent pas en charge, reprit-t-il d'un ton presque réticent. A l'époque, c'est mon grand-père qui l'a financée et je lui en suis infiniment reconnaissant parce qu'il m'a sauvé la vie. Mais ensuite, mes parents se sont sentis ses obligés, d'autant qu'il leur tenait la dragée haute. Au fond, j'ai l'impression que c'est pour cela qu'ils ont fini par divorcer.

Bryan parut soudain bien sombre. Sur une impulsion, Lucy lui posa la main sur le bras.

— Ce n'est pas toi le fautif, lui assura-t-elle. A l'époque, tu n'étais qu'un petit garçon.

— Je sais, mais il n'empêche que nos vies auraient été différentes si je n'avais pas été malade.

— Sûrement, mais tu ne serais peut-être pas devenu un athlète hors pair, tu n'aurais pas été recruté par la CIA, ni travaillé sur mon cas. Avec des si, on peut refaire le monde, tu sais.

Il lui jeta un regard en coin et sourit.

— Tu es une femme étonnante, Lucy Miller, dit-il.

Puis il pressa sa main et ne la lâcha plus.

— Lindsay Morgan, rectifia-t-elle à voix basse.

La chaleur de sa main vigoureuse se communiqua directement à son cœur… Phénomène qui la troubla de façon sensible et la laissa dubitative : étant donné l'effet que lui procurait ce simple contact, comment réagirait-elle s'il touchait d'autres endroits de son corps ?

Puis Bryan relâcha la main de Lucy pour passer une vitesse, et le charme se rompit. Quelques minutes plus tard, ils arrivèrent à destination.

La résidence des Elliott se trouvait dans les Hampton, le lieu de villégiature le plus chic aux alentours de New York. Elle y avait assisté à des fêtes, autrefois. Toutefois, les Tides dépassaient en splendeur toutes les villas qu'elle avait visitées. Du haut de la falaise et de ses années — elle avait été construite au début du vingtième siècle — la demeure en imposait. Pour y accéder, Bryan remonta une allée privée ; quand le gardien reconnut la Jaguar, il lui fit signe d'avancer.

— Tes grands-parents habitent dans une résidence privée ?

— Non, il n'y a que leur maison.

Eh bien ! Elle qui croyait avoir côtoyé l'opulence, du temps des In Tight, elle n'avait en réalité rien vu.

De près, la demeure était encore plus impression-nante. Elle possédait tant de pignons, de tourelles et de fenêtres à triples ou quadruples panneaux que Lucy en avait la tête qui tournait presque.

— Eh bien ! fit-elle.

Bryan se mit à rire.

— J'ai adoré grandir ici, avoua-t-il. C'était si plein de vie, avec tous mes cousins. Aujourd'hui, grand-père voudrait vendre une partie du terrain, mais grand-mère s'y oppose. L'immense parc lui rappelle l'Irlande.

Des voitures étaient déjà garées et Bryan rangea la Jaguar près d'elles. Lucy en descendit sans attendre qu'il ne vienne lui ouvrir la portière. Passant son bras sous le sien, il déclara d'un ton ferme :

— N'oublie pas que nous sommes amoureux l'un de l'autre.

« Qu'il se rassure, le rôle n'était pas trop difficile à tenir pour elle ! » songea-t-elle. Ils gravirent d'un pas rapide l'escalier qui menait à la porte d'entrée que Bryan ouvrit sans cérémonie. Ils se retrouvèrent alors dans un grand vestibule pavé de marbre et surplombé d'un immense abat-jour en cristal. Au fond, s'ouvrait un salon, tandis que sur la droite, Lucy aperçut une salle à manger avec une immense table dressée comme pour une cérémonie : assiettes en porcelaine, verres en cristal, couverts en argent et serviettes en lin, pas un détail ne manquait.

En dépit de sa magnificence, la maison dégageait une atmosphère chaleureuse. Elégante et discrète, la décoration ne devait visiblement rien à un professionnel ; Lucy se douta que Maeve Elliott, la grand-mère de Bryan dont celui-ci lui avait parlé en termes chaleureux, en était le maître d'œuvre. L'endroit fourmillait de photos et de bibelots, agencés de façon savante. Le mobilier, dans des bois chauds et robustes, renforçait l'impression de confort.

Un groupe de personnes était déjà rassemblé dans la salle à manger. Les conversations s'évanouirent lorsque Bryan et Lucy pénétrèrent dans la pièce et tous tournèrent la tête vers les nouveaux venus.

— Bryan ! s'écria un homme en s'approchant de lui.

Il lui donna une chaleureuse accolade. Comme il était jeune pour être le père de Bryan ! pensa Lucy. Et pourtant, étant donné la ressemblance frappante entre les deux hommes, il s'agissait sans nul doute du père et du fils.

L'homme se tourna alors vers Lucy.

— Vous devez être Lindsay, n'est-ce pas ? Je suis Daniel Elliott, le père de Bryan.

Ils échangèrent une poignée de main.

— Je l'avais deviné, répondit Lucy.

— Avis à tous ! clama alors Bryan. Voici Lindsay Morgan. J'apprécierais que vous ne la terrorisiez pas. Rappelez-vous que le clan Elliott en masse peut être intimidant.

Sur cette boutade, il la présenta de façon personnelle à chacun. Son frère Cullen lui ressemblait beaucoup, aussi était-il facile de se souvenir de lui.

Sa femme, Misty, était elle aussi aisément identifiable en raison de sa haute taille, mais aussi parce qu'elle était enceinte et radieuse.

Elle connaissait Scarlet, bien sûr, mais pas son fiancé, John Harlan, qui travaillait dans la publicité. Quant à Summer, la jumelle de Scarlet, c'était sa copie conforme, même si elle paraissait plus réservée. Le fiancé de Summer, Zeke Woodlow, lui fit une grande impression. Artiste fort doué et bête de scène, il avait l'intention d'y renoncer pour se consacrer à l'écriture. Summer lui expliqua qu'ils étaient en tournée, mais s'étaient échappés pendant quelques jours entre deux concerts afin que sa sœur et elle puissent organiser leur double mariage.

Au bout d'un moment, les visages et les noms se confondirent. De toute façon, à quoi bon retenir toutes ces informations ? Dans quelques semaines, elle serait partie et le clan Elliott ne se souviendrait même plus d'elle. Et pourtant, elle avait envie qu'ils l'apprécient… Elle voulait offrir un miroir flatteur à Bryan.

Ce dernier lui présenta enfin ses grands-parents. Jamais elle n'avait rencontré un homme aussi intimidant que Patrick. En dépit de ses soixante-dix ans, il était manifeste qu'il tenait encore le clan d'une main de fer.

— Vous êtes donc la nouvelle petite amie, commenta-t-il sans serrer la main de Lucy mais en la transperçant du regard.

— Ne faites pas attention à lui, intervint alors Maeve.

De petite taille, elle était encore d'une rare beauté, comme si les années n'avaient pas eu de prise sur elle. Sa chevelure argentée, parcourue de mèches auburn, était relevée de façon savante sur sa tête, tandis que l'on devinait encore des taches de rousseur sur son nez. Ses yeux verts étaient toujours très vifs.

— Bienvenue aux Tides, ajouta-t-elle en prenant les deux mains de Lucy pour les serrer avec affection.

Maeve était tout simplement adorable, pensa cette dernière.

Très vite, et à son grand soulagement, elle cessa d'être le centre d'intérêt de l'assemblée, même si elle sentait de temps à autre des regards se poser sur elle. De nouveaux invités arrivèrent — Shane, l'oncle de Bryan, son cousin Teagan et Renee, sa fiancée — et la tribu se scinda en différents groupes, en fonction des magazines pour lesquels chacun travaillait.

Même aux yeux d'une observatrice extérieure comme Lucy, les tensions étaient évidentes ainsi que l'indiquaient les brefs éclats de voix ou de rire, ou les brusques embrassades. Jamais elle n'avait assisté à une telle réunion de famille, songea-t-elle. Dans sa famille à elle, on n'exposait pas ses sentiments. Jamais on n'élevait la voix ni n'éclatait de rire. On ne se prenait d'ailleurs pas dans les bras. Autant de raisons pour lesquelles elle avait choisi l'éloignement, d'ailleurs…

109

— Permettez-moi de remplir votre verre, Lucy, lui dit soudain Daniel. Que buviez-vous ?

— Euh… Du vin rouge, balbutia-t-elle.

— Du bourgogne ou du pinot noir ?

Il était évident qu'elle aurait dû connaître la différence…, mais ce n'était pas le cas. Chez elle, toute forme d'alcool était interdite ; quant aux In Tight, ils préféraient la bière ou les alcools forts.

Devant son expression indécise, Daniel lui prit le coude et la conduisit vers le bar.

— Celle-ci correspond à un cépage de Bourgogne, acclimaté en Australie, dit-il en désignant une bouteille. Il est assez fruité. Ce pinot noir est de provenance chilienne. Il est plus sec, mais plus boisé, avec une nuance florale.

Il s'interrompit soudain et lui adressa un sourire charmeur.

— Soyez charitable : faites mine d'être intéressée par ma leçon ennuyeuse, ajouta-t-il.

Lucy se mit à rire.

— Mais cela m'intéresse ! rétorqua-t-elle. C'est juste que je suis novice en la matière.

— De fait, dit Daniel en remplissant son verre, je voulais vous soustraire à la compagnie des autres pour m'entretenir en tête à tête avec vous.

Elle redouta un instant que le père de Bryan n'ait des soupçons sur la relation qu'elle entretenait avec son fils, mais elle l'entendit poursuivre :

— Je suis très inquiet au sujet de Bryan. Il voyage

beaucoup ces derniers temps, sans que nous sachions toujours où il se rend. En mai, pour le mariage de son frère, il avait une lèvre enflée, et il boitait. Il a prétendu avoir été victime d'un accident de voiture ; toutefois, sa Jaguar ne présentait pas la moindre éraflure.

Lucy lui jeta un regard ingénu.

— Vous ne paraissez pas au courant, constata Daniel en sourcillant.

— Nous ne sortons pas ensemble depuis très longtemps, commença-t-elle. Nous avons vécu un véritable coup de foudre, mais maintenant nous devons apprendre à mieux nous connaître.

— J'ai l'impression que mon fils me cache des choses, enchaîna Daniel. Sa mère et son frère s'inquiètent aussi à son sujet. Nous avons la sensation qu'il n'est pas tout à fait honnête avec nous. Peut-être est-ce pour nous protéger, d'ailleurs.

Oh, mon Dieu ! Que répondre ?

Elle aurait aimé rassurer Daniel, mais sa conscience le lui interdisait, étant donné que Bryan courait des dangers permanents. Tout comme elle ne pouvait pas lui garantir qu'il n'avait pas maille à partir avec une frange peu recommandable de la société.

— Bryan est un être secret, temporisa-t-elle.

— Pourquoi est-il resté si longtemps en France ?

— Il a rencontré beaucoup de gens, là-bas, avança-t-elle avec prudence.

— Vous voulez dire des chefs cuisiniers, des patrons de restaurants, des marchands d'épices ?

« Ainsi que des terroristes et des espions ! » ajouta-t-elle en silence, se contentant toutefois de hocher la tête.

— Au fond, je ne connais rien à la gestion d'un restaurant, admit Daniel. En tout cas, maintenant que mon fils a une petite amie, j'espère qu'il sera plus souvent à New York. Vous prendrez soin de lui, n'est-ce pas ?

— Je vous le promets, dit-elle avec un naturel qui la surprit elle-même.

- 6 -

Le dîner ne comportait pas moins de cinq plats.
Bien que les Elliott disposent d'un cuisinier, Maeve
adorait se mettre aux fourneaux. Une vichyssoise
ouvrit les agapes, suivie d'un saumon braisé, d'un
éminé de bœuf aux asperges fraîches et d'une salade
aux noix, avec, pour finir, une mousse au caramel
fondant.

— Eh bien, Bryan, ma cuisine est-elle à la hauteur
de la tienne ? demanda Maeve d'un œil malicieux.

— Allons, grand-mère, tu sais parfaitement qu'Une
Nuit ne peut pas rivaliser avec tes talents, répondit
son petit-fils.

Si Bryan avait apprécié le dîner, il avait néanmoins
passé son temps à observer Lucy : cette dernière
était si nerveuse qu'elle picorait plutôt qu'elle ne
mangeait. Elle jouait pourtant une Lindsay Morgan
tout à fait crédible. Elle lui lançait souvent des coups
d'œil fébriles et affectueux, et elle lui avait même
pris la main pour la garder quelques instants dans
la sienne.

Le contact de sa peau l'avait remué au plus profond de son être ; il lui était de plus en plus difficile de séparer la réalité de la fiction. Mais n'était-ce pas le secret d'une bonne couverture ? La vivre et y croire, c'était la seule façon d'être convaincant.

Toutefois, ne vivait-il pas cette histoire trop pleinement ? Il n'avait eu aucun mal à jouer le rôle du fiancé énamouré avec « Lindsay ». Il avait même volé la cerise placée sur le dessus de la mousse au caramel, dans la coupe à dessert, pour la lui présenter, ce qui avait suscité des protestations amusées de la part de ses cousins. Quand ils étaient enfants, ils se disputaient toujours pour la fameuse cerise, et Maeve allait alors chercher le pot de marasques confites en cuisine pour en distribuer une à chacun.

— Pourquoi ta sœur jumelle n'est-elle pas parmi nous, ce soir, Shane ? demanda soudain Patrick.

— Tu connais Fin, répondit son fils qui était le rédacteur en chef de *Buzz*. Elle est si obsédée par la compétition qu'elle campe à *Charisma*, en ce moment.

Une fois de plus, Bryan se félicita intérieurement de ne pas faire partie du groupe Elliott. Il réprouvait la course actuelle pour le pouvoir entre ses oncles, tantes et cousins. Quel était l'ultime dessein de son grand-père en leur lançant un défi si pervers ? Il ne souhaitait tout de même pas que les siens s'entre-déchirent !

— Pourquoi la critiquer ? objecta Scarlet qui

soutenait sa chef. Tante Fin est réellement dévouée à la cause de *Charisma*.

— A t'entendre, on croirait que, moi, je me fiche du sort de *Buzz*, observa Shane.

— Ce n'est pas ce que j'ai dit !

Une joute familiale s'ensuivit. Bryan croisa les bras et écouta attentivement les différents arguments, d'un air presque amusé.

— Je reviens, lui glissa soudain Lucy à l'oreille.

Il lui adressa un sourire bienveillant, pensant qu'elle allait se repoudrer le nez. Toutefois, au bout de dix minutes, ne la voyant pas revenir, il commença à s'inquiéter.

Il savait pourtant que rien ne pouvait lui arriver ici, aux Tides. L'endroit était aussi inaccessible qu'un fort. Toutefois, son absence le préoccupait ; aussi s'excusa-t-il et quitta-t-il la table pour se mettre à sa recherche.

La salle de bains du rez-de-chaussée réservée aux invités était ouverte, mais la lumière éteinte. Si Lucy s'était bien rendue ici, elle n'y était de toute évidence plus.

Bryan fit le tour du rez-de-chaussée, songeant qu'elle admirait peut-être un tableau ou un bibelot, les Tides étant un véritable musée. Mais il ne la trouva pas davantage.

Elle était sûrement à l'étage, se dit-il sans perdre espoir. Avait-elle voulu s'allonger un peu ? Il vérifia scrupuleusement toutes les pièces : pas de trace de

Lucy ! Fort soucieux, il retourna dans la salle à manger… pour constater que sa chaise était toujours vide.

— Bryan ? fit Maeve. Quelque chose ne va pas ?

— On dirait que j'ai perdu ma fiancée.

— Nous l'avons sans doute effrayée avec nos discussions animées, observa Scarlet. Tu avais raison : notre clan peut parfois être intimidant.

Toujours était-il que la tribu pouvait aussi être solidaire : les cousins n'hésitèrent pas à interrompre leur dessert pour se mettre en quête de la fiancée égarée de Bryan.

Il l'aperçut quelques minutes plus tard, à l'extérieur. Après avoir traversé le patio désert, il avait descendu les marches taillées dans la falaise qui menaient vers la plage privée, mu par l'idée qu'elle avait peut-être eu envie de respirer un bol d'oxygène. Quand il repéra sa longue silhouette solitaire qui contemplait la mer, il ressentit un énorme soulagement. Il retourna annoncer aux autres qu'il l'avait retrouvée avant de foncer de nouveau vers la plage.

Elle ne l'entendit pas approcher à cause du remous des vagues. Quand il fut à sa hauteur, elle tourna enfin la tête, surprise. Ses joues étaient mouillées de larmes.

— Lucy, que se passe-t-il ? demanda-t-il d'une voix douce.

Du revers de la manche, elle s'essuya une joue et émit un petit rire forcé.

— Je suis désolée, je ne voulais pas t'alarmer, dit-elle. Je souhaitais juste respirer un peu d'air frais. J'avais la tête qui tournait, je n'aurais pas dû boire tant de vin.

— C'est ma famille et moi qui te devons des excuses. Nous n'aurions pas dû nous disputer devant toi. Je suis désolé que nous t'ayons bouleversée.

— Non, cela n'a rien à voir, protesta-t-elle en posant une main sur son bras. Au contraire...

— De quoi s'agit-il alors ?

Décidément, les femmes le déconcerteraient toujours, songea-t-il, perdu.

— Tu vas me trouver idiote, commença-t-elle d'une petite voix. C'est juste que je me suis aperçue que ce devait être vraiment merveilleux d'appartenir à une famille aussi grande et aussi vivante que la tienne. Ce qui m'a fait penser aux miens... Contrairement à vous, reprit-elle d'une voix tremblante, nous ne nous disputons jamais, et pour cause : nous nous parlons à peine. Malgré tout, mes parents se sont mis à me manquer et je me suis dit que si je ne m'en sors pas...

— Lucy, nous allons nous en sortir ! coupa-t-il. Cela prendra peut-être du temps, mais nous avons déjà accompli de grands progrès.

— Je sais. Ne fais pas attention à ma réaction, je suis à cran.

— Quoi de plus normal ? Cette histoire a bouleversé ta vie. Tu t'es conduite de façon admirable en t'attaquant à des escrocs et des terroristes. Tout le monde n'en aurait pas eu le courage.

Lucy haussa les épaules.

— Je vais faire de mon mieux pour que tu retrouves ta vie d'avant, lui assura-t-il encore.

Il n'avait nulle hâte qu'elle sorte de la sienne, mais il savait, hélas, que c'était inévitable. Aussi grande fût la tentation, il devait se montrer raisonnable : Lucy ne pouvait pas faire partie de son intimité.

— Allons, tout n'est pas négatif dans ma nouvelle existence ! dit-elle en reniflant. A la maison, je ne porte pas de si belles robes, et je ne dîne pas avec des sommités de la presse.

— Des sommités dotées de mauvaises manières, oui ! fit Bryan en émettant un rire rauque. Ah ! Lucy, tu es décidément bonne joueuse.

Sur ces mots, il la serra dans ses bras dans un geste qui se voulait fraternel. Ce fut alors que, contre toute attente, Lucy noua les bras autour de son cou et pressa contre lui son corps voluptueux. Sans réfléchir, il fit glisser sa main le long de ses reins, effleurant la courbe de son postérieur.

Lorsqu'il se rendit compte de son audace, il se figea et s'efforça de desserrer l'étreinte de façon progressive. Elle le regarda alors de ses yeux vibrants, encore mouillés de larmes, la bouche entrouverte. La confiance qu'il lut dans son regard fit vaciller ses certitudes. Sur une impulsion, il pencha la tête et captura sa bouche rouge et fraîche.

Elle avait la douceur d'un pétale de rose et s'ouvrit comme un bouton de fleur. Ils se mirent bientôt à vibrer à l'unisson, dans une fusion totale.

Depuis leur rencontre, il rêvait de ce baiser, un baiser si passionné qu'il en était presque douloureux. Elle s'abandonnait avec une innocence telle que...

Une sonnette d'alarme résonna soudain dans son esprit. Qu'était-il donc en train de faire ?

N'était-il pas indécent de sa part de tirer parti de la situation ? C'était à cause de lui que Lucy se retrouvait si vulnérable. Il avait promis de la protéger. Elle dépendait entièrement de lui, pour tout, et abuser de sa position aurait été impardonnable.

Aussi, posant les mains sur ses bras nus, se dégagea-t-il avec douceur et détacha-t-il sa bouche de la sienne.

— Nous n'aurions pas dû nous embrasser, dit-il.

Elle cligna des yeux, et il crut y apercevoir une lueur de tristesse. La seconde suivante, elle lui adressait un sourire malicieux.

— Pourquoi ? Nous sommes supposés être amoureux. Je jouais mon rôle.

— Dans ces conditions, tu mérites un oscar pour la meilleure actrice.

— J'ai beaucoup de talents, confirma-t-elle d'un ton mystérieux.

« Du talent en tant qu'actrice... ou dans d'autres domaines ? » se demanda-t-il sans oser formuler la question à voix basse. Comme ils reprenaient la direction de l'escalier, Lucy passa son bras sous le sien et, se pressant contre lui, lui répéta à l'oreille d'une voix lascive :

— Oui, beaucoup de talents.

Il sentit un éclair de désir le parcourir. Cette fois, elle venait de lever l'ambiguïté. N'était-ce pas une invitation à l'amour ? Malheureusement, il devrait la décliner. Ce qui n'empêcha pas que la proposition le hante durant toute la fin de la soirée.

Sur le chemin du retour, il se sentait à cran, comme un adolescent qui emmène pour la première fois une jeune fille faire un tour dans sa voiture. Chaque fois qu'il lui jetait un coup d'œil subreptice, il voyait ses cheveux blonds danser autour de son visage, à cause de la brise qui entrait par le toit ouvert ; ses paupières étaient lourdes, elle paraissait lutter contre le sommeil.

Et lui, contre l'envie de se garer sur le bas-côté pour l'étreindre !

Une fois arrivé, il décida de jouer la carte de la prudence. Après l'avoir escortée jusqu'à l'ascenseur, il déclara :

— Je reviens dans quelques minutes, je dois vérifier quelque chose, au restaurant.

Lucy regarda sa montre.

— Le restaurant n'est-il pas fermé ? s'étonna-t-elle.

— Si ! Mais je dois vérifier que tout est prêt pour demain.

Réponse stupide, puisque Lucy savait que Martin se chargeait de tout. Toutefois, il n'avait pas trouvé mieux. Il ne pouvait pas remonter dans le duplex en sa compagnie tant qu'il n'aurait pas maîtrisé sa libido. A la moindre suggestion de sa part, il aurait craqué.

— Comme tu voudras. A demain, alors.

— Bonne nuit, Lucy. Tu as été merveilleuse, ce soir. Ma famille n'y a vu que du feu.

— Merci.

Bryan prononça le mot de code et sortit de l'ascenseur avant que les portes ne se referment. Il se dirigea alors d'un pas ferme vers les cuisines.

Il était impératif qu'il brûle l'excès d'énergie qui bouillait en lui ; s'affairer en cuisine lui ferait le plus grand bien. Il allait confectionner un dessert décadent, pensa-t-il, composé de chocolat et de whisky, les meilleurs succédanés à l'amour.

Maeve lui avait transmis le goût de la nourriture raffinée. Quand ses cousins et son frère jouaient à l'extérieur et qu'il ne pouvait pas se joindre à eux en raison de sa faiblesse cardiaque, sa grand-mère et lui confectionnaient des gâteaux. Depuis, il associait l'odeur de la levure, du chocolat et des amandes grillées à celle des jours heureux, et cuisiner l'apaisait. Cela l'aidait aussi à mieux réfléchir.

Il décida de composer un nouveau dessert, et tandis qu'il jouait à associer des ingrédients inattendus, son esprit se concentra sur Arme Fatale : soit il devait le trouver pour le sauver, soit il devait le démasquer comme traître. Malgré lui, ses pensées le ramenèrent pourtant peu à peu à Lucy. A sa silhouette sur la plage. Au vent qui faisait voler ses cheveux et plaquait ses vêtements contre son corps, à la force de son caractère et la vulnérabilité de ses traits, à son intelligence et sa bravoure.

En soupirant, il enfourna un cake à l'orange et au gingembre dans le four. Il ne savait pas encore si cette recette serait réussie, mais il avait bien l'intention de dévorer sa préparation jusqu'à être si rassasié que l'idée même de faire l'amour serait au-dessus de ses forces. Alors il pourrait regagner son duplex en toute tranquillité.

Allongée sous la couette et vêtue d'une de ses nuisettes sexy, Lucy cherchait le sommeil. Le baiser qu'ils avaient échangé sur la plage ne cessait de la hanter.

Elle l'avait embrassé en tant que Lucy Miller, et non Lindsay Morgan. Le désir à l'état pur s'était emparé de son être, aussi aiguisé qu'un couteau, aussi puissant qu'une lame de fond. Impossible de résister à l'appel qui avait monté des profondeurs les plus obscures de son être. Le reste de la soirée, elle avait flotté sur un petit nuage, insensible aux querelles familiales et détendue quant au rôle qu'elle était censée jouer : elle savait qu'elle le remplissait à merveille.

Une seule question la tourmentait : allaient-ils surfer sur la vague du désir qui s'était allumé entre eux ? Elle le souhaitait ardemment et elle le lui avait indiqué sans ambiguïté. Toutefois, elle n'était pas certaine qu'il partageait son envie. Il avait été si silencieux, sur le trajet du retour...

A présent, plus les minutes passaient, et plus il était manifeste qu'il ne viendrait pas la retrouver dans son lit. S'il s'attardait en bas, n'était-ce pas dans l'espoir qu'elle soit endormie quand il remonterait ?

S'il lui faisait l'amour, Bryan transgresserait la déontologie de son métier, elle en était bien consciente. De son côté, elle respectait son souhait de ne pas mélanger sa vie professionnelle et privée.

Toutefois, comment faire abstraction des sentiments ?

Au bout d'une heure, les frustrations de Lucy se transformèrent en inquiétude. Qu'est-ce qui le retenait si longtemps au restaurant ? Lui était-il arrivé quelque chose ?

Elle devait aller vérifier ! décida-t-elle en enfilant à la hâte un T-shirt et un pantalon. Elle prit aussi soin de chausser la nouvelle paire de lunettes que Bryan avait tenu à lui offrir, avec les lentilles : une monture bien plus design que la précédente, avec des verres finement polis.

Elle se dirigea alors vers l'ascenseur.

Se rappelant qu'elle pouvait sortir de l'appartement

de Bryan mais pas y rentrer, elle prit son portable et le numéro de Scarlet, au cas où…

En bas, elle constata qu'il y avait de la lumière dans le restaurant. « Bon signe », pensa-t-elle avant d'actionner la poignée de la serrure. La porte était fermée à clé ! Curieux. Elle frappa…

Aucune réaction à l'intérieur. Une bouffée de panique la traversa : elle voyait déjà Bryan allongé sur le sol, inconscient. Une ombre s'approcha alors de la porte. De nouveau, l'appréhension la saisit, suivie bien vite d'un soulagement quand la silhouette rassurante de Bryan se dessina devant elle.

— Que fais-tu ici, Lucy ? demanda-t-il.

— Je n'arrivais pas à dormir et je m'inquiétais de ton absence.

Ces mots à peine prononcés, elle se sentit bien ridicule. Elle se faisait du souci au sujet d'un espion, qu'elle avait de surcroît la prétention de secourir ! Elle le vit sourire avec indulgence.

— Merci de ta sollicitude. Désolé de m'être…

— Mm, quelle est cette odeur alléchante ? fit-elle tout à coup en se glissant à l'intérieur.

— Juste un dessert.

— Comment peux-tu avoir encore faim après tout ce que nous avons mangé chez tes grands-parents ?

Toutefois, les effluves de la cuisine étaient si allé-chants, qu'elle sentit l'eau lui venir à la bouche.

— Cuisiner m'aide à penser, dit-il.

Ce fut alors qu'elle avisa un énorme gâteau qui refroidissait sur une grille.

— Cela sent l'orange, décréta-t-elle.

— Exact. C'est un quatre-quarts à l'orange.

— Mais aussi… le gingembre, non ?

— Quel nez !

Lucy inspecta avec attention le contenu des casseroles en cuivre et soudain, incapable de résister à la tentation, plongea l'index dans le coulis au gingembre confit qui mijotait.

— Délicieux ! dit-elle en se léchant le doigt.

— Lucy ! C'est un restaurant, il faut respecter les règles d'hygiène.

— Envisageais-tu vraiment de servir ce dessert à tes clients ?

— Maintenant, je ne peux plus, dit-il avant d'ajouter dans un sourire : en fait, je pensai le manger en entier, tout seul.

— Pas sans moi ! le prévint-elle. Et à présent, que vas-tu faire ?

Pour toute réponse, il s'empara d'un grand couteau et se mit à découper le cake en trois couches de la même épaisseur.

— Tu es très adroit de tes doigts ! observa-t-elle.

A cet instant, il lui lança un curieux regard, puis se concentra de nouveau sur sa tâche. Sur la première couche, il étendit de la crème fouettée, avant de tartiner la deuxième de la sauce au gingembre. La dernière fut recouverte d'un mélange de crème et d'amandes grillées.

— Je vais préparer un glaçage, déclara-t-il. Au citron, qu'en penses-tu ?

— C'est commun. Pourquoi pas à la menthe ?

— Idée osée, mais excellente ! s'exclama-t-il.

Il confectionna le glaçage à l'aide de sucre et d'extrait de menthe, puis décora le tout avec des tranches d'oranges confites et des feuilles de menthe fraîche.

— Quel chef-d'œuvre ! Dommage qu'il faille le couper. Mais c'est bien ce que tu vas faire, n'est-ce pas ?

Sans répondre, il sortit deux assiettes du placard puis, à l'aide d'un couteau plat et d'une spatule, il découpa deux parts parfaites qu'il recouvrit d'un flocon de crème et d'une feuille de menthe.

— La présentation est essentielle, précisa-t-il.

Mais Lucy ne regardait pas. Elle venait de repérer un peu de crème fouettée sur le visage de Bryan.

— Qu'est-ce qui se passe ? s'enquit-il.

— De la crème a volé sur ton visage.

— Oh ! fit-il en s'essuyant la joue à l'aide de la serviette qu'il avait sur l'épaule.

— Manqué ! dit-elle. Laisse-moi faire.

Et elle lui prit la serviette des mains. Toutefois, au lieu de s'en servir, elle se hissa sur la pointe des pieds et lécha la crème du bout de la langue.

— Lucy…, murmura-t-il, d'une voix rauque.

D'un air malicieux, elle s'empara alors de la jatte qui contenait la crème fouettée — il en restait encore — plongea son doigt dedans et raya de crème la joue de Bryan avant de mettre son doigt dans sa bouche.

— Tu ne sais pas cuisiner proprement, dit-elle en se mettant de nouveau sur la pointe des pieds pour lui lécher la joue.

— Tu as vu clair dans mon jeu, rétorqua-t-il avec un petit grognement.

Et, à son tour, il plongea son doigt dans la crème fouettée dont il enduisit les lèvres de Lucy.

— Oh, regarde ! J'en ai encore mis partout, poursuivit-il.

Lucy voulut passer sa langue sur ses lèvres, mais il l'arrêta.

— Non, tu vas manquer ta cible.

Alors il se pencha et recouvrit ses lèvres des siennes.

Le baiser qui avait commencé comme un jeu prit bientôt un tout autre tour. Bryan se fit soudain plus possessif, sa respiration devenant plus rapide, et Lucy se sentit chavirer…

En descendant dans les cuisines, son but n'était pas de le séduire. Enfin pas exactement, et c'était pourtant ce qu'elle venait de faire. Cette fois, ils n'étaient pas dans un endroit public, il n'y avait pas sa famille alentour… Ils se trouvaient dans un restaurant désert, cernés par les odeurs d'orange et de gingembre.

Détachant sa bouche de la sienne, Bryan fit glisser ses lèvres le long de son cou, puis embrassa sa nuque tout en lui caressant les seins.

— Tu ne portes pas de soutien-gorge ?

— Non, je me suis habillée à la hâte.

Elle pressa la main de Bryan, toujours posée sur sa poitrine, et aspira une large bouffée d'air : elle avait envie qu'il touche toutes les parcelles de son corps...

Avait-il deviné ses pensées ? Lui retirant soudain son T-shirt, il la plaqua contre le réfrigérateur avant de capturer un de ses seins dans sa bouche. Pendant qu'il en titillait le téton avec ferveur, la chaleur du désir se répandit dans tout le corps de Lucy... Elle poussa un léger gémissement, et ce fut comme un signal. Comme si une digue se rompait entre eux. Comme si, à présent, rien ne pouvait plus arrêter la déferlante de désir qui s'était abattue sur eux.

Dans un geste rapide, Bryan retira sa chemise, des boutons volèrent par terre, puis il appuya son torse nu contre le sien. Un éclair subit de raison lui revint alors.

— Lucy, nous ne pouvons pas aller plus loin, dit-il d'une voix peu convaincante.

— Oh si !

— Nous n'avons pas de préservatif, plaida-t-il pour se donner bonne conscience.

— Inutile, je prends la pilule.

— Vraiment ?

— Je ne plaisanterais pas avec ce genre de chose si ce n'était pas vrai. Et maintenant, fais-moi l'amour ! Vite !

- 7 -

Bryan réfléchissait toujours longuement avant de prendre une décision. Mais dans le cas présent, il oublia tous ses principes : Lucy Miller venait de faire tomber la dernière barrière entre eux. Avec toutes les conséquences que leur intimité allait entraîner...

De nouveau, il l'embrassa, s'emplit les poumons de son odeur.

— Montons dans ma chambre, ce sera plus confortable, lui murmura-t-il à l'oreille.

— Non, tu risquerais de changer d'avis en cours de route, protesta-t-elle.

Vaincu, il glissa les mains à l'intérieur de son pantalon à taille élastique et pressa le bas de ses reins pour l'attirer contre son ventre dur, sans cesser de déguster sa bouche. Il sentit ses seins se hérisser contre son torse, telles des pointes de feu qui se seraient imprimées dans sa chair.

De son côté, Lucy ne demeurait pas passive ; sous le contact de ses mains audacieuses, il poussa un grognement. A ce rythme-là, il n'allait pas tenir longtemps ! Il avait la sensation que c'était la première fois qu'une femme l'excitait à ce point. Chacun de ses regards, chacune de ses caresses l'éloignait de la raison.

D'un geste adroit, il fit glisser le pantalon de Lucy par terre, puis, sans prévenir, il se pencha et la fit chavirer par-dessus son épaule.

— Bryan, que fais-tu ? s'écria-t-elle en s'accrochant à lui par crainte de tomber.

— Du calme ! dit-il.

— Où m'emmènes-tu ? insista-t-elle en riant.

Sans répondre, il se dirigea vers le large comptoir où les cuisiniers déposaient les plats avant que les serveurs ne les apportent aux clients.

— Crois-tu être la seule à pouvoir te comporter de façon provocante ? Etre la seule à pouvoir séduire ?

— Je n'avais pas l'intention de te séduire, se défendit-elle. Enfin, pas vraiment…

Après qu'il l'eut déposée avec délicatesse sur le comptoir, elle attira sa tête contre ses seins et ajouta :

— Je m'inquiétais à ton sujet, car tu ne remontais pas. Et tout d'abord, si tu n'avais pas eu de crème fouettée sur le visage, rien ne serait arrivé.

— Peut-être, mais maintenant que tu as commencé, il faut que je termine.

D'une main douce mais ferme, il la fit basculer sur le comptoir. Après lui avoir retiré ses derniers vêtements, il s'allongea sur elle et entreprit de caresser ses seins, ses cuisses, son entrecuisse... Sous son contact à la fois précis et léger, elle se mit à respirer de façon saccadée.

— Viens ! le supplia-t-elle soudain.

Au lieu d'obtempérer, il fit coulisser son corps le long du sien pour venir embrasser son intimité. Elle frémit et marmonna dans un souffle :

— S'il te plaît, viens...

— La prochaine fois, peut-être y réfléchiras-tu à deux fois avant de jouer avec la crème fouettée, dit-il d'un ton rauque.

Il poursuivit ses caresses érotiques jusqu'à ce qu'il la sente sur le point de vaciller... Alors il se redressa, et se débarrassant de ses vêtements, plongea dans sa chaleur.

— Oh, Bryan ! s'écria-t-elle, frémissante.

Il se mit à aller et venir en elle avec lenteur, tâchant de garder le contrôle de la situation, conscient qu'il allait bientôt lui échapper. Les cris voluptueux de Lucy percèrent bientôt la nuit... Alors à son tour, il s'abandonna au plaisir, et ce fut comme si un tourbillon de sensations inouïes l'emportait.

Ils restèrent longtemps enlacés sur le large comptoir. Elle s'était pelotonnée contre son corps aussi solide qu'un roc et s'y accrochait comme à une ancre.

— Ne me quitte plus ! Plus jamais, murmura-t-elle. Je veux que nous restions pour toujours comme ça...

Malgré lui, il imagina la tête des cuisiniers s'ils

les trouvaient ici, le lendemain matin. Toutefois, il se garda de lui faire part de ses pensées, peu certain qu'elle aurait apprécié ce genre d'humour.

Même si Lucy faisait preuve d'une force étonnante, elle n'en était pas moins un être vulnérable, il ne devait pas l'oublier. En dépit de son intrépidité, ce soir, elle ne prenait pas les relations charnelles à la légère.

Quant aux ultimes paroles qu'elle venait de prononcer... Bah ! Il préférait y voir un élan romantique : après l'amour, il était courant de se laisser transporter par un certain lyrisme. Il espérait bien que Lucy ne souhaitait pas rester avec lui pour toujours, car c'était impossible, même s'il l'avait désiré.

En douceur, il se détacha d'elle puis l'aida à se remettre sur ses jambes.

— Ça va ? demanda-t-il.

Elle le regarda avec une petite moue rieuse.

— Oui, je crois que je m'en remettrai.

— Rhabillons-nous et remontons, proposa-t-il alors.

— Tu n'es pas sérieux ? s'indigna-t-elle. Tu ne crois tout de même pas que je vais remonter me coucher sans goûter le gâteau ?

— Emportons-le là-haut. Nous le mangerons au lit.

— Pourquoi pas ? fit-elle d'une voix lascive.

Lorsqu'elle se rappela les paroles qu'elle avait prononcées juste après leurs torrides ébats, Lucy sentit le rouge lui monter aux joues. Il lui avait donné le plus bel orgasme de sa vie et, encore sous le choc, elle l'avait supplié de ne jamais l'abandonner. Les mots étaient sortis de sa bouche sans transiter par son cerveau.

Depuis que Cruz Taylor l'avait plaquée sans un mot d'explication, elle avait développé une sorte de phobie de l'abandon. Mais quand bien même elle supplierait Bryan de la garder auprès de lui, il ne le pourrait pas, elle le savait. Leur relation était condamnée à la fugacité, il l'avait prévenue. Force était de lui reconnaître son honnêteté — contrairement à ce traître de Cruz qui lui avait fait croire qu'il était fou d'elle et qu'il l'épouserait un jour.

Si elle s'accrochait à Bryan, elle allait tout gâcher. Elle devait plutôt essayer de considérer chaque jour passé ensemble comme une bénédiction ; quand l'inévitable jour de la séparation arriverait, elle pourrait chérir de merveilleux souvenirs et ne nourrirait aucune rancune.

Toutefois… Bryan avait-il envie d'une relation temporaire avec elle ? Elle n'en savait rien. C'était elle qui l'avait séduit, et les hommes étaient en général incapables de décliner une invitation sexuelle.

Elle lui lança un coup d'œil en biais, alors que l'ascenseur les conduisait au deuxième étage, et découvrit son regard rivé à elle.

— Qu'y a-t-il ? demanda-t-elle dans un rire nerveux.

— Tu es si belle que je n'arrive pas à détourner les yeux de toi.

— Oh oui ! railla-t-elle. Je suis toute décoiffée, pas maquillée et…

— Arrête ! Avec ou sans maquillage, tu es superbe. Je ne sais pas qui t'a convaincue du contraire, mais c'est un imbécile.

La porte s'ouvrit et il s'effaça pour la laisser passer.

— Ce n'est pas un homme, mais ma mère, précisa-t-elle alors. Elle ne cessait de me répéter que j'irais droit en enfer parce que j'étais paresseuse, entêtée et irrespectueuse. Mais elle prétendait par ailleurs qu'elle n'avait pas de souci à se faire en ce qui concernait les garçons, car Dieu ne m'avait pas dotée d'un visage susceptible de les attirer.

Lucy savait que les propos de sa mère étaient destinés à l'inhiber afin de la protéger ; cependant, les répéter à haute voix après toutes ces années lui valut un petit tiraillement dans la poitrine.

— Il est criminel de tenir de tels propos ! s'insurgea Bryan. Je comprends que tes parents ne te manquent pas.

— Ma mère craignait tant que je perde mon âme qu'elle aurait trouvé n'importe quel prétexte pour me décourager. Hélas, je lui ai prouvé qu'elle avait raison.

— Que veux-tu dire ?

— Ses pires craintes se sont réalisées.

Ce fut tout ce que Lucy concéda, car elle s'empressa d'ajouter :

— Ne vois-tu vraiment aucun inconvénient à ce que nous mangions le gâteau au lit ?

— Je présume que ta mère désapprouverait une telle conduite ?

Lucy laissa échapper un petit rire perlé.

— Elle resterait agenouillée une semaine entière pour prier pour mon salut si elle savait que je me suis teint les cheveux, alors manger un gâteau au lit avec un homme, c'est au-delà de ce qu'elle peut concevoir !

Comme il l'entraînait au dernier étage, dans sa chambre, Bryan décréta :

— Manger un gâteau dans un lit requiert certaines règles.

— C'est-à-dire ?

— Il faut être nu.

— Pas de problème ! dit-elle en éclatant de rire.

Et quelques minutes plus tard, ils se glissaient nus sous les draps, avant de dévorer le fameux cake.

— Fabuleux ! commenta-t-elle, la bouche pleine. As-tu vraiment improvisé la recette ?

— Oui, confirma-t-il en lui léchant ses doigts maculés de crème. C'est toi qui m'as inspiré. Je voulais réaliser un gâteau si décadent qu'il détournerait mes pensées de ta petite personne si excitante. Je vais l'inscrire au menu et l'appeler le Gâteau de Lucy.

— Plutôt le Gâteau de Lindsay, non ? Sinon, tout le monde va se demander qui est cette Lucy.

— Une fois que nous aurons mis la main sur les escrocs que nous recherchons et que nous aurons retrouvé Arme Fatale, nous pourrons dévoiler ta véritable identité.

Elle se garda de souligner l'incohérence de ses propos, et de lui rappeler qu'une fois l'énigme résolue, elle n'aurait plus besoin de jouer le rôle de sa petite amie, et n'aurait aucune raison de s'attarder à New York.

Une fois les assiettes vides, Bryan les plaça sur la table de nuit puis, se glissant sous la couette, l'attira contre lui.

— Nous devons faire un peu d'exercice pour perdre les calories que nous venons d'avaler, dit-il.

— Mais je suis toute collante ! objecta-t-elle.

— Je vais y remédier…

Et il se mit à lécher son corps avec une méticulosité digne d'un chat, suscitant en elle de fabuleux frissons.

Alors, elle se laissa aller à ses caresses. Un jour peut-être, elle raconterait son passé à Bryan. Mais pas ce soir.

*
* *

Bryan se réveilla avant l'aube, et il lui fallut quelques secondes pour reprendre ses esprits et se rappeler pourquoi un corps féminin tout chaud dormait près de lui. Au souvenir de leurs étreintes, un sourire illumina ses traits. Ils avaient passé une nuit folle, lui et elle. Jamais il n'aurait cru que la sage Lucy était une telle tigresse, au lit. Elle ne se contentait pas d'être réceptive ; elle faisait aussi preuve d'une grande imagination, sans la moindre inhibition.

Il aurait dû se sentir coupable d'avoir fait l'amour à un témoin civil qui coopérait avec le gouvernement dans le but de démasquer les complices de dangereux terroristes. Pourtant, il n'avait pas la sensation d'avoir tiré profit de la situation. Bien qu'il ait été l'initiateur du premier baiser, c'était elle qui, hier soir, avait pris le taureau par les cornes. Il avait fait son possible pour détourner son attention de sa personne, mais elle avait forcé la porte de son refuge, le séduisant avec ses grands yeux innocents, tout en sachant qu'il ne pouvait pas lui offrir une relation stable.

Au fond, le fait que la fiction soit devenue réalité ne remettait pas en question leur couverture. L'un et l'autre étaient capables de garder le secret. D'ailleurs, il avait la sensation que Lucy entretenait d'autres secrets qu'elle ne lui avait pas encore dévoilés.

— Tu es réveillé ? murmura-t-elle.

— Oui…

— Tu es très matinal, murmura-t-elle en se lovant contre lui.

— Je réfléchissais… Lucy, j'ai une question indiscrète à te poser. Tu n'es pas obligée de répondre, mais… Voilà : j'ai fait des recherches sur ton passé, et je n'ai trouvé nulle part la mention d'un petit ami durant les deux années écoulées.

Après un bref silence, elle répondit :

— Je n'en ai pas eu après mon déménagement en Virginie.

— Dans ces conditions, pourquoi prends-tu la pilule ?

— Peut-être parce que je suis optimiste.

— Tu ne semblais pas en quête d'un amant quand je t'ai rencontrée.

— Mais puisque j'en ai trouvé un, par hasard, n'est-il pas merveilleux que je sois protégée ? fit-elle en clignant des paupières, telle une ingénue.

— Si, bien sûr.

Son argumentation ne le convainquait pas. Etait-ce ses habitudes professionnelles en matière d'investigation qui lui jouaient des tours ?

Soudain, il l'entendit dire :

— Très bien, je vais tout t'expliquer.

Avait-elle deviné ses pensées ?

— Ce n'est pas un épisode glorieux de mon passé, enchaîna-t-elle, tu seras sûrement déçu mais je préfère être honnête avec toi. Tes recherches me concernant ne sont pas exhaustives.

— Tu fais allusion aux deux années où tu as disparu de la circulation ?

— Oui. Je ne t'ai pas tout raconté à propos de ma collaboration avec les In Tight.

Elle reprit son souffle et il ne pipa mot, peu désireux qu'elle se ravise.

— Au départ, continua-t-elle, j'étais tout à fait satisfaite de mon travail, et ravie de côtoyer un groupe de rock de si près. Après mon éducation conservatrice, c'était le paradis. La plupart des musiciens m'appelaient par mon prénom et j'avais des rapports amicaux avec eux. Et puis Cruz Taylor a commencé à flirter avec moi…

— Le batteur, n'est-ce pas ?

— Oui… Moi, je venais de mon Kansas natal, et lui… Il me disait que j'étais une femme extraordinaire. Nous avons commencé à sortir ensemble, enfin plus exactement à coucher ensemble.

Bryan serra les dents en maudissant Taylor. Cependant, ne venait-il pas de se comporter de la même façon ? Comment reprocher au batteur d'avoir succombé aux charmes de Lucy, lui qui venait de passer la nuit avec elle ?

— Au départ, il était charmant avec moi, poursuivit-elle. Nous formions un couple, j'ai même eu ma photo dans un tabloïd.

Comment avait-il pu passer à côté de ces informations quand il avait effectué des recherches sur son passé ? se demanda Bryan. Il s'était contenté à tort de la routine, s'assurant juste qu'elle n'avait jamais été condamnée.

Il lui caressa le bras pour l'encourager à continuer.

— Tout se passait bien jusqu'à ce que je tombe enceinte.

Bryan se figea. Lucy, enceinte ?

— Cruz disait m'aimer, affirmait vouloir m'épouser dès que son groupe connaîtrait un réel succès. Je croyais que la nouvelle de ma grossesse le remplirait de joie. Je me trompais amèrement. Il fut horrifié en apprenant mon état. Non, ce n'est pas le terme adéquat : il était dégoûté. Il me reprocha immédiatement mon manque de prudence et m'ordonna de… de partir sans attendre.

Sa voix se brisa et Bryan l'attira à lui. Une rage insensée contre ce triste individu était en train de se former en lui.

— S'il croise un jour mon chemin, commença-t-il, je me ferai un plaisir de lui plaquer mon poing sur la figure. Mais, ajouta-t-il après un silence, et l'enfant ?

— Je n'ai pas avorté, dit-elle, devinant le sens profond de sa question. J'ai répondu à Cruz qu'il était odieux et que j'aurais cet enfant. Il m'a dit qu'il ne le reconnaîtrait pas et m'a insultée.

— Un simple test ADN aurait…

— Je sais, mais je n'avais pas envie qu'il soit officiellement le père de mon enfant. Pas après la façon dont il s'était comporté. Sachant que je pouvais établir

142

sa paternité, il m'a proposé de l'argent en échange de mon silence. Je suis partie sans rien accepter.

— Et que s'est-il passé alors ? demanda Bryan, bien qu'il pressentît la suite.

— Je suis retournée dans mon Kansas natal, à la ferme de mes parents. Ils étaient scandalisés, bien sûr. Ils m'ont forcée à me rendre tous les jours à l'église et ont prié pour mon salut. Mais j'étais leur fille et ils m'ont pardonnée. Et puis…

Sa voix se brisa.

— Et puis j'ai fait une fausse couche, reprit-elle d'une faible voix.

— Oh, Lucy, je suis désolé !

— Tout le monde affirmait que c'était mieux ainsi, mais moi, j'aurais tant aimé avoir cet enfant ! Qui plus est, j'avais l'impression d'être punie pour avoir voulu m'affranchir de l'autorité de mes parents. Aussi me suis-je promis de ne plus jamais prendre de risque, d'accepter le travail que mon oncle avait trouvé pour moi, à Alliance Trust, et de me faire aussi discrète que possible.

— Et la pilule ?

— Par simple précaution, au cas où… Je me connais, la preuve ! Heureusement que j'étais protégée, tout à l'heure. Je ne suis pas capable de résister à la tentation. Chassez le naturel, il revient au galop. Je suis faible.

— Non, Lucy, tu es la femme la plus forte que je connaisse. La seule erreur que tu aies commise, c'est de tomber amoureuse d'un homme qui n'était pas fait pour toi.

A cet instant, ils échangèrent un long regard. Un regard douloureux… Un regard plus évocateur que les mots, comprit-elle : *lui non plus n'était pas fait pour elle*. Elle avait réitéré son erreur.

— Je n'aurais jamais tourné le dos à mon propre enfant, déclara-t-il de façon spontanée.

— Je sais, tu n'es pas comme Cruz. C'était un enfant gâté, un égocentrique. Toi, tu es responsable et mature.

— Tu le penses vraiment ? Après toutes nos folies ?

Quand il revoyait leurs étreintes torrides sur le comptoir des cuisines, il ressentait presque une certaine gêne vis-à-vis de son personnel.

— Oui. Toi, tu ferais passer ma vie avant tes intérêts. Mais je sais aussi que tu ne souhaites pas d'enfant. Par chance, tu n'as pas à te préoccuper de la question.

Lucy était une femme formidable, pleinement responsable de ses actions ; elle suscitait son admiration totale, pensa Bryan en l'embrassant.

Comme il regrettait de ne pas être l'homme de la situation ! Celui qui l'aurait aimée de façon inconditionnelle, qui aurait toujours été là pour elle, qui ne serait pas parti pendant des semaines pour des missions dangereuses. Celui qui aurait été le père de ses enfants…

Hélas, il ne pouvait pas se permettre le luxe d'avoir des enfants. Ni celui de se marier ou de mêler sa vie professionnelle à sa vie privée. Il refusait de mettre en danger des êtres chers ou de leur causer des inquiétudes permanentes à son sujet.

— J'espère ne pas t'avoir refroidi, avec mes histoires sordides, lui dit-elle. Je ne voudrais pas que ça gâche quoi que ce soit entre nous. Parce que j'ai vraiment adoré faire l'amour avec toi… Enfin, se reprit-elle aussitôt, même si je sais que toi et moi c'est temporaire. Ça me va bien.

— Refroidi ? Tu plaisantes, j'espère, dit-il en roulant sur elle.

Elle était devenue une drogue pour lui, et il refusait de penser qu'un jour ils devraient se quitter.

Sa confession lui avait fait le plus grand bien, pensat-elle en faisant ruisseler l'eau sur son corps. Elle se sentait l'âme légère. C'était la première fois qu'elle évoquait sa fausse couche depuis les tragiques événements. Ses parents l'avaient encouragée à enterrer le passé, à tout oublier. Et pourtant, Cruz et la grossesse faisaient partie de son histoire. L'échec lui avait aussi permis de se construire. Elle avait été naïve, ce qui ne signifiait pas qu'elle était mauvaise.

Grâce à Bryan, elle était aujourd'hui en mesure de surmonter le passé. Ce dernier frappa soudain quelques coups à la porte de la douche.

— Laisse-moi un peu d'eau chaude, dit-il.

Il était allé nettoyer le restaurant avant l'arrivée du personnel.

— Viens me rejoindre ! répondit-elle.

Depuis son arrivée, elle rêvait de faire l'amour avec lui dans cette douche aux carreaux ocre et jaune et aux multiples petits pommeaux destinés à de subtils massages.

— Tu n'auras pas à me le dire deux fois, fit-il.

- 8 -

Lucy était partagée entre deux sentiments contradic-
toires, concernant l'analyse des données qu'elle avait
rassemblées. Bien sûr, elle voulait résoudre l'énigme
et démasquer l'auteur des malversations, à Alliance
Trust. Mais dès que le malfaiteur serait arrêté et que
toutes les parties concernées auraient été jugées, ce
serait la fin de son histoire avec Bryan.

Toutefois, le sens du devoir l'emportant, elle
travaillait d'arrache-pied et était en train de comparer
les temps de connexion et les heures où les transferts
illicites de fonds avaient eu lieu.

En fin de matinée, elle avait éliminé bon nombre de
personnes : il ne lui restait plus que cinq suspects en
lice. Parmi eux figurait Omar Kalif, un gestionnaire
de crédits d'origine iranienne. Elle l'avait toujours
beaucoup apprécié. C'était un homme fort drôle, qui
prenait par ailleurs son travail à cœur. Il avait une
femme adorable et deux enfants. Lucy poussa un
soupir : sa mission consistait à démasquer l'ennemi,

pas à avoir des états d'âme. Mais rien ne prouvait encore la culpabilité d'Omar.

Bryan l'avait avertie qu'il serait très occupé aujourd'hui et qu'il rentrerait tard. Il était resté flou sur ses activités. Etait-il à New York ou s'était-il rendu dans une autre ville ? Où était-il en train de mettre sa vie en péril ?

Elle préférait ne pas y penser, s'efforçait de ne pas s'inquiéter et de rester active. Toutefois, son imagination était puissante. Si quelque malheur frappait Bryan, en serait-elle avertie ? Et sa famille ? Ses parents apprendraient-ils qu'il était un espion et qu'il était mort en défendant sa patrie ? Ou bien disparaîtrait-il un beau jour sans que les siens ne sachent pourquoi ?

Pour sa part, elle ne pourrait pas supporter à long terme l'incertitude liée à la vie secrète de Bryan, même s'il décidait de s'engager avec elle. Allons, pourquoi diable ces idées lui traversaient-elles l'esprit ? Il n'avait jamais été question d'engagement entre eux, elle le savait bien. Ne lui avait-elle pas dit elle-même, hier, que cela lui allait très bien ?

Avec un soupir, elle regarda sa montre, et constatant que l'heure du déjeuner était passée depuis longtemps, elle décida de descendre au restaurant afin d'y trouver quelque chose qui pourrait calmer sa faim. Bryan avait réglé la puce de l'ordinateur de sorte qu'elle identifie sa voix et lui avait indiqué le mot de passe. En pénétrant dans les cuisines, elle rougit malgré elle au souvenir ce qui s'était passé la nuit précédente, sur le large comptoir…

— Lindsay ! Bryan m'avait prévenu que tu viendrais déjeuner. Scarlet est justement ici ; si tu le souhaites, je te mets un couvert à sa table.

— Oh, je ne voudrais pas la déranger !

— Je suis certain qu'elle sera enchantée de ta compagnie.

Et, sans écouter ses protestations, Martin l'entraîna dans la salle de restaurant où Scarlet, dans une superbe robe jaune canari, était attablée avec une inconnue qui leur tournait le dos.

— Lindsay ! s'écria aussitôt Scarlet. Fais-nous le plaisir de déjeuner avec nous ! Nous n'avons pas encore commandé. Je te présente Jessie ; je ne pense pas que vous vous soyez déjà rencontrées.

A cet instant, Jessie se retourna et serra avec chaleur la main de Lucy.

— Ravie de vous rencontrer, Lindsay, dit-elle.

— Le plaisir est partagé, fit Lucy avant d'ajouter à l'intention de Scarlet : j'ignorais que tu avais une autre sœur.

— Pardon ? firent les deux femmes en même temps.

Lucy les considéra tour à tour : la ressemblance était frappante, même si elles n'étaient pas jumelles.

— Vous êtes bien sœurs, n'est-ce pas ?

Scarlet se mit à rire ; quant à Jessie, elle paraissait bouleversée.

— Qu'est-ce qui peut bien te faire penser cela ? demanda cette dernière d'une voix un peu plus forte que ne l'aurait voulu la bienséance.

— Désolée, j'avais cru voir en vous un air de famille, bredouilla Lucy. Je me suis trompée.

— Jessie Clayton est mon assistante à *Charisma*, enchaîna Scarlet. Elle…

— Excusez-moi, fit soudain Jessie. J'ai réellement beaucoup de travail et réflexion faite, je ne vais pas avoir le temps de déjeuner.

Elle fit mine de se lever, mais Scarlet l'arrêta en posant une main sur son bras.

— Allons, Jessie, je ne suis pas un négrier ! Tu peux prendre le temps de te restaurer.

— Non, vraiment, je dois y aller.

Et, en dépit des protestations de Scarlet et Lucy, elle s'éclipsa.

— Navrée, je ne voulais pas la chasser, fit Lucy.

Scarlet demeura perplexe.

— C'est curieux. Je me demande ce qui lui a pris. Peut-être était-elle contrariée à l'idée de me ressembler ?

— Il est vrai que tu es une telle ogresse que personne n'aurait envie de te ressembler, ironisa Lucy.

— Trouves-tu que la ressemblance soit frappante entre nous ? questionna Scarlet. C'est étrange, quand je l'ai engagée, moi aussi j'ai eu l'impression qu'elle me ressemblait, et puis je me suis dit que j'affabulais.

— Tu sais, de nombreuses personnes se ressemblent,

répondit Lucy, désireuse de minimiser la mystérieuse ressemblance. Il est probable que, comme toi, elle ait du sang irlandais.

Prenant le parti d'oublier l'incident, Scarlet commanda de l'eau minérale et une copieuse salade niçoise, tandis que Lucy se contentait d'un gaspacho.

— Une soupe te suffira-t-elle ? interrogea Scarlet.

— Après le dîner d'hier soir, je n'ai pas très faim.

Sans compter le cake à l'orange, au gingembre et à la menthe, ajouta-t-elle en silence.

— Où est Bryan, aujourd'hui ?

— Ici et là, je ne sais pas exactement.

— Est-il donc aussi mystérieux avec toi qu'avec nous sur ses divers déplacements ?

— Je ne veux pas être indélicate.

— Eh bien moi, si ! Franchement, toute la famille commence à en avoir assez. Nous avions tous cru que tu étais le secret qu'il nous cachait, mais de toute évidence, ce n'est pas le cas puisqu'il continue à disparaître.

— Il sera de retour ce soir, lui assura Lucy.

En personne bien élevée, Scarlet n'insista pas et enchaîna :

— Demain soir, nous faisons des photos pour la nouvelle collection du soir de la maison Givenchy. Une des robes t'irait à merveille. Ne voudrais-tu pas poser pour nous ?

Lucy se mit à rire. Elle n'avait vraiment pas besoin d'une publicité nationale, étant donné le contexte. Autant envoyer une carte aux malfaiteurs en soulignant le trajet qui menait jusqu'à elle.

— Merci, c'est très gentil de ta part, mais j'ai du travail sur la planche.

— Ah oui ! Ton roman ! Je suis très heureuse pour toi que tu aies décidé de t'y remettre. Tu avances ? Tu sais, je connais un agent, William Morris, à qui je pourrais soumettre la lecture de ton livre si tu le souhaites.

— Je suis loin de l'avoir terminé, répondit Lucy. Mais merci, tu es adorable !

— C'est parce que j'ai envie que tu restes. Il est évident que Bryan a besoin de toi dans sa vie. Je ne l'ai jamais vu aussi heureux qu'hier soir. Il ne te quittait pas des yeux.

Lucy se sentit rougir.

— Scarlet !

Une femme à la beauté saisissante dotée d'une superbe chevelure rousse venait de s'arrêter devant leur table. Scarlet se leva pour l'embrasser et Lucy se rendit compte que l'inconnue la surplombait d'une bonne tête. Soudain, elle la reconnut : il s'agissait de Redd, un mannequin fort célèbre.

— Redd, je te présente Lindsay Morgan, la petite amie de Bryan, dit Scarlet.

Lucy balbutia quelques mots, impressionnée, puis Redd regagna sa table.

— Ce doit être amusant de croiser tous les jours des célébrités, commenta-t-elle.

— Tu t'y habitueras très vite, prédit Scarlet.

Lucy aurait tant aimé en avoir l'opportunité !

Bryan ne rentra pas avant 21 heures. A peine était-il sorti de l'ascenseur qu'elle se précipita dans ses bras.

— Quelque chose ne va pas ? fit-il en lui caressant le dos.

— Je m'inquiétais pour toi.

— Pourquoi ? Je t'avais prévenue que je rentrerais tard.

— Je sais, mais j'ignorais où tu étais et j'ai une imagination très développée. Je te voyais déjà capturé, empoisonné…

— Oh, Lucy ! dit-il avant de l'embrasser avec tendresse. Je ne courais aucun danger. J'effectuais juste un travail de routine, sur le terrain. Je vérifiais certains témoignages et tentais de mettre la main sur Arme Fatale. Et puis j'ai également rencontré Sibérie.

— Connaît-il la véritable identité d'Arme Fatale ?

— Non. Seul le superviseur de la cellule la connaît. Ce dernier va nous aider à le retrouver.

— De mon côté, j'ai bien avancé, lui annonça-t-elle avant d'ajouter : veux-tu dîner ? Martin m'a monté de délicieux tempuras et je n'en ai pas mangé un tiers.

Elle voulut se dégager de son étreinte, mais il la retint.

— J'ai faim, mais pas de nourriture, dit-il.

— On dirait que tu confonds tes appétits, repartit-elle. Laisse-moi te réchauffer quelques beignets et je t'expliquerai ce que j'ai trouvé.

Comme elle mettait les tempuras de crevettes et de légumes au four à micro-ondes, elle lui conta sa découverte. Une découverte qui l'avait profondément attristée.

— J'ai éliminé tout le monde à l'exception d'une personne. J'ai vérifié au moins trois fois, mais elle est la seule à avoir toujours été connectée lors des transferts illégaux.

— De qui s'agit-il ?

— Peggy Holmes, la secrétaire personnelle de M. Vargov. Elle ressemble à une tendre grand-mère et cela fait presque trente ans qu'elle travaille à la banque. Je l'imagine mal fréquenter des terroristes.

— Il ne faut pas se fier aux apparences, rétorqua Bryan. L'une de ses filles est mariée à un homme qui se rend souvent au Moyen-Orient pour ses affaires. A priori, il n'y a rien de mal à…

— Tu as déjà pris des renseignements sur elle ? s'étonna Lucy.

— Comme sur tous les employés d'Alliance Trust, répondit-il. A présent que tes recherches t'ont permis d'identifier Peggy Holmes comme suspect, je vais me focaliser sur son beau-fils.

— Je n'arrive pas à croire qu'elle soit mêlée aux malversations. Bien sûr, elle aime aider les autres, et elle passe son temps à satisfaire M. Vargov. Peut-être que quelqu'un l'a contactée et lui a présenté l'affaire comme un grand service à rendre…

— Tu ne m'as pas beaucoup parlé de M. Vargov, l'interrompit Bryan. En tant que président de la banque, il doit avoir de l'autorité et du pouvoir. Il a entre autres des relations avec les anciennes républiques soviétiques, et…

— Non, ce ne peut pas être lui ! Il était en réunion chaque fois qu'une transaction illégale a eu lieu.

— Chaque fois ?

— Pour les premières. Je n'ai pas vérifié jusqu'au bout, puisque j'avais la preuve que ce n'était pas lui. Il assiste à beaucoup de réunions, tu sais.

— Vérifions de façon systématique, proposa Bryan. Et tâchons de voir à quelle réunion il assistait.

— Toutes ? Mais il y en a des douzaines !

— Qu'à cela ne tienne !

Trois heures plus tard, Bryan détenait la réponse qu'il attendait : M. Vargov se trouvait *toujours* en réunion au moment des détournements. Par ailleurs, il avait pris quinze jours de vacances, durant lesquels il n'y avait eu aucun transfert illégal.

— Son ordinateur n'était pas connecté durant la plupart des transactions, objecta Lucy. Il n'a pas pu commettre des falsifications sans être connecté et sans entrer son mot de passe.

— Il pouvait tout à fait utiliser le mot de passe de sa dévouée secrétaire, observa Bryan. Je suis certain qu'elle l'avait consigné quelque part, par crainte de l'oublier.

— Mais comment aurait-il pu…

— Sur un ordinateur de poche. Les salles de conférences possèdent toutes des connexions sans fil à Internet. Il pouvait suivre une conversation tout en tapotant, l'air de rien, sur son Palm Pilot afin de se connecter au système de la banque à l'aide du mot de passe de Peggy. Aussi simple que bonjour.

— Mais tu as raison ! Comment n'y ai-je pas pensé ? Sans doute parce que M. Vargov a toujours fait preuve d'une extrême gentillesse envers moi ! Il me traitait de façon paternelle. Il m'a engagée en dépit de mon manque d'expérience, m'a payée plus qu'il n'aurait dû…

— A ton avis, pourquoi ? Une personne qui détourne des fonds n'a pas tellement envie de subir un audit par une personne expérimentée. En revanche, si elle paie correctement ses employés et entretient des rapports amicaux avec eux, ils vont se tenir tranquilles. Mais tu étais trop intelligente et trop consciencieuse pour marcher dans son jeu.

— C'est pour cela qu'il n'a rien fait quand je l'ai alerté sur les bizarreries que j'avais relevées dans les comptes. Tout s'éclaire à présent ! s'écria Lucy.

Elle fit pivoter son fauteuil pour faire face à Bryan.

— Nous formons une très bonne équipe, toi et moi, lui dit-il avec un large sourire. Sans toi, je n'aurais jamais démasqué Vargov. Et si nous fêtions cela ?

Sans répondre, elle lui donna un baiser passionné. Après sa journée passée devant l'ordinateur à se ronger les sangs à cause de lui, elle avait besoin de se détendre…

— Tu ne devineras jamais qui j'ai rencontré aujourd'hui, fit Lucy un peu plus tard, alors qu'ils étaient allongés sur le lit. Redd, le top model !

— Elle vient souvent à Une Nuit, répondit Bryan. Son plat préféré, c'est le homard grillé.

— Comme ce doit être excitant de tenir un restaurant ! s'exclama Lucy. De confectionner des petits plats à l'intention de personnes précises, de leur conseiller un bon vin…

— Tout à fait, approuva-t-il. En fait, j'aimerais consacrer plus de temps à cette activité.

Lucy hésita. Ne devait-elle pas être franche avec lui et lui livrer les inquiétudes de son entourage ?

— Sais-tu que toute ta famille se fait du souci pour toi ? commença-t-elle. Ils ne comprennent pas ce qui motive tes longues absences. Sans compter tes blessures, au mariage de ton frère. Tu sais, ton père n'a pas cru un seul instant qu'il s'agissait d'un accident de voiture.

— C'était un attentat, avoua Bryan. Je descendais les Champs-Elysées au volant d'une voiture de location lorsque, soudain, j'ai eu une drôle de prémonition : j'ai bondi hors du véhicule juste avant qu'il n'explose.

Un attentat à Paris ? Mais oui, elle se souvenait avoir lu la nouvelle dans les journaux.

— J'en ai entendu parler.

— J'étais avec Arme Fatale, nous enquêtions sur l'œuvre de charité à laquelle notre malfaiteur envoie des fonds. Nous étions sûrement près de découvrir des éléments clés. C'était un avertissement.

— Je t'interdis de remettre les pieds en France, tu m'entends ! s'écria Lucy d'un ton furieux. Quelqu'un là-bas a l'intention de te tuer.

— Ce n'est pas la première fois qu'on me prend pour cible, dit-il en haussant les épaules.

— Non ! Ne m'en raconte pas davantage ! fit-elle en se bouchant les oreilles. Je ne pourrai pas le supporter.

— Comme tu voudras, dit-il, un sourire aux lèvres. Lucy, il faut que tu me rendes un service et que tu rassures ma famille.

— Non, Bryan, c'est impossible. Je ne peux pas leur dire de ne pas s'inquiéter alors que tu risques ta vie à chaque instant.

— Il ne va rien m'arriver, lui assura-t-il.

— Un jour, ton destin finira par croiser celui de ton meurtrier, prédit-elle d'une voix funeste.

— Allons, Lucy, ne verse pas dans le mélodrame ! dit-il en l'embrassant avec affection. Demain, je te promets d'être absent uniquement une heure ou deux. J'organise une grande réception à Une Nuit pour fêter les profits du groupe Elliott. Le défi de mon grand-père a été fructueux : la société a battu tous ses records en matière de chiffres.

— Quel magazine est en tête ?

— *Charisma*, ce qui ne surprend personne étant donné le stakhanovisme dont fait preuve ma tante Finola. Mais nous ne sommes qu'à mi-parcours, et rien n'est encore joué.

— Et ton père, quelle place occupe-t-il ?

— *Snap* est en dernière position, mais je ne crois pas que cela le préoccupe. Il a l'esprit ailleurs à cause du divorce.

— Même quand il met un terme à un mauvais mariage, un divorce est traumatisant, fit Lucy. Enfin, ton père a encore six mois pour se ressaisir. Tu aimerais qu'il prenne la tête du groupe ?

— Ce que je lui souhaite, c'est d'être heureux. Ce qu'il n'est plus depuis trop longtemps, ajouta-t-il en la serrant contre lui.

Lucy se faisait un sang d'encre. Contrairement à ses promesses, Bryan s'était absenté plus de deux heures. Pourvu qu'il ne lui soit rien arrivé ! Qui plus est, il lui manquait. Elle n'avait plus d'énigme à résoudre pour passer le temps : à présent qu'elle avait exploité à fond les données téléchargées, c'était à Bryan d'apporter les preuves de l'hypothèse.

Il ne lui avait pas fourni beaucoup de détails, mais elle supposait que M. Vargov était sous surveillance. Nul doute que d'autres branches du Département de la Sécurité Intérieure avaient pris le relais.

Trois heures avant que ne commence la réception, le téléphone sonna. Elle vérifia le numéro avant de décrocher : c'était celui d'Une Nuit. Et sans doute son propriétaire, pensa-t-elle, pleine d'espoir.

— Lindsay ! Ravi de te trouver à la maison.

Elle sentit une légère déception l'envahir. Ce n'était pas Bryan, mais Martin.

— Bryan vient d'appeler pour préciser qu'il serait en retard, poursuivit-il. Il tient à ce que tu supervises le repas de ce soir.

— Moi, mais pourquoi ?

— Parce que tu as des goûts sûrs.

Elle se mit à rire sous le compliment.

— Très bien, je descends.

Quelques minutes plus tard, Martin et elle étaient penchés sur des menus, certains imprimés, d'autres écrits à la main : toutes les possibilités étaient envisageables.

— Martin, il faut m'aider ! supplia-t-elle. La

famille Elliott a-t-elle des préférences ? Ou bien des allergies ?

— Des allergies, non, pas à ma connaissance. En revanche, les dames sont soucieuses de leur ligne.

— Alors que dirais-tu d'un poulet farci aux châtaignes et aux noix de cajou ? Cela donne un bon goût à la viande, et les personnes au régime ne sont pas obligées de manger la farce.

— Excellent choix ! approuva Martin. En entrée, il faudrait miser sur le poisson…

— Des aumônières de Saint-Jacques au saké ? suggéra-t-elle.

Encore une fois, Martin approuva. Et ils continuèrent de procéder de cette façon : il lui donnait des pistes, elle les développait. De toute évidence, il aurait pu concevoir le dîner tout seul, mais Bryan avait insisté pour qu'elle l'orchestre, une attention qui lui fit chaud au cœur. Pour le vin, elle se fia au nom et à l'étiquette, comptant sur Martin pour l'empêcher de commettre une faute impardonnable.

Plus tard, alors qu'elle se préparait en vue de la réception, elle se rendit compte qu'elle était impatiente de voir la réaction des Elliott. Comme il était excitant de tenir un restaurant ! Et puis Une Nuit l'avait conquise. Elle aimait l'ambiance qui régnait en cuisine, les plaisanteries des cuisiniers, leur diligence, le bruit des casseroles, les odeurs… En salle, elle était fascinée par l'élégance des clients, et leur superbe indifférence quant à la fièvre qui régnait derrière les portes closes des cuisines où le chef exigeait la perfection. Elle appréciait les accords de jazz, en toile de fond, le cliquetis de fourchette, le tintement de verre, les conversations feutrées et les quelques éclats de rire qui garantissaient le côté décontracté de l'atmosphère.

Brusquement, la porte de la chambre s'ouvrit, interrompant les rêveries de Lucy. Elle poussa un petit cri avant d'apercevoir Bryan. Un sourire barra le visage de ce dernier quand il se rendit compte qu'elle était en sous-vêtements.

— Tu m'as fait une sacrée peur ! lui reprocha-t-elle. Tu aurais pu au moins traîner des pieds pour me prévenir de ton arrivée.

— Au contraire, je préfère te surprendre, dit-il avec un air malicieux. Tu es ravissante…

Il l'attira à lui et l'embrassa comme s'ils avaient été séparés pendant de longs jours. Lucy sentit ses jambes devenir de coton et sa respiration se fit plus courte.

— Désolé d'avoir été si long, dit-il d'une voix rauque. Tout est-il au point ?

— N'as-tu pas interrogé Martin ?

— Non, je suis monté directement, j'avais si hâte de te voir !

A ces mots, il glissa une main dans sa culotte en dentelle.

— Bryan ! Nous n'avons pas le temps…

— A New York, c'est très tendance d'être un peu en retard, lui assura-t-il.

Sur ces mots, il l'entraîna vers une chaise capitonnée et, après s'être débarrassé de ses vêtements à la hâte, il l'attira sur ses genoux, se délectant du contact de sa peau soyeuse. Avec ses cheveux, elle se mit à lui caresser le torse, frémissante, prête à s'offrir à lui, et il sentit son sexe se durcir contre elle. Jamais il n'avait ressenti un tel désir pour une femme, c'était comme si, soudain, tout son corps ne tendait plus que vers l'accomplissement de son plaisir, entre ses bras, au plus profond de sa chair douce et brûlante à la fois.

— Viens, lui dit-il d'une voix rauque en la soulevant un peu.

Délicatement, il la guida sur lui, et quand il sentit son sexe délicat se refermer sur le sien, il ne put retenir un râle de plaisir. C'était divin. Il se mit alors à onduler sous elle, lui soutirant de délicieux soupirs, et le rythme de leur étreinte s'accéléra. Alors, ils se mirent à chevaucher de concert leurs chemins de traverse préférés, ceux qui les conduisaient immanquablement aux rivages du paradis…

Elle se laissait guider par lui, heureuse de lui abandonner le contrôle, tout entière offerte aux mille sensations qui la submergeaient. Bientôt, tout son corps fut agité de spasmes de plaisir, elle se pressa encore un peu plus contre Bryan, comme si elle ne voulait plus faire qu'un avec lui, et elle perdit soudain la conscience de qui elle était, se livrant tout entière à la vague incroyable qui la dévastait.

Quand les cris voluptueux résonnèrent de façon délicieuse aux oreilles de Bryan, haletant, il donna un dernier coup de reins, comme pour la pénétrer encore plus profondément, et enfin, il se laissa à son tour emporter par le tourbillon vertigineux qui les emmenait chaque fois loin, très loin, elle et lui.

Quand Lucy rouvrit les yeux, elle se heurta au regard de Bryan.

— J'aime te voir jouir, lui dit-il. Tu t'abandonnes de façon si généreuse. On peut lire toutes les émotions qui traversent ton visage.

Toutes ? Elle espérait bien que non… *étant donné qu'elle était en train de tomber amoureuse de Bryan Elliott*. Elle était incapable de lutter contre ses sentiments, tout en sachant qu'il n'y avait qu'un seul antidote : la fuite.

Or, le remède était bien pire que le symptôme.

- 9 -

Ils arrivèrent avec dix minutes de retard à la réception qui se tenait au sous-sol du restaurant. Personne ne parut s'en émouvoir : les premières mises en bouche avaient déjà été proposées aux convives, le champagne servi et les conversations allaient bon train.

Bryan remarqua alors que des bristols nominatifs avaient été disposés sur la table.

— Est-ce ton idée ? demanda-t-il à Lucy en prenant une carte et en la lui montrant.

Elle hocha la tête.

— J'ai pensé que la soirée serait plus conviviale si les gens ne se regroupaient pas en fonction des magazines auxquels ils appartiennent. De cette façon, il y aura moins d'apartés.

Elle avait pris une deuxième initiative en disposant les tables en carré, et non en longueur. Désireuse de recevoir son approbation, elle demanda :

— L'agencement te convient-il ? Ainsi, tout le monde peut se voir et discuter.

— Si je comprends bien, tu estimes nécessaire

d'encourager la communication au sein de ma famille ?

— Eh bien, disons que ta famille est très bavarde, mais que les conversations ne sont pas toujours productives... Il serait parfois profitable que certains sachent mieux écouter.

Bryan se mit à rire.

— Je vois que tu veux jouer les médiateurs ! Toutefois, ne te fais pas d'illusion : la paix ne reviendra pas tant que le nouveau directeur général n'aura pas été désigné.

A cet instant, Martin s'approcha d'eux.

— Veux-tu vérifier le menu ? glissa-t-il à l'oreille de Bryan.

— Non, je suis certain que tout est parfait. Juste un petit détail : je ne vois pas de beurre parfumé aux fines herbes.

— J'envoie tout de suite un serveur en chercher.

— J'y vais moi-même, trancha Bryan. J'en profiterai pour faire un tour dans la salle du haut.

Sur ces mots, il gravit d'un preste pas l'escalier.

Après avoir distribué quelques poignées de main et des sourires, il reconnut soudain sa mère, assise seule à une table.

— Maman ! s'écria-t-il en se précipitant vers elle. Pourquoi ne m'as-tu pas prévenu de ta visite ? Et comment se fait-il que personne ne m'en ait averti ?

Amanda Elliott se leva pour serrer son fils dans ses bras.

— Je crois que ta nouvelle hôtesse ne m'a pas reconnue, dit-elle en rajustant la veste de son tailleur. Et si tu es occupé, je ne veux pas te déranger.

— Pour toi, j'ai toujours du temps, lui assura Bryan. Qui plus est, je voudrais te présenter une personne chère à mon cœur. Elle est en bas.

Il hésita, sachant que sa mère ne se sentait pas très à l'aise avec le clan Elliott, mais finit par préciser :

— Nous avons organisé une petite réception pour fêter les profits du groupe.

— Tu vois, tu es occupé. Je reviendrai…

— Non, maman, tu peux tout à fait te joindre à nous. Karen est ici.

Karen, la seule du clan dont Amanda était restée très proche.

— Et Patrick ? demanda sa mère avec appréhension.

— Il n'est pas venu, car grand-mère était souffrante.

— Rien de grave, j'espère ?

— Non, juste son arthrite qui s'est réveillée. Allez viens, tout le monde sera heureux de te voir.

— Tout le monde ? Ton père n'est donc pas là ?

— Si, il est là et lui aussi sera content. Il voit enfin la fin du tunnel, en ce qui concerne son divorce avec Sharon.

— C'est ce que j'ai cru comprendre. Il paraît aussi

que tu as une nouvelle petite amie. C'est elle que tu désires me présenter, n'est-ce pas ? Pour ma part, je suis impatiente de la rencontrer.

Avec un large sourire, Bryan passa son bras sous celui de sa mère et la conduisit au sous-sol, oubliant dans son élan le beurre aux fines herbes.

— Regardez qui j'ai trouvé en chemin ! claironna-t-il à l'assemblée.

Amanda parut soudain confuse, mais le clan Elliott ne déçut pas Bryan : ses cousins se levèrent tout de suite pour saluer sa mère. Tous l'appréciaient énormément, et son absence aux réunions familiales les peinait. Quant à Daniel, le père de Bryan, il n'émettait jamais aucun commentaire au sujet de son ex-femme ; d'ailleurs, Bryan était convaincu que ses parents éprouvaient encore des sentiments l'un pour l'autre.

— Maman, je te présente Lindsay Morgan, dit-il.

— Enchantée, Lindsay, fit Amanda en lui serrant la main.

Ce fut alors que Bryan aperçut le scintillement d'une larme dans l'œil de sa mère. Qu'est-ce que cela pouvait bien signifier ? Ce n'était tout de même pas la vue de Lucy qui la remplissait de désespoir ? Allons, jamais Amanda ne s'était comportée en mère surprotectrice, incapable de voir son fils aimer une autre femme qu'elle, et il n'y avait aucune raison pour qu'elle commence aujourd'hui. Non, c'était autre chose qui la préoccupait, mais quoi ?

Il n'eut pas le temps de réfléchir plus avant à la question, car, déjà, Lucy s'exclamait à l'intention de sa mère, après avoir échangé quelques mots chaleureux avec elle :

— Madame Elliott, joignez-vous donc à nous, cela me ferait très plaisir.

Bryan retint un sourire. Sans même s'en rendre compte, Lucy avait endossé le rôle de l'hôtesse et cela semblait tout à fait naturel.

— Je vous en prie, appelez-moi Amanda, fit cette dernière. Toutefois, je ne voudrais pas m'imposer...

Elle protestait pour la forme, songea Bryan. De fait, il avait l'impression qu'elle était ravie de se retrouver parmi les Elliott, même si elle affirmait souvent qu'elle était heureuse de ne plus appartenir à cette tribu nombreuse et bruyante.

— C'est absurde ! intervint Karen. Reste, un point c'est tout.

— Prends la place de Finola, proposa Shane, l'oncle de Bryan. De toute évidence, celle-ci préfère dîner au bureau plutôt que venir fêter sa première place avec nous.

Commentaire qui suscita un débat animé, comme il se devait. Sans faire plus de manière, Amanda s'assit à la place indiquée. Bryan dirigea alors ses regards vers son père. Ce dernier n'avait pas quitté son ex-épouse des yeux depuis son arrivée dans la salle. Il était manifeste qu'il n'était pas indifférent à sa présence. Comme ils n'étaient pas loin l'un de l'autre, ils pourraient discuter ensemble, espéra-t-il. A surveiller...

Après les mises en bouche, on servit un léger velouté et une salade, conformément aux vœux de Lucy. Difficile de commettre un faux pas, avait-elle répliqué quand il l'avait complimentée, dans la mesure où tout ce qui figurait au menu d'Une Nuit était délicieux. N'empêche qu'il était fier des choix de sa « fiancée ». Fier parce que, de la sorte, elle passait pour la femme idéale, ce qui donnait du crédit à leur couverture. Néanmoins, au fond de lui, il savait que son sentiment de fierté se nourrissait à une autre source. Une source plus profonde...

Assez ! se reprit-il très vite. Il devait à tout prix s'interdire ce genre de pensées. En aucun cas, il ne pouvait s'attacher à elle, quelles que soient les étreintes passionnées qu'ils aient pu échanger. Etant donné la vitesse à laquelle l'enquête progressait, elle ne resterait pas longtemps auprès de lui.

Certains convives s'étant levés pour se détendre les jambes, un jeu de chaises musicales se mit en place et Bryan se trouva bientôt assis à côté de son cousin Liam, l'un des fils de Michael et de Karen. C'était le directeur financier du groupe Elliott. Ce soir, avant le plat principal, il avait tenu une petite allocution pour présenter les chiffres d'affaires de chaque magazine. Il avait également lu un discours préparé par Patrick à l'intention de ses enfants et petits-enfants, discours dans lequel il les remerciait de jouer si bien le jeu et de rendre la compétition aussi haletante qu'une course de chevaux.

Ce qui n'avait pas manqué d'engendrer quelques commentaires narquois de la part de certaines personnes. Lucy s'était alors empressée de calmer les esprits.

— Eh bien, Liam, la course est-elle serrée ? fit Bryan.

— Plus que tu ne l'imagines. C'est ce qui rend le pari si... excitant.

— L'atmosphère doit être des plus tendues, dans les bureaux du groupe, non ?

— Tu peux le dire ! Tu sais, Bryan, ce soir, chacun essaie de faire bonne figure, mais je crains que le défi de grand-père ne crée des traumatismes irréparables.

— Tu penses à Finola, n'est-ce pas ?

— Franchement, je suis soulagé qu'elle ne soit pas venue. Je ne suis pas certain qu'elle aurait pu enterrer la hache de guerre, même pour une soirée.

— Elle a toujours voulu prouver qu'elle était aussi méritante que ses frères, soupira Bryan.

A cet instant, Martin et trois serveurs apparurent pour servir les desserts : une farandole de gâteaux pour les plus gourmands, et des sorbets à la pistache pour les appétits plus modestes.

Une fois le service terminé, Martin se pencha vers Bryan pour lui murmurer quelques mots à l'oreille.

— Entendu, fit ce dernier en se levant.

Avant de se diriger vers l'escalier, il s'arrêta près de Lucy et demanda à voix basse :

— As-tu envie de rencontrer Britney Spears ?

— Vraiment ? Elle est ici ? fit Lucy.

— Oui, en train de prendre un verre.

Il n'eut pas besoin de lui poser deux fois la question !

Il était amusé par la candeur dont elle faisait toujours preuve envers les célébrités, en dépit de ses déconvenues avec le batteur des In Tight.

En haut, le bar était bondé, mais les gens s'écartèrent pour laisser passer Bryan. Beaucoup le connaissaient et regardaient sa compagne d'un œil curieux. Il ferait les présentations plus tard, se dit-il.

Britney Spears et sa cour se trouvaient au beau milieu de la foule, et dès qu'elle vit apparaître Bryan, elle cessa de parler pour le saluer. Il la remercia de son passage à Une Nuit et lui présenta Lucy, qui parvint à la saluer malgré sa nervosité. Puis il commanda une bouteille de champagne, tendit sa carte à Britney en lui précisant de l'appeler, lui ou Martin, si elle avait besoin de quelque chose. Il allait repartir lorsqu'un flash attira son attention.

Immédiatement, il se planta devant Lucy pour faire écran entre elle et l'appareil photo. Non qu'il eût envie de paraître dans un tabloïd — la publicité ne servait pas précisément sa cause —, mais il aurait été encore plus désastreux que Lucy fasse la une des journaux.

Un second flash éclaira bientôt la salle et il en repéra l'auteur, un grand type avec des cheveux frisés. Il se dirigea vers lui sans attendre.

— Il est interdit de prendre des photos ici, déclarat-il en entraînant le photographe vers la sortie.

— Dois-je comprendre que vous me jetez à la porte ? rétorqua ce dernier en haussant le ton pour que tout le monde l'entende.

— Non, je vous prierai seulement de déposer votre appareil au vestiaire. Il vous sera rendu quand vous partirez.

— Sûrement pas, mon vieux ! rétorqua l'individu.

Se dégageant d'un geste brusque de l'étreinte de Bryan, il se dirigea vers la porte et sortit.

Le maître des lieux vint alors s'excuser pour l'incident auprès de Britney Spears qui lui sourit avec bienveillance. Puis Lucy et lui redescendirent au sous-sol.

— Merci de me l'avoir présentée, dit Lucy. Je sais, tu dois penser que je suis puérile…

— Pas du tout, lui assura-t-il.

En réalité, il était fort préoccupé par la scène qui venait de se produire. Aurait-il dû poursuivre le photographe ? Allons, ce n'était pas un paparazzo, juste un fan de Britney.

De toute façon, il ne pouvait plus le rattraper, à présent.

Le lendemain, alors qu'ils rentraient de leur footing matinal, Bryan s'arrêta devant un kiosque à journaux pour acheter la dernière édition de *Global News Roundup*, l'un des pires tabloïds du marché.

— Tiens, ce n'est pas ce que tu lis, en général, observa Lucy.

— Non, mais j'ai de bonnes raisons de l'acheter, aujourd'hui.

— Tu sais, ça m'étonnerait qu'un paparazzo ait proposé la photo de Britney à ce torchon.

— Non, la rassura-t-il en riant, je ne me fais aucun souci de ce côté-là !

Toutefois, il ne lui expliqua pas la raison de son achat. Elle ne l'apprit que plus tard, après la douche et le petit déjeuner, lorsque Bryan sortit une pile de *Global News Roundup* de son attaché-case.

— Je dois de nouveau m'absenter, aujourd'hui, commença-t-il.

— Je sais que ton travail est important mais je commence à étouffer dans ton appartement, rétorqua-t-elle.

— Notre surveillance concernant Vargov a donné quelques résultats. Hier, il a rencontré un individu connu pour ses sympathies envers les terroristes. Leur conversation était codée, mais notre laboratoire travaille à son décryptage. Nous pensons que la piste pourra nous conduire à Arme Fatale. Si tel est le cas, nous aurons toutes les preuves nécessaires pour procéder aux arrestations.

La nouvelle aurait dû la faire bondir de joie. Cela ne signifiait-il pas qu'elle serait hors de danger et pourrait réintégrer son ancienne vie ? Appeler ses parents, par exemple, qui devaient commencer à s'inquiéter de son silence.

Or, les propos de Bryan ne lui procurèrent aucune joie.

— Si je comprends bien, cette lecture est censée me distraire pendant ton absence ? demanda-t-elle en désignant les tabloïds.

— En un sens, oui, dit-il. Tu es douée pour résoudre les énigmes et j'en ai une pour toi.

— C'est-à-dire ? fit Lucy avec un regain d'intérêt.

— L'éditeur de ce journal est un espion suspect. Nous le soupçonnons de fournir des informations à des pays ennemis *via* des sites secrets, sur le Net. Leurs emplacements sont codés et publiés quelque part dans ces journaux. Nos experts travaillent à leur décodage ; j'ai pensé que toi aussi tu pourrais t'y mettre.

L'idée lui plut instantanément. Toutefois…

— Comment pourrais-je être meilleure que des professionnels ?

— Ton œil neuf te permettra de repérer des détails que leur entraînement les empêche de voir.

— Entendu. Il n'en reste pas moins que tu vas me manquer.

— Je rentre dès que possible, promit-il en se penchant vers elle pour lui donner un baiser torride.

Quand il s'éclipsa, elle regarda la porte se refermer sur lui, encore bouleversée par la sensation que le contact de ses lèvres sur les siennes avait fait naître en elle. Avec un tel baiser, songea-t-elle avec un petit sourire rêveur, il pouvait être sûr qu'elle ne l'oublierait pas de la journée…

Sans se départir de son sourire de contentement, Lucy étala les journaux par terre, soit huit numéros. Elle devait se concentrer sur les éléments communs à chacun. L'information codée se cachait-elle dans les faits-divers relatifs à une rubrique précise ? Ou bien dans des articles écrits par un même journaliste ?

Aucune de ces pistes ne se montra satisfaisante. Lucy continua pourtant à réfléchir, sans se décourager. Bryan n'aurait pas pu trouver une meilleure solution pour la distraire. « Et si les numéros du loto représentaient la clé du problème ? songea-t-elle. Peut-être faisaient-ils référence à des pages, des colonnes, des paragraphes précis ? »

Rien de concluant non plus de ce côté-là, soupira-t-elle un peu plus tard.

Finalement, elle eut l'idée de consulter les petites annonces. Et ce fut une publicité pour un produit diététique qui retint son attention. Elle paraissait dans les huit numéros, et bien qu'elle semblât chaque fois identique dans la présentation, les textes en étaient différents. Ce qui était plutôt curieux pour une telle publicité. Elle rechercha le produit sur le Net et trouva un site mal conçu ; il ressortait des discussions entre internautes que le produit était épuisé. Et pourtant, la publicité passait toujours… C'était curieux.

Elle était certaine d'être sur une piste.

Lorsque Bryan rentra en fin d'après-midi, il trouva le salon tapissé de journaux et de Post-It.

— Bryan ! s'écria-t-elle en se relevant.

Elle avait passé tant d'heures agenouillée qu'elle en avait les jambes tout engourdies. Elle se rendit alors compte qu'elle mourait de faim et eut un choc en regardant sa montre. Elle avait oublié de déjeuner !

— As-tu arrêté quelqu'un ? demanda-t-elle.

— Non, mais Vargov a compris que nous le surveillions. Il s'est enfui.

— Oh, non !

— Rassure-toi, nous savons où il se cache, même s'il croit nous avoir échappé. Nous attendons pour voir avec qui il va prendre contact.

Balayant le sol du regard, il poursuivit :

— Qu'est-ce que tu as fabriqué ?

— J'ai tenté de décrypter un code.

— Alors ?

— Tu ne vas pas me croire, mais… je pense avoir trouvé !

Incapable de réfréner son excitation, elle expliqua à Bryan que les journaux contenaient une référence codée qui renvoyait à l'URL d'un site Web. Sur la page qui regroupait les discussions des clients potentiels, une matrice de nombres et de lettres indiquait des rues et des numéros dans et en dehors de New York.

— Tu me coupes le souffle, tu es géniale.

A ces mots, Lucy eut envie de l'essouffler d'une tout autre manière. Leurs regards se croisèrent : il était manifeste que la même idée venait de lui passer par la tête. Et bientôt, ils roulèrent nus sur les journaux…

Quelques jours plus tard, Bryan rentra contrarié. C'était la première fois qu'il ne contrôlait pas son humeur, et elle sentit son cœur se contracter de douleur lorsqu'il repoussa son geste d'affection.

Etait-il déjà las d'elle ?

Il ne lui fit aucun compte rendu de sa journée, et elle n'osa pas lui poser de question : après tout, il ne lui devait rien.

— Scarlet a des billets pour une pièce de théâtre, lui dit-elle en espérant faire diversion.

— Vas-y sans moi, j'attends des coups de fil.

— Dans ces conditions, je ne sors pas non plus ; sans toi, ce n'est pas drôle…

Voyant qu'il ne répondait rien, elle ne put se retenir de lui demander :

— Bryan, que se passe-t-il ?

— Arme Fatale est mort, lui annonça-t-il d'un ton morne. On l'a retrouvé dans la rivière Potomac.

— C'est horrible, je suis désolée !

— Sa mort remonte à une semaine.

— Ce qui veut dire qu'il n'a pas fui mais qu'il a été assassiné.

— Exact ! On voulait nous faire croire que c'était lui le traître. Maintenant, je ne sais plus qui c'est, mais la liste des suspects est réduite.

— Etais-tu proche de lui ? demanda-t-elle sans oser le prendre dans ses bras.

Il laissa passer un long silence.

— Les agents ne sont pas supposés devenir des amis, finit-il par reprendre. Mais c'était un type tout à fait respectable. D'ailleurs, je n'arrivais pas à croire qu'il était un traître. En un sens, je suis soulagé qu'il ne le soit pas, même si cela ne change plus rien à sa situation.

— Sa famille saura qu'il est mort en héros.

— Si toutefois il en a une, ce que j'ignore. Nous n'échangeons jamais d'informations personnelles.

— Et toi, ne put-elle de nouveau s'empêcher de lui demander, s'il t'arrivait malheur, ta famille serait-elle mise au courant ?

— J'ai déposé dans un coffre-fort une lettre d'explications à son intention, si je disparaissais.

— Changeons de sujet, c'est trop déprimant, déclara-t-elle.

Quelques jours plus tôt, elle avait été ravie de résoudre l'énigme des tabloïds, excitée à l'idée que ses découvertes permettraient de démasquer un agent double, et empêcheraient des informations sensibles de passer entre de mauvaises mains. Maintenant, toute cette affaire d'espionnage la rendait malade. Ce n'était pas un jeu, non. C'était dangereux et tragique.

— Et ce n'est pas tout, reprit Bryan. Nous avons perdu la trace de Vargov, dans une foule.

Par pitié ! Même si la nouvelle signifiait qu'elle n'allait pas quitter Bryan de sitôt, cela ne la consolait pas. Elle ne pouvait pas passer sa vie recluse dans un appartement de luxe, sans travail, et sans maison à elle. Il était impératif qu'ils retrouvent Vargov et ses complices !

— As-tu un plan d'action ? demanda-t-elle.

— J'y travaille… Oh, Lucy, je suis désolé de gâcher l'ambiance !

— Mais enfin, Bryan, tu n'y es pour rien. Qui suivait Vargov ?

— Des agents du FBI. Il est impossible qu'ils soient impliqués dans l'affaire.

« Qu'ajouter de plus ? pensa Lucy. N'était-il pas temps de reprendre des forces après toutes ces mauvaises nouvelles ? »

— As-tu faim ? demanda-t-elle tout à trac.

— Je n'ai pas mangé de la journée, avoua-t-il après un moment d'hésitation. Allons en bas, il n'y a pas grand monde au restaurant.

Martin les plaça à la table réservée aux Elliott, l'endroit le plus privé du restaurant. Bryan commanda alors un ragoût de mouton, en dépit de la chaleur extérieure.

— Je doute que cette spécialité irlandaise soit sur la carte, fit Lucy.

— Le chef m'en garde toujours une barquette au congélateur. Ce plat a le pouvoir de me réconforter. C'est ma grand-mère qui lui a donné la recette.

Pauvre Bryan ! Elle aurait aimé le prendre dans ses bras, mais en public, ce n'était pas possible.

Ils mangèrent en silence ; il paraissait à mille lieues d'ici. A la fin du repas, Martin vint leur demander s'ils désiraient un dessert et leur proposa la dernière spécialité du chef, un cake au gingembre et au citron vert. Un délice, selon lui.

— Pourquoi pas ? fit Bryan d'un air absent.

Comme Martin se dirigeait vers les cuisines pour rapporter le dessert, son portable se mit à sonner. Il s'arrêta à mi-chemin pour répondre et un sourire de prédateur traversa son visage.

— Je connais ce sourire, dit Bryan. Martin a une nouvelle petite amie. Pour le cake, on va pouvoir attendre.

— Je vais le chercher moi-même, décréta Lucy.

Et avant qu'il n'ait le temps de l'arrêter, elle gagna les cuisines.

L'endroit était désert. Où le chef avait-il mis le cake ? Elle ouvrit un placard, un deuxième… Une bonne odeur de citron envahit tout à coup ses narines. Ah, il était là ! Ce fut alors qu'elle se heurta à un aide-serveur.

— Oh, excusez…

La main qui se plaqua sur sa bouche abrégea ses excuses et Lucy laissa échapper le cake.

— Si tu coopères, je ne te ferai aucun mal, lui assura l'homme d'une voix urgente tout en la bâillonnant.

Sur ces mots, il tenta de lui attacher les mains dans le dos. Elle se débattit et se mit à lui donner des coups de pied. Mais, de toute évidence, son agresseur n'en était pas à son premier essai, et en un rien de temps, il maîtrisa Lucy et la traîna vers la porte arrière.

- 10 -

Intrigué que l'aide-serveur ait abandonné son balai pour emboîter le pas à Lucy, Bryan se leva de sa chaise, mû par un curieux pressentiment. Allons, voulut-il se rassurer en se dirigeant à son tour vers les cuisines, il ne devait pas sombrer dans la paranoïa : il était impossible que Vargov ou l'un de ses complices sache où se trouvait Lucy. Même dans sa propre cellule, personne n'était au courant.

Dans la cuisine, le silence et l'obscurité lui parurent tout de suite suspects. Sans réfléchir, il posa la main sur le petit revolver attaché à sa ceinture et s'avança à pas de loup vers la porte arrière, et il sentit son sang se figer dans ses veines : deux hommes en uniforme d'aide-serveur s'apprêtaient à la franchir, entraînant dans leur fuite Lucy, solidement tenue et ligotée.

— Plus un geste ! ordonna Bryan.

Les hommes lâchèrent tout de suite leur otage, qui tomba à terre dans un bruit sourd, et il vit l'un d'eux porter la main à son pantalon. Bryan ne lui laissa pas le temps de saisir son arme : il dégaina le premier.

Sa cible pivota de façon adroite pour éviter le coup fatal. Touché toutefois à l'épaule, il prit la poudre d'escampette, talonné par son complice.

Bryan s'élança derrière eux. Une fois à l'extérieur, il se rendit compte qu'il les avait déjà perdus de vue. Il aurait aimé les rattraper, les plaquer au sol, obtenir d'eux le nom de leur commanditaire et apprendre de quelle façon ils avaient retrouvé Lucy. Mais il n'avait qu'une idée en tête. Lucy. Et si elle était blessée ? A la hâte, il revint sur ses pas et s'agenouilla au côté de la jeune femme.

— Ne fais aucun mouvement, murmura-t-il. Tu es peut-être blessée.

Il lui retira son bâillon et constata qu'elle reprenait péniblement sa respiration. L'espace de quelques secondes, il craignit le pire : avait-elle un problème à la colonne vertébrale ou des côtes cassées ? Peu à peu, elle parvint à respirer de façon plus régulière.

— Je n'ai rien, lui assura-t-elle.

— Tu n'as pourtant pas l'air en grande forme, répondit-il.

Il repoussa ses cheveux blonds en arrière et lui adressa un tendre sourire contrit. A cet instant, Martin apparut dans l'encadrement de la porte, l'air affolé :

— Que s'est-il passé ? J'ai retrouvé les cuisiniers enfermés dans la chambre froide.

— Une tentative de vol, éluda Bryan.

— Il m'a semblé entendre un coup de feu, déclara Martin.

— Non, c'est une porte qui a claqué, mentit Bryan.

Il avait pris soin de replacer son arme dans son étui avant l'arrivée de Martin, et, par chance, l'homme que Bryan avait visé n'avait laissé aucune trace de sang ; il était probable qu'il portait un gilet pare-balles.

— Il faut appeler la police ! déclara l'un des cuisiniers.

Bryan hésita une seconde. Personne n'avait été blessé, et les cuisiniers qui venaient de les rejoindre ne semblaient pas réellement traumatisés par leur mésaventure. Pourtant, il était difficile de décliner la suggestion sans que cela ne paraisse suspect.

Quelques dizaines de minutes plus tard, plusieurs policiers arrivèrent sur les lieux. Ils relevèrent toutes les empreintes qu'ils purent trouver dans la cuisine, puis interrogèrent le personnel d'Une Nuit au sujet des aides-serveurs qui avaient été embauchés la veille, ce qui en soit n'avait rien d'exceptionnel : dans la restauration, les petites mains arrivaient et repartaient vite.

— Qu'allons-nous faire, maintenant ? demanda Lucy d'un air accablé une fois qu'ils furent seuls. C'était un acte prémédité, n'est-ce pas ?

— Fais tes bagages, nous partons ! trancha Bryan.

— Pour aller où ?

— Je l'ignore encore. Il faut que je réfléchisse.

Sans poser davantage de questions, Lucy regagna sa chambre pour rassembler ses affaires. Lorsqu'elle réapparut, elle était fort pâle, mais une lueur déterminée brillait dans ses yeux. Bryan sentit son cœur se serrer violemment… *Il avait manqué la perdre.* Si Vargov la retrouvait, il n'hésiterait pas à la tuer.

— Nous allons prendre la voiture de Martin, déclara Bryan. Je l'ai averti de notre départ, arguant que tu étais bouleversée et que tu avais besoin de te mettre au vert. Et comme ma voiture est au garage…

Bon prince, comme toujours, Martin n'avait pas questionné Bryan et lui avait tendu les clés de sa voiture. Il lui aurait donné sa chemise, quitte à ne plus en avoir lui-même.

Quelques minutes plus tard, Lucy et Bryan étaient en route, dans la Peugeot de Martin. En ce début de soirée, il y avait encore beaucoup de circulation et il était impossible de savoir s'ils étaient suivis ou non.

— Comment ont-ils bien pu me retrouver ? s'interrogea Lucy.

— Tu n'as téléphoné à personne ? Envoyé aucun mail ?

— Non, je t'assure que je n'ai pris contact avec personne. Pourquoi te le cacherais-je ? Peut-être ai-je été repérée à cause de la photo prise l'autre jour, lorsque Britney Spears était là…

— Non ! J'ai passé au crible tous les tabloïds et je n'ai rien trouvé.

— Et les sites Web ? Elle en possède de nombreux, dédiés à ses fans : les photos des amateurs y sont les bienvenues. Je dois avouer, à ma grande honte, que j'avais l'habitude de les visiter.

— Je n'y avais pas pensé. Cependant… pourquoi des terroristes visiteraient-ils ce genre de sites ?

— Tu serais surpris du nombre de personnes qui se connectent aux sites de Britney Spears chaque jour. Imagine : un sous-fifre a pour mission de faire le guet devant ma maison. Comme le job n'est pas palpitant, il s'ennuie et surfe sur Internet à partir de son téléphone portable. Et soudain, il me voit.

Bryan lui adressa un regard admiratif.

— Décidément, tu fais une remarquable espionne, dit-il. Une partenaire sur qui je peux compter pour faire avancer l'affaire et me couvrir auprès des miens.

— Depuis le temps que tu leur caches tes véritables activités, je ne vais tout de même pas leur vendre la mèche ! ironisa-t-elle.

— Tu sais, il m'est de plus en plus difficile de garder le secret, confessa Bryan d'une voix un peu douloureuse. Mais chaque fois que je suis sur le point de tout leur avouer, j'anticipe la réaction de ma mère… Ils seraient tous paniqués, je crois, et ils exigeraient sur-le-champ que je cesse mes activités. Or, je veux encore exercer quelque temps.

— Ça doit être dur d'abandonner un métier qui

te plaît. Enfin, au moins, toi tu en as trouvé un qui te plaisait.

— Tu ferais un excellent manager de restaurant, décréta-t-il sans réfléchir.

— Moi ? Mais je n'y connais rien. Je n'ai même jamais été serveuse !

Malgré lui, il se mit à l'imaginer dans ce rôle, à Une Nuit… Elle serait toujours là quand il reviendrait de mission. Des missions qu'il pourrait lui raconter — du moins dans les grandes lignes. Elle comprendrait l'importance que revêtait son travail et ne lui demanderait pas de comptes sur ses absences.

Allons, quel monstre d'égoïsme il était ! Il ne pouvait tout de même pas exiger de Lucy qu'elle reste gentiment à la maison à l'attendre, sans même savoir où il était, ce qu'il faisait ou s'il était en danger. Non, il était condamné à rester célibataire, il le savait. Il le savait depuis qu'il avait accepté d'endosser les lourdes responsabilités qui étaient les siennes.

Une fois qu'ils eurent quitté New York, il lui fut plus aisé de vérifier qu'ils n'étaient pas suivis. Il eut recours à quelques techniques de base — tourner au dernier moment, faire le tour complet d'un rond-point, zigzaguer à travers des rues résidentielles — avant de conclure avec certitude qu'ils n'avaient personne à leur trousse.

Et à présent, où aller ? Il ne pouvait pas emmener Lucy dans un hôtel, car une carte de crédit aurait été requise. Evidemment, il en possédait une douzaine avec des noms différents, mais il ne pouvait pas les utiliser car l'agent double les aurait tout de suite repérés. Quant aux hôtels acceptant le paiement en espèces, ce n'était pas des endroits convenables pour Lucy.

Le téléphone satellite de Bryan se mit soudain à sonner. En général, sur ce type d'appareil, on ne pouvait pas le localiser. Pourtant, il hésita, méfiant.

— Tu ne réponds pas ? demanda Lucy.

— Non.

Aucun numéro ne s'affichait, ce qui n'était pas bon signe.

— Ne pouvons-nous donc compter sur personne ?

Que lui répondre ? Il avait, bien sûr, le soutien du gouvernement des Etats-Unis, mais il lui revenait de déclencher le bon bouton, sans quoi, ils ne feraient pas de vieux os.

Pourtant, il n'avait pas le choix. Il allait devoir faire confiance à quelqu'un, malgré la méfiance qui semblait s'être installée en lui à demeure. Et il finit par fixer son choix sur Sibérie. Il avait été son mentor quand il était arrivé au *Département de la Sécurité Intérieure*. Ce n'était pas un homme très chaleureux — son nom de code ne devant rien au hasard — mais il était intelligent et plein de ressources, ce qui en l'occurrence pouvait leur être utile.

Il composa son numéro.

— Casanova ? fit la voix familière, à l'autre bout du fil.

— As-tu essayé de m'appeler ?

— Non. Pourquoi ?

— Il y a du nouveau.

En quelques phrases, il lui résuma l'affaire de la photographie et de son éventuelle publication sur le Net, ainsi que de la tentative d'enlèvement.

— Il faut que je conduise Lucy dans un endroit sûr, conclut-il. Or, ceux de la cellule ne le sont plus.

Sibérie demeura un bon moment silencieux, au point que Bryan crut qu'il avait perdu la connexion.

— Je connais une bonne cachette, répondit-il enfin. Personne à part moi dans l'agence n'est au courant de son existence.

— Où est-ce ?

— Dans les Catskills. C'est un chalet très isolé. Conduis Lucy là-bas. Ensuite, toi et moi pourrons nous lancer sur la piste des traîtres. J'ai de nouvelles informations. Je crois savoir qui est l'agent double. Et je sais comment les rattraper, elle et Vargov.

Elle ? Sibérie soupçonnait Orchidée ? C'était curieux. Elle possédait pourtant le profil de l'agent idéal : la quarantaine passée, discrète, un visage commun, autant d'éléments qui la faisaient passer inaperçue et servaient sa cause.

— A mon avis, le traître l'aura emberlificotée avec une histoire d'amour, dit Sibérie. Les femmes sont vulnérables, dans ce domaine.

Bryan ne partageait pas cet avis, il aurait plutôt soutenu la thèse inverse. Il était convaincu que le cerveau de ses congénères commençait à dysfonctionner chaque fois qu'une belle femme entrait dans une pièce. Toutefois, l'heure n'était pas à la polémique. Il ne parvenait pas à se représenter Orchidée succombant aux charmes d'un quelconque Roméo, mais après tout, il la connaissait fort peu.

— Comment se rend-on au chalet ? demanda Bryan.

Il n'aimait pas l'idée de savoir Lucy isolée au milieu des bois, mais avait-il le choix ? Ils devaient démasquer le traître afin qu'elle ne coure plus aucun danger. L'agression dont elle avait été victime lui avait noué l'estomac, et il n'était pas sûr de pouvoir supporter une nouvelle épreuve du même genre.

Sibérie lui fournit des indications précises qu'il mémorisa sans prendre de notes. Sa mémoire était son point fort.

Après avoir raccroché, il informa Lucy de la suite des événements. Elle ne parut pas enchantée, mais elle se garda d'émettre la moindre objection.

— Nous avons deux heures de trajet devant nous, lui annonça-t-il.

Ils emprunteraient des chemins de traverse, de façon à éviter les péages, ces endroits truffés de caméras. Il ne voulait prendre *aucun* risque.

Comme elle ne répondait rien, il lui jeta un regard de biais. Maintenant que le choc lié à la tentative d'enlèvement était passé, Lucy paraissait épuisée. Un léger hématome s'était formé sur sa pommette droite. Son cœur se serra. Elle avait l'air si vulnérable…

La nuit était presque tombée quand ils arrivèrent au chalet. Il était situé en haut d'une route escarpée : une manœuvre malheureuse pouvait conduire en un tournemain dans le ravin. Le chalet avait l'air confortable, ce qui mit du baume au cœur de Bryan.

— Quel endroit charmant ! s'exclama Lucy. Idéal pour passer des vacances.

— Ou travailler à l'écriture d'un roman, renchérit Bryan d'un ton taquin.

— Sais-tu que Scarlet m'a déjà proposé d'en soumettre la lecture à l'un de ses amis éditeurs ? Que vont-ils tous penser quand ils sauront que je ne suis pas écrivain ? Remarque, je ne serai plus là pour me justifier. Tu leur diras simplement que nous avons rompu.

— Tu sais, je redoute le moment où je devrai leur annoncer la « rupture » presque autant que celui où je leur avouerai que je suis un espion.

— Pourquoi ? Je présume que je ne suis pas la première femme qui entre et sort de ta vie.

Bryan secoua la tête.

— Ils sont tous fous de toi, ma grand-mère planifie déjà le mariage. Quant à Cullen… Depuis qu'il a trouvé l'amour, il pense que tout le monde doit se marier et avoir des enfants.

— Hélas, chacun ne connaît pas un sort si enviable, marmonna-t-elle. Viens, allons visiter le chalet !

Il était manifeste qu'elle ne voulait pas s'attarder sur le sujet.

Le chalet avait été aéré et nettoyé récemment. En venant, ils s'étaient arrêtés dans une épicerie pour faire quelques courses, et ils déposèrent les provisions dans la cuisine qui était petite mais bien équipée.

— J'espère que pour quelques jours ça ira, dit Bryan.

— Tu ne vas pas rester avec moi.

C'était une constatation, pas une question.

— Je dois faire progresser l'affaire.

— Sibérie ne peut-il pas travailler à ta place ?

— C'est mon enquête, pas la sienne. Par respect pour la mémoire d'Arme Fatale, je dois trouver son meurtrier. C'est ma faute s'il a été assassiné.

— Sûrement pas ! protesta-t-elle. Tu as fait de ton mieux. En l'occurrence, c'est plutôt ma faute. De toute évidence, j'ai commis un impair qui m'a trahie aux yeux de Vargov, dit-elle en nouant ses bras autour du cou de Bryan.

— Il était suspicieux envers toi dès le départ, et c'est normal : tu lui avais signalé les malversations, au tout début.

— Bah, inutile de ressasser le passé ! Il faut aller de l'avant.

— Voilà pourquoi je dois traquer le traître sans attendre, Lucy.

— Dommage ! J'aurais tant aimé que nous ayons plus de temps devant nous.

— Plus de temps pour quoi ?

— Pour ça…

En prononçant ces mots, elle ouvrit deux boutons de sa chemise et embrassa son torse.

— Lucy, murmura-t-il d'une voix rauque. Tu me rends fou…

Pourtant, il devait partir. Plus vite il résoudrait l'énigme, plus tôt il reviendrait et, qui sait, peut-être trouveraient-ils une solution pour rester ensemble ? Mais il était tellement déchiré à l'idée de la laisser seule ici, dans ce chalet du bout du monde ! Et ses mains sur sa peau étaient si douces…

Un désir fou creusa ses reins lorsqu'il sentit les doigts de Lucy les caresser. Et voilà qu'à présent, elle effleurait son torse avec sa langue… Sa respiration se fit haletante.

Ils se passeraient de préliminaires ! pensa-t-il soudain. Le temps leur était compté. La prenant par la main, il l'entraîna vers l'une des chambres.

Après lui avoir retiré ses vêtements à la hâte, il la fit basculer sur les draps, et resta quelques instants à détailler chaque courbe de son corps parfait, rempli d'une admiration que l'adorable spectacle qu'elle lui offrait ne tempérait pas, loin de là. Plus il la contemplait, plus il avait envie d'elle. Elle était si désirable…

Et cet air d'abandon sur son visage semblait comme une promesse des plaisirs à venir.

Quand il s'allongea sur elle, Lucy laissa échapper un léger gémissement. Elle ne savait plus si elle l'avait déshabillé ou s'il s'en était chargé lui-même. Son esprit flottait déjà ; elle avait la sensation qu'elle allait faire l'amour sur un nuage.

Lorsqu'il la pénétra, elle retint une larme de joie, submergée par une bouffée de bonheur presque irréel. Elle se sentait soudain accomplie, comme si, dans les bras de Bryan, elle avait enfin trouvé son destin, son havre… Comme si les contingences s'étaient évanouies.

Bientôt, Bryan chaloupa au-dessus d'elle avec une ardeur redoublée. Des rivières de sensation parcouraient son corps. Elles convergèrent bientôt vers son intimité, et elle se laissa emporter par la passion, tout le corps parcouru de spasmes de plaisir.

Quand elle reprit ses esprits, Bryan la serrait toujours dans ses bras. Fermement. Chaleureusement. Et soudain, elle eut le sentiment qu'elle ne connaîtrait plus jamais pareille félicité. Sans pouvoir s'en empêcher, elle se mit alors à pleurer doucement.

Ils étaient en train de se dire au revoir.

Quoi qu'il arrive, c'était fini entre eux. S'il attrapait les traîtres, elle cesserait d'être Lindsay Morgan, la petite amie de Bryan Elliott, et reprendrait son identité. Et si, au jeu des gendarmes et des voleurs, l'inverse se produisait…

Non ! Elle refusait de penser au pire.

— Tu pleures ? fit-il après avoir retrouvé son souffle.

— Non, mentit-elle d'une voix brisée.

— Lucy, qu'y a-t-il ?

— Rien, je suis une idiote, c'est tout… Je sais que tu dois partir, qu'il le faut… Mais j'ai peur de ce qui peut arriver, si tu savais comme j'ai peur…

Il caressa ses cheveux d'une main apaisante, et la couvrit de tendres baisers.

— Sois sans inquiétude. Sibérie est sur une piste. Nous allons arrêter les truands, et je reviendrai te chercher.

— Je sais, je sais, dit-elle, revigorée par l'assurance de sa voix.

— Mais pour pouvoir revenir, il faut d'abord que je parte…

— Tu ne pourrais pas attendre que je sois endormie ? fit-elle d'une petite voix. Je n'ai pas envie de te voir partir.

Il se mit à rire, un rire tendre et doux. Puis il l'enlaça et l'attira contre lui tout en la berçant.

Peu à peu, Lucy se détendit, ses muscles se décontractèrent. Sa tension retomba, et toute la fatigue accumulée prit possession de son corps ; enfin, elle céda au sommeil.

Quand elle se réveilla, il faisait nuit noire, et la place à côté d'elle était vide. Un frisson la parcourut. Allumant la lampe de chevet, elle regarda l'heure :

2 heures du matin. Elle aperçut alors un portable que Bryan avait laissé à son intention, accompagné d'un petit mot, lui indiquant de ne jamais se séparer de l'appareil et lui précisant quel numéro appeler en cas d'urgence.

A cette pensée, elle frissonna de nouveau. Allons ! personne ne viendrait la chercher ici. Tout ce qui lui restait à faire, c'était attendre.

Perdue dans ses pensées, elle crut se souvenir d'avoir vu Bryan se lever et s'habiller, puis lui donner un baiser sur la joue. A moins que ce ne fût un rêve…

Oui, ce devait être un rêve.

Car dans ce rêve, elle l'avait entendu murmurer d'une voix rauque au creux de son oreille : « Je t'aime, Lucy ».

- 11 -

Bryan n'avait quasiment jamais rencontré Sibérie auparavant. Ils s'étaient donné rendez-vous dans un café, à Washington, et Bryan s'y était rendu directement après son départ du chalet. Ce matin, il devait fournir de gros efforts de concentration pour empêcher son esprit de vagabonder, et pour ne pas penser à la belle endormie des Catskills, à son visage d'ange empreint de sensualité… Dès qu'il aurait résolu cette affaire, il pourrait lui consacrer toutes ses pensées. Tout son temps aussi. Il pourrait enfin profiter de sa compagnie, l'étreindre, lui faire l'amour.

Mais avant cela, il fallait qu'il vienne à bout de cette affaire qui n'avait que trop duré.

— Vargov a laissé des traces écrites, déclara Sibérie.

La cinquantaine passée, il était assez corpulent. En raison d'un accident qu'il lui avait coûté un œil, il ne travaillait plus sur le terrain, mais coordonnait les informations. Il portait une barbe touffue, des lunettes d'aviateur et un béret basque, si bien qu'aujourd'hui, il ressemblait davantage à un réalisateur excentrique qu'à un espion.

— Il est en France, poursuivit-il. Scorpion est sur place, il a pris contact avec les services d'espionnage français. Il y a de bonnes chances pour que Vargov soit appréhendé. Si tu souhaites rejoindre Scorpion à Paris pour l'aider à boucler l'affaire, tu as carte blanche.

Bryan hésita. Bien sûr, il aurait aimé être sur le lieu de l'action. Cependant, il ne pouvait se résoudre à partir si loin de Lucy.

— Je crois qu'il est plus important de protéger notre témoin, dit-il enfin.

— Je peux envoyer quelqu'un…

— Non ! l'interrompit Bryan. Je ne veux pas qu'un tiers sache où elle se trouve. Ces terroristes ont des contacts partout. Ils ont déjà retrouvé Lucy une fois. Je ne sais toujours pas où la photo a été publiée.

— Je me suis rendu sur l'un des sites de Britney Spears, déclara Sibérie. Et j'ai vu la photo. On reconnaissait sans équivoque Mlle Miller.

— Et selon toi, le traître est…

— Orchidée.

— Je n'arrive pas à le croire !

— Nous ne serons fixés que lorsque nous l'aurons retrouvée. Je suis en contact avec des enquêteurs spécialisés dans les homicides, et j'en saurai bientôt plus sur la mort d'Arme Fatale.

— Connais-tu sa véritable identité ? demanda Bryan.

Il ne supportait plus cet anonymat : il voulait savoir le véritable nom d'Arme Fatale, d'où il venait, qui était sa famille.

— En toute franchise, je l'ignore, répondit Sibérie. J'aimerais pouvoir annoncer à sa famille qu'il est mort pour la patrie, mais rien ne nous permet encore d'établir qu'il n'était pas de connivence avec les terroristes. Au contraire : ils sont connus pour se retourner contre les leurs.

Bryan soupira, accablé. Etait-ce le lot qui l'attendait jusqu'à la fin de ses jours ? Avoir constamment affaire à la lie de l'humanité, et craindre toujours que ses propres alliés se transforment en ennemis ? Ne pouvoir faire confiance à personne ?

Au fond de lui-même, il avait envie de sortir de ce jeu. Ce qui lui semblait excitant quelques années auparavant — le mensonge, le danger, les trahisons, la paranoïa — avait perdu de son attrait.

« Et tout cela, c'était la faute de Lucy », pensa-t-il avec un petit sourire aux lèvres. Elle lui avait ouvert les yeux sur les manques de son existence et ses réels désirs.

Lucy se trouvait au chalet depuis à peine vingt-quatre heures et elle s'y sentait déjà comme un lion en cage. Elle avait exploré chaque recoin de la maisonnette, repéré le hamac sous la véranda où elle avait d'ailleurs déjà fait un somme matinal. L'endroit ne possédait ni télévision ni radio qui l'aurait reliée au reste du monde. Ses seules joies de la journée avaient consisté en un bol de céréales au petit déjeuner et un sandwich au jambon à midi.

Bien sûr, le paysage était à couper le souffle ; en d'autres circonstances, elle aurait été enchantée de la montagne alentour, de la brise rafraîchissante, un véritable havre de paix après la chaleur étouffante de New York en plein été. Mais elle ne pourrait rien apprécier tant qu'elle n'aurait pas revu Bryan sain et sauf.

Et puis elle se tracassait pour sa famille. Et si Vargov s'en prenait aux siens ? Un autre souci la rongeait, plus impérieux encore que tous les autres : ce que Bryan et elle avaient partagé était-il réel, ou juste le résultat d'une proximité forcée et d'un excès d'adrénaline lié à l'atmosphère ambiante ?

De son côté, ce qu'elle ressentait pour Bryan lui paraissait sincère, et ce dernier semblait s'inquiéter pour elle au-delà de ses responsabilités. Mais il se pouvait aussi fort bien qu'elle se trompe sur toute la ligne !

En tout état de cause, elle ne voulait plus être Lindsay Morgan. Et elle était impatiente de vérifier si Lucy Miller avait ses chances auprès d'un espion de la trempe de Bryan.

Il n'y avait rien à lire dans le chalet, pas même

un jeu de cartes pour faire des réussites. Comment était-elle censée tuer le temps ? Elle décida d'aller faire une promenade. Après tout, elle ne courait pas plus de danger dehors. Les gens qui la poursuivaient n'étaient pas des amateurs : même si elle se barricadait dans le chalet, ils trouveraient un moyen de s'immiscer à l'intérieur. Autant profiter de la douceur de l'après-midi, conclut-elle. De cette façon, elle ne serait pas piégée dans le chalet, au cas où...

En outre, son footing quotidien lui manquait. Elle avait besoin d'un peu d'exercice.

Elle enfila un short et un T-shirt coordonné de la meilleure qualité, tout en pensant qu'il était vraiment dommage de transpirer dans des vêtements si élégants. Malgré elle, elle pensa à Scarlet. Elle avait été adorable et elle la considérait désormais comme une amie. Malheureusement, elle ne pourrait pas poursuivre cette amitié, une fois que Bryan et elle auraient rompu.

S'emparant du téléphone, Lucy sortit du chalet et referma la porte à clé derrière elle avant de partir en petites foulées, en direction du sommet de la montagne. Y avait-il des chalets, plus haut ? Depuis son arrivée, elle n'avait pas vu le moindre signe de vie, même pas entendu le moteur d'une voiture.

La route montait de façon abrupte, si bien que le footing se transforma rapidement en challenge. Pourtant, Lucy persévéra. En rentrant, elle prendrait une douche et ferait une petite sieste pour que la journée passe plus vite. Au bout de trente minutes, elle fit demi-tour. La descente fut plus rapide, et le chalet se profila bientôt.

Tout à coup, elle entendit le moteur d'une voiture et son cœur se mit à battre plus vite : Bryan ! Etait-il possible qu'il ait déjà résolu l'affaire ? Elle se rendit alors compte que le bruit du moteur n'était pas celui de la Peugeot de Martin, ni celui de la Jaguar, mais d'un diesel.

D'instinct, elle bondit dans les fourrés afin de pouvoir observer sans être vue, et s'accroupit derrière un tronc imposant qui jonchait le sol. Allons, voilà sûrement qu'elle se faisait encore tout un cinéma de rien ! Il devait s'agir d'une famille qui venait sur son lieu de villégiature.

Mais quand la Mercedes bleu foncé se matérialisa sur la route, elle la reconnut instantanément. Son cœur se mit à tambouriner avec violence dans sa poitrine, et la sueur redoubla sur son front.

Que faisait-il ici ? L'avait-il donc retrouvée ?

D'une main tremblante, elle sortit le téléphone de sa poche et composa le numéro qui la mettrait en contact avec Bryan, en priant pour que ce dernier fût en mesure de lui répondre.

Le téléphone émit une série de bips… et rien d'autre ! Ni sonnerie ni tonalité. Elle recommença : le même scénario se produisit. Le même néant.

Pourquoi ce fichu appareil ne fonctionnait-il pas ?

Aucun numéro n'aboutissait, pas même celui des pompiers.

« Mon Dieu, pourvu que Bryan ne soit pas lui aussi sur le point d'arriver ! » pensa-t-elle. Il se garerait dans l'allée, inconscient du danger qui l'attendait, et Vargov le tuerait. Elle devait rallier de toute urgence la ville la plus proche, dans la vallée — comment s'appelait-elle déjà ? Icy Creek ? — afin de chercher du secours.

Deux impératifs s'imposèrent à son esprit : elle devait à tout prix redescendre par les bois afin de ne pas se faire remarquer, et en même temps, il ne fallait surtout pas qu'elle manque Bryan s'il était sur le chemin du retour. Enfin, avant toute chose, elle devait contourner le chalet sans que Vargov ne la voie…

Pendant qu'elle réfléchissait, ce dernier avait eu le temps d'inspecter le chalet et d'en ressortir. A présent, il observait le bois avec une attention soutenue. Elle sentit son cœur fléchir : c'était elle qu'il cherchait ! Soudain, elle le vit remonter dans sa voiture. « Oh oui ! » songea-t-elle, le cœur plein d'espoir.

Ce fut alors qu'elle entendit des branchages craquer derrière elle. Un éclair de panique la traversa. Avec lenteur, elle se retourna… et n'en crut pas ses yeux : un ours noir se dressait devant elle ! Mue par une sorte d'instinct de survie, elle grimpa à l'arbre le plus proche, se réjouissant d'avoir été élevée à la campagne.

Elle le surplombait de cinq mètres, ce qui la mettait hors de portée de ses griffes. Toutefois, il ne semblait pas décidé à lâcher prise. Soudain, elle vit l'animal lever ses pattes avant et les poser sur le tronc. Par pitié… Elle retint un cri. Au fond, ne valait-il pas mieux mourir d'une balle en plein cœur que sous les crocs d'un ours ?

De nouveau, les feuilles crissèrent, et l'animal se retourna, sur ses gardes. Cette fois, c'était Vargov ! Il se déplaçait dans un relatif silence pour un homme de sa corpulence. Quand il arriva devant l'ours, il jaugea l'animal qui le dévisageait d'un air mauvais. Puis, comme au ralenti, Lucy le vit sortir son arme et viser le malheureux ours. Il le manqua. Effrayé, l'animal s'enfuit.

— Bon sang ! fit Vargov, le souffle court. Je suis trop vieux pour ce genre de petit jeu.

Puis il balaya les alentours du regard, sans penser à lever la tête. Lucy s'accrocha plus fermement aux branches, osant à peine respirer, l'écorce lui griffant la peau.

Vargov rangea son revolver et se dirigea vers le chalet. Quand elle fut sûre qu'il avait disparu à l'intérieur du chalet, Lucy sauta au bas de l'arbre et se précipita vers la foret. L'ours l'avait empêchée de passer devant le chalet en l'absence de Vargov ; à présent, elle devrait faire un grand détour dans le bois pour rejoindre la vallée.

Elle s'immergea dans l'épaisseur de la forêt,

aussitôt happée par les feuillages et les branchages, s'efforçant d'avancer en silence.

Quand elle estima qu'elle était assez loin du chalet, elle mit le cap vers la vallée en marchant de façon parallèle à la route. Combien de temps lui faudrait-il pour regagner Icy Creek ? se demanda-t-elle.

Soudain, elle se figea : elle venait d'entendre le moteur d'une autre voiture. Un moteur reconnaissable entre mille. *C'était la Peugeot.* Prise de panique, elle sentit son sang se glacer. Elle se trouvait encore très loin de la route, bien trop loin. Pourtant, soudain mue par une espèce d'énergie du désespoir, elle s'élança à toute allure vers la chaussée, sans se soucier des branches qui lui griffaient le visage et la fouettaient au passage.

Elle sortit du bois au moment où la Peugeot s'engageait dans l'allée qui menait au chalet. Le moteur s'arrêta et elle entendit une porte claquer.

— Bryan ! hurla-t-elle en se dirigeant vers lui. C'est un piège. Remonte dans la voiture.

Trop tard ! Des coups de feu venaient de claquer, et elle ne put qu'apercevoir Bryan qui plongeait derrière la Peugeot. Alors, sans réfléchir, elle se précipita vers lui. C'était du dernier danger, mais elle avait tellement peur que Bryan soit blessé qu'elle était incapable de penser à sa propre sécurité. Les balles volaient toujours, mais par miracle elle atteignit la Peugeot sans être touchée. Bryan l'attrapa vivement par le bras et se mit aussitôt devant elle pour la protéger des tirs.

— Tu es folle ! s'exclama-t-il. Il aurait pu te tuer.

— Tu me gronderas plus tard, lui dit-elle en reprenant sa respiration. Que faisons-nous, à présent ?

— Qui est dans la maison ?

— Vargov.

— Impossible, il est en France.

— Je connais tout de même mon ancien patron ! C'est lui, je t'assure. J'ai voulu fuir par les bois, mais un ours m'en a empêchée. Puis Vargov est apparu et il a tiré sur l'ours…

— Lucy, moins vite, je ne comprends rien à ton histoire.

— Peut-être peut-on lui échapper en courant ? Vu son poids, nous avons un avantage sur lui. En outre, comme il a perdu un œil, il a une perception amoindrie de son entourage.

— Peut-être, mais… Pardon ? Qu'as-tu dit ? Un type gros et aveugle d'un œil ?

— Comment ? Tu l'ignorais ?

— Cela correspond à la description de Sibérie. *Nom d'un chien ! C'est la même personne.*

Lucy intégra l'information. Pas étonnant que cette affaire ait donné du fil à retordre à Bryan ! Son propre chef lui procurait des informations erronées et tirait ainsi les ficelles du jeu.

208

Bryan jura de nouveau et sortit son portable — pour constater qu'il ne fonctionnait pas.

— Le mien non plus ne marche pas, l'informa Lucy. J'ai tenté en vain de t'appeler pour t'avertir.

— Vargov doit avoir un brouilleur.

— Qu'allons-nous faire ? redemanda-t-elle.

— Attendre que l'obscurité tombe et tenter de fuir.

Mais de toute évidence, Vargov ne l'entendait pas de cette oreille. Une nouvelle rafale de balles siffla à quelques centimètres d'eux. Bryan répliqua, brisant toutes les vitres du chalet.

Tout à coup, un calme inquiétant s'installa ; même les oiseaux avaient cessé de chanter et la brise s'était tue.

— Tu l'as peut-être touché, murmura Lucy.

— J'en doute.

Pourquoi Bryan avait-il une voix si étrange ? La main avec laquelle il la maintenait au sol se fit soudain bien molle et elle entendit son arme tomber à terre.

— Bryan ?

Il s'affala contre elle, et Lucy vit du sang couler de son épaule.

— Bryan ! hurla-t-elle sans plus se soucier du tueur.

Vite ! Il fallait qu'elle le hisse dans la Peugeot et regagne la vallée sans perdre une seconde pour qu'il reçoive des soins.

— Que… que fais-tu ? demanda-t-il d'une voix affaiblie.

— Il faut… que nous montions… dans la voiture, dit-elle, tout essoufflée en tentant de le soulever.

— Non, baisse-toi !

Elle se rendit alors compte qu'elle était debout et que personne ne lui avait tiré dessus. Peut-être Bryan avait-il lui aussi touché Vargov ? A moins que ce dernier n'ait épuisé toutes ses munitions. Inutile de spéculer : Bryan perdait son sang et il fallait agir.

— Il faut que tu m'aides, Bryan. Tu es trop lourd. Je ne pourrai pas te hisser seule dans la voiture.

Rassemblant ses ultimes forces, Bryan se redressa et jeta un regard inquiet vers le chalet. Mais il n'y avait plus de tir. Lucy ramassa l'arme de Bryan, par terre, puis ouvrit la porte passager. Le blessé s'écroula sur le siège.

Elle regagna bien vite l'autre portière et s'installa derrière le volant. Ouf, les clés étaient sur le contact ! Elle effectua une rapide marche arrière, et démarra en trombe. Au bout d'un kilomètre, elle se remit à respirer normalement et une sorte de douce allégresse l'envahit.

— Nous avons réussi ! s'écria-t-elle d'un ton victorieux en lui jetant un regard en biais.

Il ne répondit rien.

— Bryan ?

Il était toujours affalé sur son siège.

Inconscient.

- 12 -

Dès que Lucy atteignit Icy Creek, elle appela les secours. Cette fois, l'appareil marchait parfaitement. Quelques minutes plus tard, une ambulance arrivait. Deux infirmiers prodiguèrent les premiers soins à Bryan tandis que l'on organisait son rapatriement en hélicoptère vers l'hôpital le plus proche, à Poughkeepsie.

Lucy fit le trajet en voiture. Quand elle arriva, on ne lui donna aucune information précise sur l'état de Bryan. On lui indiqua seulement qu'il était vivant et au bloc opératoire.

Durant le voyage, elle avait pris la décision de prévenir sa famille. Si Bryan s'en sortait — et elle ne voulait pas imaginer une autre issue —, il lui en tiendrait sans doute rigueur, puisqu'il serait alors contraint d'avouer aux siens ses activités secrètes. Qu'à cela ne tienne ! Elle avait appelé Daniel, Amanda puis Scarlet.

Ses parents arrivèrent les premiers. Bryan n'était pas encore sorti du bloc. Amanda et Daniel atten-

211

dirent, visages tirés et mains enchevêtrées. C'était la première fois qu'elle les voyait se témoigner de l'affection.

— Je n'aurais jamais cru que nous devrions revivre un tel cauchemar, déclara Amanda.

Revivre ? Lucy se rappela alors la grave opération que Bryan avait subie, enfant. Nul doute que ses parents avaient passé des heures à son chevet, à l'époque.

— Lindsay, pouvez-vous nous expliquer ce qui s'est passé ? demanda Daniel.

— Nous étions dans un chalet, dans les Catskills, commença-t-elle avec prudence.

Elle n'avait plus envie de mentir. Toutefois, elle s'efforçait de choisir soigneusement ses mots.

— Nous avons été agressés par un intrus qui a tiré sur Bryan.

— Comment lui avez-vous échappé ? interrogea à son tour Amanda. L'individu s'est-il enfui ? Avez-vous appelé la police ?

— Je ne sais pas pourquoi j'ai été épargnée, dit Lucy en retenant ses larmes. Tout ce dont je me souviens, c'est que j'ai aidé Bryan à monter dans la voiture et nous sommes partis. J'ai appelé les autorités, mais j'ignore ce qu'il est advenu de notre agresseur.

Elle espérait que Vargov était encore en vie. Elle voulait témoigner contre lui et souhaitait qu'il passe le reste de son existence en prison pour les crimes qu'il avait commis.

— Je ne comprends pas, commença Daniel. D'abord, une tentative d'enlèvement, puis un intrus sur votre lieu de villégiature. Etes-vous mêlée à des affaires louches, Lindsay ?

— J'ai découvert par hasard des malversations qui me rendent le témoin numéro 1 dans une affaire criminelle.

— Mais quel rapport Bryan a-t-il avec cette histoire ? questionna Daniel.

Ce fut alors qu'Amanda posa la main sur le bras de son ex-mari.

— Daniel, il est évident que notre Bryan est un agent secret, déclara-t-elle.

Surprise, Lucy étouffa un petit cri, mais ne confirma ni n'infirma les propos d'Amanda.

— Un quoi ?

— J'aurais dû m'en rendre compte bien plus tôt, fit son ex-femme. Ses absences fréquentes, ses blessures, les mesures de sécurité dans son appartement. Et puis son téléphone... Ce n'est pas un portable ordinaire.

Daniel considéra Amanda avec incrédulité.

— Es-tu en train de me dire que notre fils est un espion ? Mais enfin, comment le sais-tu ?

— Les mères savent ce genre de choses, décréta-t-elle d'un ton énigmatique.

Scarlet arriva bientôt en compagnie de John, puis d'autres membres du clan Elliott les rejoignirent. Lucy en connaissait certains, d'autres pas. Apparemment, quand l'un des leurs était en danger, ils se serraient les coudes. Cette fois-là, elle n'entendit ni dispute ni raillerie. On s'embrassait, on pleurait. Même la mystérieuse tante Fin fit son apparition.

Lucy se tenait un peu à l'écart : elle avait la sensation d'être étrangère au clan. Soudain, deux hommes en costume noir surgirent de nulle part, et Lucy sentit son cœur se serrer de peur… Ils foncèrent droit vers elle, comme s'ils la connaissaient.

— Mlle Miller ?

Elle se leva et les suivit dans une pièce à part. Ils déclinèrent leur identité et déclarèrent appartenir à la CIA.

— Ecoutez-moi bien, leur dit-elle alors sur un ton déterminé. Je me fiche que vous soyez envoyés par le Président des Etats-Unis en personne. Je sais que vous attendez de moi un témoignage circonstancié sur les causes de l'accident, mais je ne fais plus confiance à personne. Durant les dernières quarante-huit heures, j'ai failli être enlevée, assassinée et dévorée par un ours ! Un agent du gouvernement a voulu me tuer, et il a tiré sur l'homme que j'aime. Bryan est en ce moment au bloc et je ne quitterai pas l'hôpital tant que je ne saurai pas s'il va s'en sortir. Demain, j'irai faire une déposition au bureau du FBI le plus proche, mais pas ce soir, vous m'entendez ?

Les deux hommes échangèrent un regard, puis l'un d'entre eux déclara :

— Entendu, m'dame.

Et, de façon surprenante, ils repartirent.

Lucy en ressentit une satisfaction intérieure profonde : ne venait-elle pas d'imposer le respect à deux agents fédéraux ?

Elle retourna ensuite dans la salle d'attente où Scarlet vint la rejoindre. Après avoir jaugé ses vêtements déchirés, ses cheveux en désordre et ses diverses égratignures, la cousine de Bryan décréta d'un ton pince-sans-rire :

— Si la mode est une religion, tu en as enfreint tous les commandements.

Dès qu'il reprit conscience, Bryan éprouva un sentiment de panique. Des coups de feu, une terrible douleur à l'épaule, du sang... Puis plus rien ! Lucy ! Oh, mon Dieu ! Qu'était-il arrivé à Lucy ?

— Lucy..., marmonna-t-il.

Peu à peu, les sensations lui revenaient. Quelqu'un lui tenait la main, mais il n'avait pas la force d'ouvrir les paupières.

Soudain, il fut sensible aux odeurs. Des odeurs de Bétadine, d'alcool. Il entendit des bips, reconnut, au toucher, les draps stériles.

De nouveau, il avait dix ans, et il sortait du bloc après une opération du cœur.

— Bryan ? Es-tu réveillé ?

C'était sa mère. Elle lui serrait la main. Sauf qu'il n'avait plus dix ans !

— Lucy, répéta-t-il. Comment va-t-elle ?

Cette fois, il ouvrit les yeux et vit ses parents penchés sur lui.

— Que faites-vous ici ? demanda-t-il d'une voix faible.

— Lindsay nous a prévenus. Comment te sens-tu ?

Il avait l'impression que sa tête était remplie de coton et son corps semblable à une armure de fer. Mais il se garda d'en informer sa mère, sachant qu'elle ressentait dans sa chair la moindre douleur de son fils.

— Ça va, dit-il.

Il était en vie, et n'était-ce pas le principal ? Puis il se rappela ce que sa mère venait de dire. Lindsay les avait prévenus. Lucy était donc revenue dans la vallée.

— Comment va Lindsay ? demanda-t-il alors.

— Mis à part quelques égratignures et des hématomes, elle va bien, lui assura Amanda.

— Et moi ? Quel diagnostic les médecins ont-ils établi à mon sujet ?

Il n'avait pas l'impression que son corps réagissait normalement, mais peut-être était-ce dû à l'anesthésie.

— Tu as perdu beaucoup de sang, lui dit son père. La balle a touché une artère ; toutefois, tu as eu de la chance, aucun organe vital n'a été atteint. Tu t'en sortiras sans dommage.

— Et quand tu seras rétabli, tu auras affaire à moi !
le prévint Amanda. Pourquoi ne nous as-tu jamais
dit que tu étais agent secret ?

Il tressaillit. Sa mère était donc au courant…
En fait, mesura-t-il soudain, avec sa clairvoyance,
c'était même étonnant qu'elle ne l'ait pas démasqué
plus tôt.

— Parce que vous m'auriez puni, dit-il en s'efforçant de s'en sortir par une boutade.

Les yeux d'Amanda se remplirent de larmes.

— Oh, Bryan ! Nous ne nous sommes pas battus
pour l'opération et ne nous sommes pas fait tout ce
souci pour que tu te lances à la poursuite de dangereux
terroristes et risques ta vie à chaque instant !

— Lucy… enfin je veux dire Lindsay vous a-t-elle
donc tout raconté ?

— Non, elle n'a pratiquement rien dit, répondit
Amanda. Elle a juste évoqué un intrus, au chalet.
C'est moi qui en ai déduit que tu étais un agent secret.
Bryan, je suis en colère contre toi.

Elle renifla, retenant ses larmes, et Daniel l'enlaça
par les épaules.

— Mais je suis aussi si fière de toi ! ajouta-t-elle
dans un faible sourire.

Bryan s'aperçut alors que c'était la première fois
qu'il voyait ses parents ensemble depuis le divorce,
qui remontait à ses douze ans.

— Où est Lucy… enfin, Lindsay ?

— C'est bon, tu peux l'appeler Lucy, fit Daniel. Elle

217

est dans la salle d'attente. Deux types qui auraient pu jouer dans *Men in Black* ont voulu l'emmener, mais elle s'est débarrassée d'eux.

Un sourire illumina le visage de Bryan. Voilà qui ressemblait tout à fait à sa Lucy.

— Pouvez-vous aller la chercher ? J'ai besoin de la voir. Je dois lui dire que…

Que voulait-il lui dire, exactement ? Il l'ignorait. Toujours était-il que sa vue lui procurerait le plus grand bien et lui donnerait la force de surmonter les conséquences liées au fiasco.

— Je vais la chercher, déclara Amanda.

Elle tapota l'épaule de son fils, puis se glissa hors de la chambre, laissant les deux hommes en tête à tête.

— Elle a quelque chose de bien particulier, cette Lucy, n'est-ce pas ? fit Daniel.

— Plus que tu ne crois, répondit Bryan en tentant de changer de position.

Les effets de l'antalgique se dissipaient et sa blessure à l'épaule commençait à le refaire souffrir.

— Cependant, je ne sais pas si… Enfin, nous étions ensemble à cause de ma mission et…

— Ne la laisse pas te glisser entre les doigts, lui conseilla Daniel d'un ton solennel. Ecoute la voix de ton cœur. Et maintenant, je te laisse pour que tu te reposes.

Bryan voulut protester : ce n'était pas de repos dont

il avait besoin, mais de Lucy. Il se contenta toutefois de hocher la tête.

Quand il rouvrit les yeux, il la vit enfin.

Lucy était là, assise sur une chaise à côté de son lit.

On lui avait prêté un T-shirt. Elle ne portait pas de maquillage, elle avait les cheveux ébouriffés, et les joues toutes griffées, et pourtant c'était la plus belle femme qu'il avait jamais vue.

— Lucy ?

— Je suis là, Bryan…

— Désolé d'être en si mauvaise forme.

— Tu es vivant, c'est le principal. Tu as juste une nouvelle cicatrice, dit-elle dans un beau sourire tandis que ses yeux se mouillaient de larmes.

— Tu m'as sauvé la vie, je ne te remercierai jamais assez.

Elle haussa les épaules.

— Je ne pouvais pas te laisser mourant sur la chaussée, dit-elle. De toute façon, je ne courais pas grand risque. Vargov est mort, c'est pourquoi les tirs avaient cessé. Il semblerait qu'il ait eu une crise cardiaque pendant l'échange de coups de feu.

— Jusqu'au bout, il aura été un lâche, observa Bryan.

— Tu sais, c'est curieux, je n'arrive pas à imaginer que le criminel et l'homme que je connaissais ne formaient qu'une seule et même personne. Il était si affable avec moi. Alors penser qu'il est mort…

219

— Même les criminels peuvent avoir de bons côtés. Qui t'a averti de sa mort ?

— Orchidée est entrée en contact avec moi. Elle semble avoir pris les choses en main, mais elle ne m'a pas dit grand-chose. Simplement que j'étais hors de danger puisque Vargov était mort.

Bryan laissa passer un petit silence, puis il lança la question qui lui brûlait les lèvres, même s'il n'était pas sûr de vouloir en connaître la réponse :

— Et maintenant, demanda-t-il d'une voix qu'il espérait détachée, tu vas rentrer chez toi, à Washington ?

— Pourquoi pas ? répondit-elle sur le même ton. Il se peut qu'ils aient besoin de moi, à la banque, pour récupérer leurs fonds de pension. Et puis je retrouverai mon parapluie. Je l'aime beaucoup.

Bryan resta silencieux un long moment. Il repensa à la règle qu'il s'était fixée concernant les femmes : ne jamais s'engager. Et puis il se rappela aussi qu'il avait frôlé la mort, ce qui lui avait donné envie de vivre pleinement et longtemps.

« Ne la laisse pas te glisser entre les doigts… Ecoute la voix de ton cœur ». Les propos de son père résonnaient encore dans sa tête. Pourtant, s'il ne réagissait pas, elle allait sortir de sa vie.

— Et si je t'offrais un autre emploi ? fit-il à brûle-pourpoint.

— Quel genre d'emploi ?

— Tu es douée pour résoudre les énigmes et tu fais

preuve de beaucoup de discernement, deux qualités essentielles pour les services secrets.

Elle le fixa d'un air incrédule.

— Crois-tu que je pourrais devenir espionne ? chuchota-t-elle.

— Plutôt une sorte de consultante free-lance qui travaillerait derrière la scène. A décrypter des codes, par exemple.

— C'est vrai que j'adorerais ce genre de travail, admit-elle.

— Et quand tu ne travaillerais pas pour le gouvernement, tu pourrais m'aider au restaurant. Cet endroit a besoin d'une présence féminine. Qui plus est, tu plais aux clients ; tu es une hôtesse idéale, avec de bons instincts concernant…

Il s'arrêta en constatant qu'il ne suscitait pas la réaction espérée chez elle.

— Tu n'as pas l'air très enthousiaste, observa-t-il soudain.

— Non, tu te trompes, j'aimerais beaucoup ça. C'est juste que…

— C'est moi que tu n'aimes pas alors, c'est ça ?

— Pas du tout, bien sûr que je t'aime ! Je…

Elle s'interrompit, se rendant compte qu'elle venait de se trahir. Elle leva des yeux timides vers lui, et sentit un froid glacial lui serrer le cœur. Il avait l'air estomaqué. Voilà, elle lui avait dit qu'elle l'aimait, et maintenant il la regardait comme si elle venait de parler chinois. Quelle idiote !

— Enfin, tenta-t-elle de se rattraper, je veux dire que je…

— Si tu m'aimes, l'interrompit-il tandis qu'un large sourire remplaçait l'expression de stupéfaction sur son beau visage, pourquoi as-tu l'air si malheureux ? C'est tout ce que je n'osais pas espérer, Lucy ! N'as-tu pas encore compris que je veux que tu restes à New York parce que je suis fou de toi ?

Le visage de Lucy s'éclaira, mais quelques secondes seulement. Et bientôt des larmes remplirent ses yeux.

— Je ne pourrais pas supporter cette vie, Bryan, lui dit-elle. Tes disparitions impromptues, tes retours incertains… Quand je me suis rendu compte que Vargov t'avait tiré dessus, je voulais mourir moi aussi. Non, je n'ai pas la carrure pour être la petite amie d'un espion.

— Viens ici, dit-il en tendant le bras.

Elle obéit, réticente, et il pressa sa main dans la sienne.

— Si j'avais un peu plus de force, je t'attirerais dans ce lit et t'enchaînerais à moi pour que tu ne me quittes plus jamais.

— Mais…

— Non, écoute-moi ! A partir d'aujourd'hui, je prends ma retraite. Plus de travail sur le terrain, plus de danger, plus de voyages soudains à l'étranger, plus de mensonge à ma famille.

— Enfin, Bryan… Tu aimes ton travail. C'est toi-même qui me l'as dit.

— C'est excitant, oui. Mais rester vivant l'est encore plus. Surtout depuis que tu fais partie de ma vie. Je pourrai encore travailler pour l'agence, il y a quantités d'autres tâches, coordonner les actions, rassembler des informations, les comparer, interroger des suspects, etc. Je suis formé pour ce type de travail. Je souhaite aussi passer plus de temps avec toi, au restaurant… Alors, serais-tu tentée d'ajouter une robe de mariée à ta garde-robe ?

Sur ces mots, il serra sa main un peu plus fort, de crainte peut-être qu'elle ne s'enfuie.

— Oh, Bryan ! Ne plaisante pas avec des sujets si sérieux. C'est trop cruel.

— Crois-tu que je ne sois pas sérieux moi-même ? Lucy, je veux que tu deviennes ma femme. Et si tu refuses, je sens que ma famille va me renier. Alors ?

— Je pense que tu es fou, dit-elle en tentant de se dégager. Ce n'est pas ainsi que doit se faire une demande en mariage.

— Dès que je serai rétabli, je te promets de la renouveler avec des bougies et des violons. Lucy, enlève-moi un poids, dis-moi oui.

Au lieu de lui répondre, elle se pencha vers lui et l'embrassa… si fort que l'une des machines contrôlant les signes vitaux du blessé se mit à biper.

Une infirmière entra en trombe dans la chambre.

— Que se passe-t-il ? s'écria-t-elle.

Puis, adressant un regard sévère à Lucy, elle ajouta :

— Sortez !

Mais Bryan lui retint encore la main.

— Dois-je comprendre que la réponse est oui ?

Lucy hocha la tête, les yeux remplis de larmes. Des larmes de joie.

Deux semaines plus tard, par une chaude journée de la fin juillet, Lucy et Bryan se mariaient aux Tides. Scarlet, la conseillère désignée de la mariée, lui avait trouvé une superbe robe : la coupe en était simple et élégante, et le tissu, de soie sauvage écrue, fort réussi. Un diadème de perles ornait ses cheveux.

Bryan avait offert un vol aller-retour en première classe aux parents de Lucy pour qu'ils assistent au mariage. Ils ne s'étaient pas rendu compte de la disparition de leur fille. Ils s'étaient contentés de laisser un message sur son répondeur, supposant qu'elle était partie en vacances. Elle ne trouva pas utile de les instruire de son aventure, sans quoi, ils auraient passé le reste de leur existence à prier pour elle !

— Tu n'es pas enceinte, au moins ? lui avait demandé sa mère à la sortie de l'avion.

— Non, avait répondu Lucy en riant, juste amoureuse.

— Cette fois, je crois que tu as trouvé le bon.

Tout le clan Elliott se déplaça pour l'occasion, et Lucy rencontra des membres de la famille qu'elle ne connaissait pas encore.

Bryan ferma Une Nuit pour vingt-quatre heures, et invita tout son personnel à fêter l'événement aux Tides.

Martin était aussi présent, bien sûr. Il arriva dans la Peugeot qui portait encore les stigmates de l'échange de tirs. Ce qui en faisait d'ailleurs la fierté de son propriétaire qui racontait, à qui voulait l'entendre, qu'il avait apporté sa modeste contribution, indirecte, à l'arrestation de terroristes internationaux.

Bryan était magnifique, comme toujours. Pour les photos, il enleva l'écharpe qui maintenait son bras à angle droit et la remit ensuite. Il n'était pas censé se servir de ce bras, même s'il prétendait qu'il n'avait plus mal.

La cérémonie fut courte et chaleureuse, et le repas grandiose, le chef d'Une Nuit ayant pris possession des cuisines de Maeve tel un seigneur de guerre un territoire. Cette dernière l'avait laissé aux commandes avec plaisir.

Le clou du repas était un immense cake à trois couches, une surprise que Bryan avait réservée à Lucy. Un cake à l'orange et au gingembre, avec un glaçage à la menthe, bien sûr. Lucy rougit en mangeant la première bouchée…

— Quelque chose ne va pas ? s'enquit Bryan.

— Non, j'ai juste un réflexe de Pavlov, répondit-elle, un large sourire aux lèvres.

— Nous allons en mettre quelques parts de côté pour notre lune de miel, fit-il d'un air entendu.

Se tournant vers sa mère qui était arrivée à la dernière minute, essoufflée et tendue, il la serra dans ses bras et ajouta :

— J'avais si peur que tu ne viennes pas, maman.

— Je n'aurais tout de même pas manqué le mariage de mon fils ! Même si je dois le supporter lui…

A ces mots, elle désigna Patrick du regard. Le chef du clan. Décidément, cette famille abritait des drames et des passions, pensa Lucy, mais elle s'y habituerait.

La journée se déroula dans la sérénité et le bonheur, même si quelques piques furent inévitables. Après tout, n'était-ce pas aussi ce qui formait le charme des Elliott ? En dépit des anicroches, ils étaient incapables de se passer des uns des autres. Et elle était si contente d'être une des leurs, à présent.

— Es-tu heureuse ? lui demanda Bryan alors qu'ils posaient pour d'autres photos.

— Furieusement, dit-elle.

— Tu devrais avoir peur, fit-il.

— Pourquoi ?

— Parce que tu te fonds tout à fait dans le décor. Tu es devenue une véritable Elliott.

« Que demander de mieux ? » pensa Lucy.

Et elle adressa un sourire radieux au photographe, le sourire d'une femme accomplie, au bras de l'homme qu'elle aimait et qui avait fait vœu de la chérir toute sa vie.

BARBARA DUNLOP

L'épouse insoumise

éditions Harlequin

Titre original : MARRIAGE TERMS

Traduction française de MARGAUX MONTROSE

L'HISTOIRE SE RÉPÈTERAIT-ELLE
POUR LES ELLIOTT ?

Daniel Elliott, le magnat de la presse magazine, a été vu jouant les chevaliers servants de… son ex-femme, l'avocate Amanda Elliott.

Le duo a été repéré une première fois en train d'échanger un baiser dans l'un des restaurants les plus branchés de New York. Puis, une seconde fois, lors d'une soirée de bienfaisance très huppée. La peu conventionnelle Mme Elliott avait une classe folle dans sa robe de créateur, mais elle ne regardait que son fringant ex-mari. Ensemble, ils ont eu deux fils. L'aîné, Bryan, possède *Une Nuit*, l'un des restaurants les plus courus de la ville. Le second, Cullen, travaille avec son père à *Snap*, le magazine people du groupe familial. Mais aux dires de tous, le couple semblait avoir d'autres centres d'intérêts communs que leurs enfants, au cours de ces deux soirées-là.

Ni Daniel ni Amanda Elliott n'ont voulu faire de commentaires. Cependant, la secrétaire de l'avocate a parlé aux reporters. Elle leur a assuré qu'il n'y avait rien entre sa patronne et « le magnifique M. Elliott ». Tout est paisible !

Quoi qu'il se passe, ce doit être assez chaud. Selon des sources internes au groupe de presse, Daniel, connu comme un drogué du boulot, s'est beaucoup absenté de son bureau ces derniers temps.

Quelle sera la réaction de Patrick Elliott, le redouté patriarche, à cette « réunion familiale » ? On ne peut s'empêcher de spéculer.

- 1 -

« Il faudrait une loi contre les ex-maris dans cette ville », se dit Amanda Elliott. Orteils accrochés au bord du plongeoir de la piscine de son club de sport, elle prit une profonde inspiration, puis sauta la tête la première dans la ligne des nageurs rapides.

Une loi pour les empêcher d'envahir la vie de leurs ex-femmes. Elle tendit les bras, propulsant son corps en avant jusqu'à ce qu'il fende la surface de l'eau.

Une loi contre les ex-maris qui restent minces et sexy, même quinze ans après le divorce. Son bras droit fit un arc de cercle et elle commença à entrer dans le rythme, laissant l'eau fraîche la couper du reste du monde.

Une loi contre les ex-maris qui vous enlacent, vous murmurent des mots de réconfort et qui redonnent un sens à votre vie désordonnée.

Elle chassa ses souvenirs importuns et accéléra la cadence jusqu'à ce que ses doigts touchent le mur opposé. Une bonne impulsion et elle repartit dans l'autre sens.

Tant qu'ils y étaient, les législateurs pouvaient aussi voter un texte contre les fils qui travaillent en douce comme espions, sans la permission de leur mère, et qui atterrissent à l'hôpital après une fusillade. Juste un petit amendement pour qu'aucune mère ne se fasse plus réveiller au petit matin, pour s'entendre dire que son fils est James Bond.

Amanda dépassa la ligne de flotteurs bleus du milieu du bassin. Son fils Bryan était James Bond. Cette pensée lui tira un rire un peu désespéré, et elle faillit en boire la tasse.

Malgré tous ses efforts, elle n'arrivait pas à imaginer Bryan avec un faux passeport, au volant de voitures ultra puissantes, dans des pays lointains, actionnant d'étranges appareils télécommandés capables de tout faire sauter. Son Bryan aimait les chiots, la peinture aux doigts, les boules de chocolat à la noix de coco. Heureusement, il avait promis de lâcher l'espionnage. Amanda l'avait entendu de ses propres oreilles le jurer à sa nouvelle fiancée. Et Daniel aussi.

Elle ralentit la cadence. Cette fois, l'image de son ex-mari refusa de s'estomper. Daniel l'avait réconfortée pendant cette longue nuit à l'hôpital, quand Bryan se faisait opérer. Il avait été son roc quand elle avait cru se faire emporter par une vague de pure terreur. Il l'avait serrée si fort, cette nuit-là, que quinze années de colère et de défiance avaient fondu entre eux.

Amanda fit un autre demi-tour. Elle nagea plus vite, et se concentra sur ses mouvements. Mais Daniel était un Elliott pur sucre. Et pas elle. Les relations Est-Ouest, c'était du gâteau à côté des leurs !

D'ailleurs, la trêve touchait à sa fin. Tiré d'affaires, Bryan s'engageait sur le chemin de la convalescence. Daniel était reparti de son côté de Manhattan. Et pour sa part, elle allait affronter le juge Mercer, demain matin, pour défendre un nouveau dossier.

Ses doigts touchèrent le mur à la fin d'une autre longueur. « Cinq », compta-t-elle mentalement.

— Salut, Amanda ! l'interpella la voix de Daniel, surgie de nulle part.

Elle reprit tant bien que mal la position verticale, se frotta les yeux pour en chasser l'eau chlorée et les fixa sur l'image floue de son ex-mari. Que diable faisait-il là ?

— C'est Bryan ?

Daniel tressaillit et secoua aussitôt la tête.

— Non, non ! Bryan va bien. Excuse-moi de t'avoir fait peur.

Il s'accroupit sur le carrelage de la piscine, tout près d'elle. Amanda poussa un soupir de soulagement et s'accrocha au rebord du bassin.

— Dieu merci !

— Cullen m'a dit que je te trouverais ici, dit-il.

En entendant le prénom de son second fils, Amanda sentit une nouvelle vague d'anxiété l'envahir.

— C'est Misty ?

Daniel secoua de nouveau la tête.

— Misty va bien et le bébé s'agite comme un fou.

Amanda scruta le visage de Daniel, le trouva calme et impassible. Elle ignorait ce qui l'avait tiré du bureau au milieu de la journée, mais apparemment il ne s'agissait pas d'une question de vie ou de mort.

Il se redressa de toute sa hauteur, et le regard d'Amanda vagabonda de son torse puissant jusqu'à ses pieds nus. Il portait un maillot de bain bleu marine et arborait des tablettes de chocolat à rendre jaloux des hommes deux fois plus jeunes que lui.

Tout à coup, elle se rendit compte qu'elle n'avait vu Daniel qu'en costume, au cours des seize dernières années. Cet homme avait un corps à se damner. Elle pédala, tentant de garder l'équilibre dans l'eau profonde.

— Alors qu'est-ce que tu fais ici ?

— Je te cherchais.

Amanda essaya de décrypter le sens de ses paroles. Depuis le mariage de Bryan, ils étaient partis chacun de leur côté. Et à ce moment de la journée, Daniel aurait dû être assis derrière son bureau en acajou, au siège du magazine *Snap*, attelé à défendre bec et ongle ses parts de marché et ses profits pour obtenir de meilleurs résultats que ses frères et sa sœur. Alors que s'engageait une course pour le fauteuil de P.-D.G. du groupe de presse familial, il n'aurait pas dû quitter son poste pendant les heures de travail, à moins d'un tremblement de terre.

— Je voulais te parler, ajouta-t-il, avec décontraction.

— Pardon ?

Amanda secoua l'eau de ses oreilles.

— Parler. Tu sais, ce qui se passe quand les gens utilisent des mots pour échanger des informations et des idées.

Vider l'eau de ses oreilles n'avait rien arrangé. Daniel l'avait cherchée pour *discuter* ?

Il sourit et se pencha, puis lui tendit la main.

— Et si on allait boire un verre ?

Elle s'écarta du bord du bassin, et se mit à faire du sur-place.

— Je n'y tiens pas.

— Sors de la piscine, Amanda.

— Oh, oh !

Elle n'avait pas l'intention de bavarder et encore moins de sortir de l'eau devant lui, moulée dans son maillot une pièce. « S'il ressemble à une publicité pour magazine de sport, moi j'ai l'impression de perdre la bataille contre la loi de la gravitation universelle », songea-t-elle.

— J'ai encore quarante-cinq longueurs à faire, répondit-elle.

Cinquante longueurs, c'était énorme. Mais, depuis une minute, elle avait décidé d'augmenter ses séances d'entraînement. Que Daniel ait ou non l'occasion de la revoir en maillot de bain, une femme devait avoir sa fierté.

Daniel se croisa les bras sur la poitrine.

— Depuis quand arrives-tu à respecter un programme ?

Elle ne put s'empêcher de sourire. Il voulait s'engager sur le terrain de leurs faiblesses respectives ? Il allait être servi.

— Depuis quand termines-tu ton travail avant 20 heures ? rétorqua-t-elle.

— Je fais une pause-café.

— Bien sûr, dit-elle, d'un air sceptique.

Il fronça les sourcils, impérieux malgré sa tenue de piscine.

— Précise ta pensée.

— Tu ne prends jamais de pause-café.

— Nous ne nous sommes quasiment pas vus depuis quinze ans. Qu'est-ce que tu peux en savoir ?

— Elle remonte à quand, ta dernière pause-café ?

Les yeux couleur de cobalt de Daniel s'assombrirent.

— A aujourd'hui.

— Et avant ?

Il resta un moment silencieux, puis un sourire s'esquissa au coin de ses lèvres.

— J'en étais sûre ! s'écria-t-elle en essayant de l'éclabousser.

Il esquiva.

— Est-ce que je dois venir te chercher ?

— Va-t'en !

Elle avait un entraînement à terminer, et ses idées à éclaircir. Cela avait été bon de se reposer sur Daniel quand leur fils était en danger de mort. Mais maintenant que la trêve était finie, chacun devait regagner sa propre tranchée.

— Je veux te parler, insista-t-il.

— Nous n'avons rien à nous dire.

— Amanda !

— Si Bryan n'est pas de retour à l'hôpital et si Misty n'est pas en train d'accoucher, alors continuons à vivre chacun de notre côté.

Elle se remit à nager, et lui à la suivre sur le bord du bassin. Elle entendait les échos étouffés de sa voix, par intermittence.

— Je pensais… alors toi… faisait des progrès…

Elle abandonna et se laissa porter ; elle regarda le corps long et mince de Daniel.

— Des progrès dans quelle direction ? demanda-t-elle.

— J'ai horreur que tu joues à l'idiote.

— Et moi, je déteste que tu m'insultes.

— Comment ça, je t'insulte ?

— Tu me traites d'idiote.

Daniel leva les mains, en signe de protestation.

— J'ai dit que tu *jouais* à l'idiote.

— Alors tu me traites de comédienne ?

— Est-ce que nous devons vraiment nous disputer ?

Apparemment oui. Chaque fois qu'ils se trouvaient à un mètre l'un de l'autre.

— Je t'ai soutenue, Amanda.

Elle resta immobile, l'eau clapotant doucement contre son cou. Il le lui reprochait déjà ?

Il leva les mains en signe de reddition.

— Et tu m'as soutenu, ajouta-t-il, je sais, je sais.

— Et c'est passé. Bryan est vivant. Et Cullen est heureux en ménage.

Daniel s'accroupit de nouveau. L'eau se reflétait dans le bleu de ses yeux.

— Et toi, Amanda ? demanda-t-il d'une voix plus basse.

Elle n'allait pas discuter de sa vie sentimentale avec Daniel.

— Je suis en vie, sans aucun doute, l'informa-t-elle d'un ton acerbe.

Puis, elle plongea et se remit à nager. Il la suivit, sur le bord, sans la perdre de vue.

Très vite, deux choses obsédèrent Amanda : est-ce qu'on voyait beaucoup ses fesses à la surface de l'eau ? est-ce que son maillot remontait ?

Elle s'arrêta un moment au bout de la piscine.

— Est-ce que tu as l'intention de partir, maintenant ? lui demanda-t-elle.

Elle se voyait mal enchaîner quarante-quatre longueurs sous l'œil d'un Daniel jaugeant ses cuisses depuis le bord de la piscine.

— Je veux te consulter sur une question de droit, annonça-t-il.

— Appelle mon bureau.

— Nous sommes de la même famille.

Elle s'éloigna du bord à toute allure, créant un tourbillon autour de son corps.

— Plus maintenant !

Il jeta un coup d'œil autour de lui.

— Devons-nous vraiment en discuter ici ?

— Tu peux aller où tu veux ! Moi, j'étais en train de nager, en pensant à mes propres affaires.

Daniel désigna du menton la mezzanine qui surplombait le bassin.

— Allons boire un verre là-haut.

— Laisse-moi.

— J'ai besoin de tes conseils juridiques.

— Tu as des avocats en pagaille.

— Mais il s'agit d'un sujet confidentiel.

— J'ai des longueurs à terminer.

Il posa un regard appuyé sur les courbes d'Amanda qui se devinaient sous l'eau.

— Tu n'en as pas besoin.

Amanda sentit son cœur rater un battement. Puis, elle se souvint avec quelle aisance Daniel savait distiller les compliments. Elle se retourna et reprit sa nage libre.

Mais il l'attendait, à l'autre bout, quand elle s'arrêta pour reprendre son souffle. Elle poussa un soupir d'agacement.

— Tu sais que tu peux devenir vraiment pénible quand tu t'y mets ?

— Vas-y et finis. Je t'attends.

Elle serra les dents.

— Certainement pas.

Il sourit et lui tendit la main.

Daniel voulait absolument trouver le moyen d'aborder certains sujets avec elle. Au cours des dernières semaines, il avait eu un aperçu de l'emploi du temps délirant d'Amanda. Il avait surpris quelques coups de fil tardifs. Et il avait constaté la manière dont ses clients profitaient d'elle.

Il devait capter son attention pendant quelques jours, deux semaines peut-être. Ensuite, elle serait de nouveau sur les rails et il pourrait quitter sa vie pour de bon.

Après un moment d'hésitation, Amanda saisit la main tendue de Daniel. Essayant de masquer son soulagement, il l'attira hors de l'eau.

Tandis qu'elle se hissait sur le bord du bassin, il admira ses jambes fermes et la manière dont son maillot de bain moulait ses courbes. Comme elle était devenue adepte des vêtements décontractés, aux coupes amples et souples, Daniel s'était dit qu'elle avait peut-être pris du poids, ces derniers temps. Il n'en était rien.

Elle aurait pu porter n'importe quoi avec cette

silhouette parfaite : une taille fine, un ventre plat et ferme, des seins généreux qui tendaient le tissu humide. Daniel ressentit un violent accès de désir, une sensation endormie depuis longtemps. Il serra la mâchoire pour le refréner.

S'il la contrariait maintenant, elle allait s'enfuir. Alors, elle passerait le reste de sa vie à nager pour évacuer ses heures de travail, et à parcourir le cœur de Manhattan en pantalon de toile, chemisier ample et vieilles sandales.

Il frémit en y songeant.

Elle aurait peut-être du mal à l'admettre, mais elle avait besoin d'élargir le cercle de ses relations professionnelles, de cultiver quelques clients prospères et, pour l'amour du ciel, de s'habiller de manière à attirer le succès.

Elle retira sa main.

— Un seul verre, le prévint-elle.

— Promis, grommela-t-il.

Il la prit par l'épaule et l'entraîna vers les vestiaires. Sous ses doigts, il sentit la peau lisse et fraîche d'Amanda. Elle s'arrêta à l'entrée du couloir et se tourna vers lui. Il pouvait quasiment voir le cerveau d'Amanda analyser la situation, formuler des hypothèses.

A toute vitesse, il chercha une diversion.

— J'imagine qu'on ne peut pas partager un vestiaire familial, en souvenir du passé ? lança-t-il.

L'idée alluma un éclat dans les yeux couleur café

d'Amanda, mais elle resta sans voix. Ce qui était l'effet souhaité.

Il n'avait aucun sujet juridique à lui soumettre. C'était juste la première excuse qui lui était passée par la tête pour la faire sortir de l'eau, et il allait avoir besoin de quelques minutes pour habiller le mensonge. Il lui adressa ce qu'il espérait être un sourire nostalgique.

— Les garçons adoraient vraiment venir ici.

— Qu'est-ce qui ne tourne pas rond chez toi ? demanda-t-elle.

— Je disais seulement…

— Très bien. D'accord. Les garçons adoraient cette piscine.

Elle se tut un moment et ses yeux s'adoucirent. Daniel se sentit lui-même plonger dans ses propres souvenirs. Il revit deux petits garçons bruns glisser à toute vitesse sur le toboggan et sauter du plongeoir. Ce club de sport chic était le seul loisir qu'Amanda et lui pouvaient s'offrir pendant leur période de vaches maigres, grâce à la carte de membre à vie de la famille Elliott. Bryan et Cullen en profitaient à plein, nageant jusqu'à épuisement.

Quand les garçons étaient sur le point de s'écrouler, ils rentraient tous à la maison, et les enfants s'installaient devant une bonne pizza et un dessin animé, avant de se coucher. Alors, Amanda et lui allaient se pelotonner dans leur propre lit pour une douce soirée d'amour.

D'une voix rauque, il demanda :

— Nous avons eu de bons moments, n'est-ce pas ?

Elle évita son regard. Sans mot dire, elle tourna les talons et se dirigea vers le vestiaire.

Il valait mieux. Il était venu lui offrir quelques conseils basiques pour que sa vie professionnelle reparte sur de bons rails. Tout le reste était hors sujet.

Amanda se sentit moins vulnérable dans son jean délavé et son pull sans manches bleu clair. Dans le vestiaire des femmes, elle coiffa ses cheveux humides avec les doigts et passa du brillant sur ses lèvres. Elle se maquillait peu pendant la journée, et elle n'allait pas changer ses habitudes pour Daniel. Pas plus qu'elle n'utiliserait le sèche-cheveux.

Jetant son sac de sport jaune vif sur son épaule, elle quitta le vestiaire et grimpa le large escalier jusqu'à la mezzanine.

Un verre rapide. Elle l'écouterait jusqu'au bout, l'adresserait à quelqu'un de plus prestigieux qu'elle, voire lui conseillerait d'aller voir un bon analyste.

Posté derrière un comptoir de marbre à l'entrée du bar, un réceptionniste l'arrêta et lui demanda sa carte de membre. Avant qu'elle ait pu l'extirper des profondeurs de son sac, Daniel apparut, impeccable dans son costume Armani. Il lui prit le bras et adressa un petit signe de tête au réceptionniste.

— Ce ne sera pas nécessaire. Elle est mon invitée, dit-il.

— Techniquement, c'est faux. Je ne suis pas ton invitée, précisa Amanda, tandis qu'ils franchissaient la porte massive. Je suis membre moi aussi.

— Je déteste les voir te contrôler, répondit Daniel, en la guidant vers une petite table ronde, près du mur de verre surplombant le bassin. C'est tellement vulgaire.

— Ils ne me reconnaissent pas. Le réceptionniste ne fait que son travail.

Daniel tira une chaise noire à dossier incurvé et Amanda s'installa sur le coussin en cuir, laissant tomber son sac de sport sur le parquet.

— Peut-être que si tu…, commença-t-il.

Elle le regarda furtivement par-dessus son épaule. Il se tut brusquement et fit le tour de la table. Dès qu'il s'assit, un serveur en costume noir apparut.

— Puis-je vous servir quelque chose, monsieur ?

Daniel leva les sourcils en regardant vers Amanda.

— Un jus de fruits, demanda-t-elle.

— Nous avons un cocktail orange et mangue, proposa le serveur.

— Cela me paraît très bien.

— Et pour vous, monsieur ?

— Un *Glen Saanich* avec glaçons. Label jaune.

Le serveur acquiesça d'un bref signe de tête et s'esquiva.

— Laisse-moi deviner, dit Amanda qui n'était pas d'humeur à accepter une insulte, même ravalée. Tu allais dire que si je portais des vêtements adéquats, personne ne vérifierait mon identité.

Il ne prit même pas la peine de démentir.

— Les vêtements font la femme, répondit-il.

— C'est la femme qui est dans le vêtement qui compte, répliqua-t-elle.

— Un tailleur classique et des talons aiguilles te feraient gagner en crédibilité.

— Je m'habille en tailleur pour aller au tribunal, pas pour fréquenter un club de sport, même sélectif.

Daniel étudia Amanda avec plus d'attention.

— Comment choisis-tu ta garde-robe ?

— En fonction de ma vie de tous les jours, de mon travail. Comme tout le monde.

— Tu es avocate.

— Je le sais.

— Amanda, en général les avocats…

— Daniel ! l'arrêta-t-elle sur le ton de l'avertissement.

Amanda ignorait quels sujets ils étaient censés aborder en ce lieu, mais elle décida que son habillement n'en ferait pas partie.

— Tout ce que je te suggère c'est de passer dans une boutique, puis de prendre rendez-vous chez un coiffeur…

— Mes cheveux ?

Quelque chose changea dans l'expression de Daniel.

— Tu es une belle femme, Amanda.

« Dommage que je sois si mal habillée et coiffée », compléta Amanda pour elle-même.

— Je te parle seulement d'acheter une ou deux vestes et de rafraîchir ta coupe de cheveux.

— Comme ça, je ne me ferai plus contrôler dans ce club ?

— Il ne s'agit pas seulement de ça, et tu le sais bien.

Même s'il avait raison, cela ne le regardait pas.

— Change de sujet, Daniel.

Il leva les mains en signe de reddition. Puis, il lui adressa un sourire d'excuse. Amanda ne s'attendait pas à cette capitulation rapide qui, curieusement, lui laissa un goût d'inachevé.

Il tendit la main par-dessus la table et ôta la serviette du verre d'Amanda pour qu'ils puissent se voir sans la moindre gêne. En regardant ses doigts forts et bronzés, elle eut un flash-back d'un quart de seconde : elle se souvint de cette main sur sa peau, et la température lui sembla soudain avoir gagné une dizaine de degrés.

Leur serveur réapparut avec les boissons et leur laissa la carte.

— Tu as faim ? s'enquit Daniel.

— Non.

Comme si elle allait laisser dévier la conversation sur les sushis !

— On pourrait prendre quelques petits-fours, suggéra-t-il.

Amanda refusa d'un signe de tête.

— D'accord. Pour moi, le scotch suffira.

Elle arrêta son regard sur le liquide ambré, dans le verre de Daniel, consciente tout à coup de ce qu'il était devenu. Il y avait une éternité, elle lui servait de la bière en cannette.

— Un scotch à trente dollars ? demanda-t-elle.

Il referma la carte et la posa sur la table.

— Qu'est-ce que tu lui reproches à ce scotch ?

— Tu ne bois plus de bière ?

Il haussa les épaules.

— Parfois.

— Je veux dire, de la bière bas de gamme, à la maison.

Daniel leva son verre et les glaçons tintèrent contre le fin cristal.

— Tu es une anti-snob, tu sais ?

— Et toi un vrai snob.

Il l'observa un long moment et elle sentit un frisson courir le long de son dos. Par réflexe de protection, elle reporta son attention sur la table. Elle ne se laisserait pas démonter par Daniel. Au diable le coiffeur et les vêtements de créateurs !

Elle n'avait rien à faire de son opinion sur elle.

— Pourquoi crois-tu…, commença-t-il doucement.

Elle releva la tête.

— Pourquoi crois-tu que nous nous disputons tellement ? reprit-il.

Indéniablement, c'était une question intime. Mais elle refusait de le suivre sur ce terrain.

— Parce que nous nous accrochons à l'idée qu'un jour ou l'autre nous parviendrons à changer l'autre.

Long silence. Puis un vrai sourire éclaira le visage de Daniel.

— Eh bien, je suis prêt à m'améliorer si tu es dans le même état d'esprit.

Elle se tortilla sur sa chaise. Où diable voulait-il l'entraîner en empruntant ce chemin inattendu ? Mais il n'était pas question de baisser la garde.

— Daniel, est-ce que nous pourrions aller droit au but ?

— Au but ?

— Le sujet juridique confidentiel dont tu voulais m'entretenir ? La raison qui fait que nous sommes là ?

Une expression fugitive tendit les traits de Daniel et il remua sur son siège.

— Oh ça ! C'est une question, euh, délicate.

Soudain très attentive, elle demanda :

— Vraiment ?

— Oui.

Elle se pencha vers lui. Y avait-il un message codé dans ces mots ? Daniel avait-il des ennuis ?

— Es-tu en train de me dire que tu as fait quelque chose ?

Il cligna des yeux.

— Fait quelque chose ?

— Tu as enfreint la loi ?

Daniel fronça les sourcils.

— Ne sois pas stupide. Grands Dieux ! Amanda !

— Alors pourquoi ce rendez-vous secret en plein après-midi ? Et pourquoi avec moi ?

— Ce n'est pas un rendez-vous secret.

— Nous ne sommes pas à ton bureau.

— Tu viendrais à mon bureau ?

— Non.

— Tu vois.

— Daniel !

— Quoi ?

— Va droit au but.

Leur serveur réapparut.

— Voulez-vous commander quelque chose à grignoter, monsieur ?

Daniel le regarda à peine.

— L'assortiment de petits-fours sera parfait.

— Très bien, monsieur.

Tandis que le serveur tournait les talons, Amanda leva vers Daniel un regard surpris.

— On ne sait jamais. On en a peut-être pour un moment, dit-il.

— A l'allure où tu parles, sûrement ! répliqua-t-elle.

Il sirota une gorgée de son scotch.

— Très bien. Allons droit au but. Je souhaite une analyse de notre règlement intérieur.

— Le règlement intérieur ?

En quoi ce sujet pouvait-il bien être confidentiel ? se demanda-t-elle. A un moment, elle avait cru que la conversation allait devenir intéressante.

— Oui, acquiesça-t-il.

Déçue, Amanda hocha la tête et attrapa son sac.

— Daniel, je ne pratique pas le droit du travail.

Il lui saisit la main et la maintint sur la table. Amanda sentit tout son bras picoter.

— Que veux-tu dire ? demanda-t-il.

Elle essaya d'ignorer ce contact physique.

— Je veux dire que ce n'est pas ma spécialité.

Elle remua sur sa chaise, faute de pouvoir retirer brusquement sa main, geste qui serait trop évident.

— Je fais du droit pénal.

Il la regarda en silence, sentant leurs pouls battre en totale synchronisation, sous son pouce.

— Je m'occupe de crimes, ajouta-t-elle comme pour l'aider, en tentant de dégager légèrement sa main.

Il parut confus.

— Tu as certainement lu les journaux, vu des séries télévisées…

— Mais, l'interrompit-il, les avocats privés ne poursuivent pas les criminels.

— Qui a dit que je les poursuivais ?

La main de Daniel se resserra instinctivement.

— Tu les *défends* ?

— Oui.

Elle n'hésita pas à récupérer sa main, cette fois. Il la laissa s'échapper. Il regarda au loin. Puis, il la fixa de nouveau.

— Quel genre de criminels ?

— Le genre de ceux qui se font attraper.

— Ne plaisante pas !

— Je suis très sérieuse. Ceux qui ne se font pas prendre n'ont pas besoin de mes services.

— Des voleurs, des prostitués, des meurtriers ?

— Oui.

— Est-ce que les garçons savent ça ?

— Bien sûr.

Il serra les mâchoires.

— Je n'aime pas ça.

— Vraiment ?

Comme si l'opinion de Daniel avait la moindre influence sur ses choix professionnels !

— Vraiment, Amanda.

A deux mains, cette fois, il reprit celle d'Amanda. Il hocha la tête.

— Je pensais… C'est dangereux, ajouta-t-il.

Son contact troublait Amanda, mais ses mots encore plus.

— Cela ne te regarde pas, Daniel.

Il la dévisagea.

— Bien sûr que cela me regarde.

— Non.

— Tu es la mère de mes enfants. Je ne peux laisser…

— Daniel !

Ses mains se resserrèrent et une expression familière passa dans ses yeux. Ce regard disait qu'il avait un programme, une mission. Ce regard disait qu'il allait la sauver d'elle-même.

- 2 -

Ses fils allaient l'entendre ! Cullen pour commencer. Parce qu'il devrait attendre que Bryan soit débarrassé de ses pansements, avant de pouvoir l'entreprendre. Mais Cullen allait connaître sa façon de penser, sans tarder.

Il jeta sa carte de crédit sur le comptoir de la boutique du club de golf le plus chic de New York.

Amanda, une avocate de criminels ? De la folie pure. Après leur divorce, elle avait repris sa licence, puis obtenu une maîtrise en littérature anglaise avant d'embrayer sur trois années de droit. Et elle jetait tout cela aux orties pour défendre des causes perdues ?

Le vendeur emballa une chemise de golf bleu roi, tandis que Daniel signait le reçu de sa carte.

Ses clients la payaient sans doute avec des chaînes stéréo volées. Peut-être que les braqueurs de banque réglaient cash, en petites coupures. Et encore, seulement s'ils avaient réussi quelques coups avant de se faire attraper !

Son ex-femme défendait des braqueurs de banque.

Ses fils savaient qu'elle courait un danger. Et pendant toutes ces années, ils n'avaient pas pris la peine de l'en avertir. Ne s'agissait-il pas d'un détail important à glisser dans la conversation ?

« Au fait, papa. Peut-être cela t'intéressera-t-il de savoir que maman fréquente des braqueurs et des meurtriers ? »

Bien sûr, Amanda et lui s'étaient mis d'accord pour ne pas se dénigrer l'un l'autre devant leurs enfants. Résultat, ils n'avaient pratiquement pas parlé l'un de l'autre pendant les premières années de leur divorce. Mais Bryan et Cullen étaient des hommes, à présent. Ils étaient parfaitement capables d'identifier un danger s'ils en voyaient un sous leurs yeux.

Daniel quitta la boutique et se dirigea vers les vestiaires. Selon Misty, Cullen commençait à jouer vers 18 h 30, ce qui signifiait qu'il devait aborder le neuvième trou, à cette heure. Daniel passa sa nouvelle chemise de golf au vestiaire, puis, une fois prêt, il quitta le bâtiment et se dirigea vers la terrasse.

En temps ordinaire, il aurait fait un détour par la salle à manger pour bavarder avec quelques relations d'affaires. Mais pas aujourd'hui. Il descendit directement par l'allée ombragée.

Après cinq minutes de marche, il repéra Cullen au neuvième trou, attendant son tour. Il bifurqua vers lui, sans le moindre respect pour l'étiquette.

— Eh, papa !

La voix chuchotante, sur sa gauche, l'arrêta net dans son élan. Il se tourna et découvrit son fils aîné.

— Bryan ?

Bryan se tenait debout au bord du terrain, le bras en écharpe pour soulager son épaule blessée.

— Mais que diable fais-tu là ? siffla Daniel.

— Je fais du golf.

— Tu es blessé.

Cullen leva la tête de son club.

— Pourriez-vous la fermer, vous deux ?

Daniel serra la mâchoire jusqu'à ce que la balle de Cullen eût disparu dans le trou.

— Hé, papa, dit Cullen.

Il glissa la lanière du club autour de son poignet tout en avançant vers eux. Puis, il tendit le club à son caddie.

— Tu viens juste de sortir de l'hôpital, fit remarquer Daniel à son fils aîné.

Bryan se dirigea vers son propre sac de golf.

— C'était une blessure superficielle.

— C'était l'impact d'une balle de revolver.

— Dans l'épaule.

— Tu es resté trois heures dans la salle d'opération.

Bryan haussa son épaule valide et prit un club.

— Tu connais les chirurgiens. Ils font durer pour arrondir la facture.

Daniel se tourna vers Cullen.

— Et toi, tu l'as amené au golf !

257

— Je fais tous les drives. Il se contente des coups roulés.

— Et il triche, ajouta Bryan, en prenant son tour.

Il s'apprêta à frapper la balle d'un seul bras.

— Comme si j'avais besoin de tricher pour battre un infirme ! s'écria Cullen.

— Je ne peux croire que Lucy t'ait laissé sortir de la maison, protesta Daniel.

Certes, Bryan avait toujours été le petit diable de la famille, mais qu'il vînt au golf dans son état était ridicule.

— Tu plaisantes ? répliqua Cullen. Lucy me paie pour que je le sorte de la maison.

— Apparemment, je ne suis pas un convalescent facile, plaisanta Bryan en frappant la balle.

Il rata le trou.

— Cela fait cinq, compta Cullen.

— C'est bon, rétorqua Bryan. Je te battrai la semaine prochaine.

— La semaine prochaine, on va faire du parachutisme, annonça Cullen.

— Je ne veux pas en entendre davantage, grommela Daniel, espérant envers et contre tout qu'il s'agissait d'une blague.

Bryan finit par réussir son coup.

— Détends-toi, papa. C'est juste un petit saut facile, dit-il.

— Je savais que nous aurions dû recourir aux

châtiments corporels, votre mère et moi ! conclut Daniel.

Cullen se mit à rire.

— Où sont tes clubs, papa ?

Daniel se redressa. D'accord, ses fils étaient devenus des hommes. Il n'avait plus aucun contrôle sur leurs loisirs. Fort bien. Mais il restait leur père.

— Je ne suis pas venu jouer au golf, annonça-t-il.

Bryan remit le club dans son caddie.

— Ah bon ?

— Et cet après-midi, je ne suis pas allé à la piscine pour nager non plus.

Après un moment de silence, Cullen leva un sourcil et commenta :

— C'est gentil de t'être déplacé pour nous dire ça, papa.

Daniel gratifia chacun de ses fils d'un regard appuyé.

— Je suis allé là-bas pour parler à votre mère.

Puis, sa voix baissa d'une octave. Elle prit cette tonalité d'acier dont il usait lorsqu'ils étaient adolescents et qu'ils avaient été surpris à boire de la bière ou à faire le mur.

— Elle m'a entretenu de ses activités d'avocat, lâcha-t-il.

Il s'arrêta, attendant leur réaction.

Cullen jeta un coup d'œil vers Bryan qui haussa les épaules.

— Ses activités d'avocat pénaliste, précisa Daniel, espérant voir se fissurer leurs masques de joueurs de poker.

Bryan avança, se préparant à quitter le green.

— Est-ce que quelque chose ne va pas, papa ?

— Oui, je viens de le dire. Votre mère travaille pour des *criminels*.

Cullen qui suivait son frère inclina la tête sur le côté.

— Et tu pensais qu'elle travaillait pour qui ?

Daniel lui emboîta le pas.

— Des dirigeants de société, des politiciens, des vieilles dames désireuses de rédiger leur testament.

— Elle est pénaliste, affirma Bryan. Depuis toujours.

— Et vous n'y avez jamais fait allusion ?

Cullen défit ses gants de cuir blanc, les enfourna dans sa poche arrière et fit remarquer :

— On ne te parle pas de maman.

— Eh bien, peut-être que vous auriez dû !

— Pourquoi ?

Daniel n'aurait jamais cru ses fils aussi bornés.

— Mais enfin, parce qu'elle est en danger pardi !

— En danger de quoi ? s'enquit Bryan.

— De se faire agresser par des criminels.

Bryan se mit à rire, tandis qu'ils empruntaient l'allée menant au clubhouse. Daniel lui jeta un regard en coin. Bryan semblait très confiant, très sûr de lui. Or, c'était un professionnel en matière de jobs dangereux.

Peut-être Bryan savait-il quelque chose que lui-même ignorait ? C'était cela. Il aurait dû savoir qu'il pouvait compter sur ses fils ! Il se sentit tout à coup plus léger.

— Tu la fais protéger par l'un de tes associés ?

Cullen explosa de rire, tandis que son frère dévisageait leur père.

— Papa, tu regardes trop de films policiers.

Daniel eut un mouvement de recul. Ses fils se moquaient de lui, à présent !

— Ses clients sont des voleurs et des meurtriers.

— Et elle est leur meilleure amie, assura Bryan. Crois-moi, papa, le taux de mortalité des avocats pénalistes est vraiment très bas.

— Est-ce que vous allez m'aider tous les deux, oui ou non ?

— T'aider à quoi faire ? interrogea Cullen.

Au départ, l'idée de Daniel était d'inciter Amanda à soigner son image et à améliorer son organisation. Mais lui trouver un bon styliste ne servirait qu'à attirer une classe supérieure de criminels. La situation appelait un plan d'urgence.

— A la convaincre de changer de métier.

Ses deux fils se retournèrent comme un seul homme. Cullen brandit ses doigts, comme pour chasser un mauvais esprit.

— Est-ce que tu as perdu la tête ? demanda-t-il.

Daniel regarda ses deux solides gaillards, plus d'un mètre quatre-vingts sous la toise.

— Ne me dites pas que vous avez peur d'elle ?

— Grands Dieux, si ! s'exclama Bryan.

Daniel se redressa et se croisa les bras sur la poitrine.

— Vous avez plus peur d'elle que de moi ?

Les deux garçons grognèrent en chœur.

— Tu fais ce que tu veux concernant maman, dit Cullen en grimpant la côte.

— De notre côté, nous ferons des trucs sans danger, ajouta Bryan.

— Sauter en parachute, par exemple, renchérit son frère.

— Il me rend très nerveuse, confia Amanda à son ex-belle-sœur Karen Elliott.

Elles se prélassaient toutes les deux dans le solarium des Tides, la magnifique résidence des Elliott. Depuis qu'elle avait subi l'ablation des seins, l'hiver dernier, Karen était restée en convalescence dans cette propriété de Long Island. La lumière ruisselait à travers les verrières, réchauffait le bois du parquet et les couleurs pastel des coussins qui recouvraient les meubles en osier.

— A-t-il fait quelque chose ? s'informa Karen.

Une tasse de tisane à la main, elle était étendue sur

un lit de plage, tout près de la baie vitrée qui ouvrait sur l'Atlantique. Des mouettes se laissaient porter par les courants d'air chauds ascendants, tandis que des nuages d'orage s'amoncelaient à l'horizon.

— Il m'a suggéré un changement de look radical.

Amanda n'en était pas encore revenue, du culot de Daniel.

— Une intervention de chirurgie esthétique ?

— Une nouvelle garde-robe et une coupe de cheveux. Mais qui sait s'il n'avait pas encore autre chose en vue.

Karen poussa un soupir de soulagement.

— Ouf ! Tu m'as fait peur. Pendant une minute, j'ai pensé que Sharon l'avait complètement perverti.

Amanda se crispa en entendant le nom de la dernière ex-femme de Daniel. Mince comme un fil et d'une beauté saisissante, Sharon Styles avait toujours été une impeccable gravure de mode.

Karen passa la main sur le foulard coloré qui dissimulait les effets de la chimiothérapie.

— Personnellement, je tuerais père et mère pour un bon changement de look, dit-elle.

Amanda songea que Karen n'en avait pas besoin. Elle la trouvait belle, d'une classe folle dans n'importe quelle circonstance.

— Je suggère qu'on se passe de métamorphose et qu'on tue Daniel, proposa-t-elle.

Karen se redressa et reposa sa tasse en porcelaine sur la soucoupe.

— C'est exactement ce que je vais faire.

Amanda feignit l'enthousiasme.

— Tu vas tuer Daniel ?

— Je vais changer d'allure. Et il a raison : tu devrais m'accompagner.

— Eh !

C'était déjà assez dur comme ça d'entendre Daniel critiquer son apparence. Elle n'avait pas besoin que Karen en rajoute.

Karen balaya le reproche d'un revers de main.

— Ne sois pas si susceptible. Nous allons passer le week-end chez *Eduardo*. Enveloppement de boue, nettoyage de peau et ce massage aux pierres chaudes qui donne la sensation d'être une nouvelle femme.

— Je n'ai pas les moyens de m'offrir *Eduardo*. Un seul de ses fameux massages pourrait assécher mon compte en banque. Et je n'ai pas besoin d'une nouvelle garde-robe.

— Depuis quand faut-il en avoir besoin pour en changer ? Et puis tu peux faire payer Daniel.

Faire payer Daniel ? Karen avait-elle perdu la tête ?

— Après tout, c'était son idée, fit remarquer Karen.

Amanda secoua la tête.

— Je crois que tu ne comprends pas l'objet de cette conversation. Je ne veux pas faire plaisir à Daniel. Je veux qu'il cesse de s'occuper de mes affaires. Et ton mari pourrait m'aider à parvenir à ce résultat.

— Peut-être que Daniel te laissera tranquille quand tu auras changé d'allure.

— Si je refais ma garde-robe, il pensera que j'ai suivi son conseil.

— Quelle importance ?

— Je le connais. Après, il voudra que je change de métier ! Je le vois venir.

— Allez, ce n'est pas comme s'il pouvait te faire rayer du barreau.

Amanda réfléchit. Le pouvait-il ? Les Elliott étaient puissants, mais elle continuait à croire qu'il y avait des limites à leur pouvoir. Il lui aurait fallu prouver qu'elle avait enfreint les règles déontologiques. Ce qu'elle ne ferait pas. Ou il devrait monter une affaire contre elle. Il ne le ferait pas. Mais Patrick, le père de Daniel, le patriarche du clan ? Si son fils le lui demandait ?

Bien sûr, Patrick se fichait complètement qu'elle fréquente des criminels pour gagner sa vie. D'ailleurs, Daniel devrait s'en moquer tout autant. D'où venait toute cette histoire ?

Karen s'adossa et poussa un profond soupir, se passant la main sur le front.

— Je pense qu'un changement de look pourrait m'aider à guérir. Mais je n'ai pas envie d'aller chez *Eduardo* toute seule, dit-elle, en battant des cils vers Amanda.

Amanda ne fut pas dupe un quart de seconde, mais pensa qu'elle ne pouvait lui refuser ce plaisir.

— Si j'accepte, Daniel ne devra rien en savoir.

Un beau sourire s'épanouit sur le visage de Karen.

— Je pense qu'on devrait les laisser te teindre les cheveux.

— Non, on ne va pas…

En voyant le sourire de Karen s'estomper, Amanda demanda :

— Toi aussi tu penses que je devrais me teindre les cheveux ?

— Ils sont capables de te donner des reflets divins.

Amanda ne voulait pas de reflets divins, ni surtout suivre les conseils de Daniel. Mais elle adorait Karen. Et à la réflexion, quelques reflets ne la tueraient pas.

— D'accord.

Karen se remit très vite en position assise.

— Ce sera mon cadeau, dit-elle.

— Pas question.

— Alors, ce sera le cadeau de Michael. Je fais les réservations.

Karen attrapa le téléphone.

— Ton mari ne paie pas non plus.

— Mais tu as dit…

— Dernière proposition. Nous allons chez *Eduardo*. Je paie ma part. Et personne n'en parle à Daniel.

— Marché conclu !

- 3 -

La porte du bureau de Daniel, au dix-neuvième étage de l'immeuble de la *Elliott Publication Holding*, s'ouvrit sur Cullen.

— Voici les chiffres de vente de la semaine, dit Cullen en posant un document sur le bureau de son père.

— Merci, répondit Daniel.

Il parcourut rapidement le rapport, la tête ailleurs, assez content du plan qu'il était en train d'échafauder pour changer le destin professionnel d'Amanda.

Il pouvait miser sur *Regina & Hopkins*, cabinet réputé en droit des affaires. Bien sûr, il ne pouvait pas arriver devant Amanda avec une proposition d'embauche directe. Mais il pourrait faire des allusions à leurs honoraires élevés, à leurs bénéfices confortables. Taylor Hopkins lui donnerait ces informations.

— Les chiffres du mois dernier ne sont pas formidables, commenta Cullen en tentant de capter le regard de son père. On ne risque pas d'être en tête avec des résultats pareils.

Puis, après un silence, il ajouta :

— C'est si frustrant de ne pas savoir où nous sommes placés dans la compétition.

— Je vois, répondit Daniel en hochant la tête.

Apparemment, Amanda n'avait aucune idée de l'argent qu'on pouvait gagner en tant qu'avocat d'affaires. Et du fait qu'elle n'aurait pas à travailler en dehors des heures de bureau. Si elle était invitée le soir quelque part, ce serait à l'inauguration d'une exposition dans un musée, ou bien à une première de *La Bohème*.

Daniel était prêt à parier que Taylor Hopkins n'avait jamais, ne serait-ce qu'une seule fois, été appelé à minuit dans des locaux de garde-à-vue pour arranger la libération sous caution d'un dealer de drogue.

— Papa ?

Daniel cligna des yeux et regarda son fils.

— Oui ?

— On est probablement en train de perdre la course.

— As-tu le numéro de téléphone de ta mère enregistré dans ton portable ?

Cullen ne répondit pas.

— Ça ne fait rien, reprit Daniel tout en pressant un bouton. Nancy ? Pouvez-vous me trouver le numéro d'Amanda Elliott, avocate ?

— Tout de suite, indiqua la voix de Nancy dans l'Interphone.

— Tu appelles maman ?

— Quelqu'un doit le faire.

— Papa, je pense vraiment que tu devrais faire marche arrière et…

— Tu as dit quelque chose à propos des ventes ?

— Oh, maintenant tu veux qu'on discute des chiffres.

— Depuis quand est-ce que ça ne m'intéresse pas ?

Cullen leva les yeux au ciel.

— On ne gagne pas du tout de terrain.

— On s'y attendait.

Cullen montra un chiffre, en haut de la feuille.

— Ça c'est un problème.

Daniel suivit le doigt de son fils. C'était un mauvais résultat, effectivement.

— Comment sont les performances du nouveau site Internet ?

— Elles s'améliorent.

— Les gens s'abonnent ?

Cullen acquiesça.

— Quelle tranche d'âge ?

— Les dix-huit à vingt-quatre ans sont ceux qui montent le plus vite.

La sonnerie de la ligne intérieure retentit.

— J'ai votre numéro, annonça Nancy.

— J'arrive.

Daniel se leva et donna une tape dans le dos de son fils.

— Travaille bien ! lui dit-il.

— Mais, papa…

Daniel décrocha sa veste, suspendue sur un cintre dans un coin du bureau.

— Tu t'en vas ? demanda Cullen dont les yeux passaient alternativement des chiffres de ventes à Daniel.

— Je crois que tu as raison : ce n'est pas une bonne idée de lui téléphoner.

Il allait passer au bureau d'Amanda, comme ça elle aurait plus de mal à refuser de prendre un verre avec lui. Il pourrait appeler Taylor Hopkins de la voiture, et arriver avec tous les renseignements.

Cullen recula, s'interposant entre Daniel et la porte du bureau.

— Les commerciaux attendent la conférence téléphonique.

— On peut la faire demain.

Cullen s'adossa à la porte.

— Tu sais que nous perdons tout espoir de regagner du terrain sur Finola ?

— Nous allons nous rattraper grâce aux abonnements au site. C'était notre stratégie.

Après un silence, Cullen reprit :

— Est-ce que tu te rends compte que tu pars en mission suicide ?

Daniel sourit.

— Ta confiance en moi me galvanise.

— Je me contente de te ramener à la réalité.

— Ta mère est une femme intelligente. Elle écoutera la voix de la raison.

Cullen posa la main sur la poignée de la porte.

— Qu'est-ce qui te fait croire que ton idée est vaguement raisonnable ?

— Bien sûr qu'elle est raisonnable !

— Papa, papa, papa…

Daniel leva l'index.

— Attention à toi. Peut-être que je ne suis plus en mesure de te donner la fessée, mais je peux encore te virer.

— Si tu fais ça, Finola te réglera ton compte !

Daniel ôta la main de Cullen de la poignée de porte.

— Jeune voyou !

— Tu as rédigé ton testament ?

— Je vais le rectifier dans la voiture, pour enlever ton nom.

Cullen lui adressa un sourire effronté et un petit salut de la main, avant de s'écarter du chemin.

— Tu prends des risques, papa. Un homme moins courageux serait déjà en train de claquer des dents.

Daniel n'hésita qu'un quart de seconde. Ce n'était pas Cullen, vingt ans de sagesse et d'expérience de moins que lui, qui allait lui faire réviser sa stratégie.

D'emblée, Daniel nota que le bureau d'Amanda offrait un contraste saisissant avec ceux du groupe

Elliott : plus petit, plus sombre, et sans hall sécurisé. Chez Amanda, la porte d'entrée ouvrait directement sur la zone de réception, invitant n'importe quel passant à entrer.

La jeune réceptionniste aux cheveux violets et aux multiples boucles d'oreilles semblait bien incapable d'arrêter une grand-mère, sans parler de faire obstacle à un dangereux criminel. Elle cessa de mâcher son chewing-gum assez longtemps pour incliner la tête en signe d'interrogation.

— J'aimerais voir Amanda Elliott, demanda Daniel.

La jeune fille désigna une porte de verre dépoli.

— Elle est avec Timmy l'Imperméable. En en a encore pour cinq minutes à peu près.

— Merci, dit Daniel.

La réceptionniste souffla une grosse bulle de chewing-gum rose.

Daniel s'installa sur l'une des chaises en plastique de la salle d'attente, non sans avoir vérifié qu'elle était exempte de traces douteuses ou de résidus de chewing-gum. Il soupira. Cette jeune personne ne lui avait même pas demandé son nom ou l'objet de sa visite.

La majeure partie de la clientèle étant constituée de gens dangereux et armés, quelques questions de sécurité rudimentaires auraient pourtant dû s'imposer. Daniel ferait installer un détecteur de métaux à l'entrée. Peut-être mettrait-il aussi un ou deux anciens militaires en faction sur le trottoir.

Un rendez-vous avec Timmy l'Imperméable… Avec un nom pareil, l'individu devait fréquenter d'assez loin la légalité.

Quinze minutes plus tard, Daniel feuilletait un très vieux magazine concurrent du sien pour ne pas périr d'ennui, lorsqu'il vit un petit homme chauve émerger du bureau d'Amanda. En imperméable.

— Peux-tu appeler le greffe du tribunal ? demanda Amanda par la porte ouverte. J'ai besoin de connaître la date du nouveau procès de Timmy.

— Bien sûr, dit la réceptionniste, en enfonçant les touches du téléphone de ses doigts aux longs ongles vernis de noir.

Elle jeta un coup d'œil en direction de Daniel et lui désigna la porte ouverte :

— Allez-y.

Daniel sauta sur ses pieds, jeta le magazine sur une pile mal rangée et se dirigea vers le bureau d'Amanda. « Je pourrais être n'importe qui ! » se répétait-il, en boucle.

Amanda leva le menton et sa chaise roula en arrière.

— Daniel ?

— Oui. Et tu as de la chance que ce soit moi, dit-il en poussant la porte qui grinça en se refermant derrière lui.

Elle leva un sourcil.

— Vraiment ?

Il prit l'une des deux chaises en plastique qui attendaient le visiteur, face au bureau.

— Cette réceptionniste aurait laissé entrer n'importe qui.

— J'imagine qu'on devrait délivrer des cartes de membres ?

— Tu donnes dans le sarcasme.

— Pourquoi, à ton avis ?

Daniel se pencha un peu en avant et déboutonna sa veste de costume.

— C'est un mécanisme de défense. Tu l'utilises quand tu as tort et que j'ai raison.

— Quand est-ce déjà arrivé ?

— J'ai une liste de dates.

— J'imagine.

Il se tut, saisissant l'éclat de ses yeux couleur café. Elle aimait ça. Il n'y avait qu'Amanda au monde pour se bagarrer ainsi avec lui.

Elle était toujours aussi vive et brillante. L'avertissement de Cullen lui revint à la mémoire. Peut-être avait-il surestimé sa capacité à l'embobiner à propos du marché des avocats d'affaires ?

— Dîne avec moi ce soir, proposa-t-il, sous le coup d'une impulsion soudaine.

En voyant l'expression d'Amanda, il se rendit compte qu'il avait commis une erreur tactique. Trop direct, trop brutal. Cela semblait presque une invitation galante.

— Daniel…

— Avec Cullen et Misty, ajouta-t-il pour corriger le tir.

Puisqu'il était le patron, il pouvait ordonner à leur fils de se joindre à eux, non ? Si cela ne marchait pas, il demanderait directement à Misty. Dans la famille, on racontait qu'Amanda et Misty s'entendaient extrêmement bien.

— As-tu vu Misty ? demanda Amanda.

— Non, mais j'ai vu Cullen ce matin.

— Et la grossesse se passe bien ?

— Tout va bien.

Certes, il n'avait pas posé spécifiquement la question. Mais si Misty allait mal, Cullen lui en aurait certainement parlé, non ?

Amanda saisit un stylo et se mit à tapoter un coin libre sur son bureau, entre deux dossiers.

— Alors, que puis-je faire pour toi Daniel ?

— Dîner avec moi.

— Mais là, maintenant. Tu as pris la peine de venir jusqu'ici. Qu'est-ce que tu veux ?

Daniel hésita. Il n'avait pas prévu de se lancer tout de suite. Mais après tout, il pouvait préparer le terrain.

— J'ai discuté avec Taylor Hopkins, ce matin.

— Laisse-moi deviner. Il veut mon conseil sur un sujet juridique délicat.

— C'est un avocat, Amanda.

— C'était une blague.

Daniel remua sur sa chaise.

— Oh, d'accord.

Elle se leva, aussitôt imitée par Daniel. Puis, elle prit une pile de dossiers.

— Relax Daniel. Je débarrasse mon bureau. Ça ne t'ennuie pas si je range un peu pendant que tu parles ?

Le regard de Daniel passa des étagères surchargées, au bureau, puis à la crédence croulant sous les papiers.

— Pas du tout. Mais pourquoi est-ce que Mlle Gothique…

— Julie.

— Pourquoi est-ce que Julie ne fait pas ton classement ?

— Elle le fait.

Daniel jeta un nouveau regard circulaire sur la pièce et se mordit la langue.

Amanda suivit son regard.

— Elle apprend, précisa-t-elle.

— Tu veux dire que la situation a été pire ?

— Est-ce que tu as fait tout ce chemin pour insulter mon employée ?

Après un moment d'hésitation, Amanda posa la pile de dossiers sur le large rebord de fenêtre, derrière elle. De son poste d'observation, Daniel eut l'impression qu'elle venait d'obstruer la climatisation. Par un jour d'août humide, en ville…

— Depuis combien de temps travaille-t-elle ici ?

— Deux. Deux et demi.

— Semaines ?

— Ans.

— Oh !

— Ne me regarde pas comme ça !

— Comment ?

— Ce n'est pas parce que le groupe Elliott n'engage que des doctorants comme personnels administratifs que…

Daniel ne rata pas l'ouverture, aussi étroite fût-elle.

— Je ne te comparais pas au groupe Elliott.

Elle leva un sourcil.

— Je te comparais à *Regina & Hopkins*.

Le sourcil se leva plus haut.

— Qui était le vainqueur ?

— Amanda…

— Sérieusement, Daniel. Comment pourrais-je me comparer à une entreprise aussi glacée, obsédée par les bénéfices, inhumaine, que *Regina & Hopkins* ?

Stupéfait, Daniel regarda son ex-femme. D'où était sortie cette avalanche ?

Elle prit une nouvelle brassée de dossiers et regarda autour d'elle. D'après ce qu'il pouvait voir, elle réorganisait le désordre au hasard. Ou peut-être était-elle nerveuse ? Ce qui lui donnerait un avantage sur elle.

— Pourquoi considères-tu toujours que bénéfice et efficacité sont des gros mots ?

Elle se délesta de la pile de dossiers sur le dernier espace libre de la crédence.

— Parce que l'efficacité, comme tu dis poliment, c'est une justification pour traiter les gens uniquement comme des sources de profit.

Daniel retourna cette définition dans sa tête.

— Les salariés sont des générateurs de profit, finit-il par répliquer. Vous embauchez des gens bien, vous leur payez un juste salaire et ils font gagner de l'argent à votre entreprise.

— Et qui décide qui sont les gens bien ?

— Amanda…

— Qui décide, Daniel ?

Il se tut un moment, essayant de déterminer si c'était une question piégée.

— Le service des ressources humaines, hasarda-t-il.

Amanda pointa le doigt vers la porte vitrée et affirma, la voix grimpant légèrement dans les aigus :

— Julie est une personne bien.

— Je te crois.

Il se rendait compte qu'il devait calmer le jeu.

— Julie n'est sans doute pas la meilleure en matière de classement et de dactylographie, elle n'aurait sans doute jamais réussi les tests de recrutement chez vous, mais c'est une très bonne personne.

— Je te crois, répéta Daniel sur un ton conciliant en lui faisant signe de se rasseoir.

Amanda soupira et se laissa tomber sur son siège.

— Elle mérite qu'on lui donne sa chance, insista-t-elle.

Daniel se rassit à son tour.

— Où est-ce que tu l'as trouvée ? s'enquit-il.

Il était presque sûr que ce n'était pas par l'intermédiaire d'une respectable agence de recrutement.

— C'est une ancienne cliente.

— Une criminelle ?

— Elle était poursuivie. Grand Dieu, Daniel ! Ce n'est pas parce qu'on vous arrête que vous êtes coupable.

— Elle était accusée de quoi ?

Amanda pinça les lèvres.

— Détournement de fonds.

Totalement abasourdi, Daniel la dévisagea.

— Détournement de fonds ?

— Tu m'as entendue.

Il se leva et fit quelques pas dans la petite pièce, luttant pour garder son calme.

— Tu as engagé quelqu'un qui a détourné des fonds pour tenir ton cabinet d'avocat ?

— Je t'ai dit qu'elle était *accusée*.

— Elle était innocente ?

— Il y avait des circonstances atténuantes…

— Amanda !

Le regard d'Amanda se durcit.

— Tout cela ne te regarde absolument pas, Daniel.

Il serra la mâchoire, comprenant la réaction d'Amanda. Une fois de plus, la conversation avait dérivé. C'était sa faute. Il aurait dû préparer ce rendez-vous plus soigneusement.

Il s'assit. Puis, il se pencha en avant.

— Tu es gentille, Amanda. Tu l'as toujours été.

Elle se pencha à son tour et le fixa dans les yeux.

— Si tu veux dire par là que je fais davantage attention aux gens qu'aux choses, tu as raison.

Il serra les dents, résistant à l'envie de rétorquer.

Elle croisa les doigts et les étira, comme pour s'échauffer avant un combat.

— Tu critiques mes techniques de recrutement ? Jetons un rapide regard sur les tiennes.

— Mes employés sont les meilleurs.

— Par exemple ?

— Nancy, ma secrétaire, a une licence de gestion et elle maîtrise parfaitement la bureautique.

Amanda brandit son stylo, puis elle le frappa en rythme sur son bureau.

— Elle a des enfants ?

— Je ne sais pas.

— Elle est mariée ?

Daniel réfléchit.

— Je ne pense pas.

Nancy ne rechignait jamais à travailler tard. Si elle

avait un mari et une famille, cela pourrait l'embêter davantage.

— Interrogation surprise pour toi, Daniel. Donne-moi le prénom du conjoint de l'un de tes employés, n'importe lequel.

— Misty.

— Tu triches.

Daniel sourit.

— N'as-tu pas dit *n'importe lequel* ?

— Tu sais quel est ton problème ?

— Je suis plus intelligent que toi ?

Elle jeta son stylo dans sa direction. Il esquiva.

— Tu n'as pas d'âme, dit-elle.

Pour une raison mystérieuse, ses mots le frappèrent plus durement qu'ils n'auraient dû.

— Ça c'est un vrai problème, répondit-il doucement.

Elle tressaillit en voyant son expression, mais se reprit très vite.

— Tu es tellement concentré sur les affaires, la productivité et les profits que tu oublies que le monde est plein de gens. Or, tes salariés ont une vie personnelle. Ce ne sont pas seulement des figurants dans la tienne.

— Je sais qu'ils ont leur vie.

— En théorie oui. Mais tu ne sais rien de leur vie.

— Je sais ce que je dois savoir.

— Faisons un test, tu veux ? Demande-moi quelque chose sur Julie.

— Julie ?

Amanda leva les yeux au ciel.

— La réceptionniste gothique.

Daniel chercha une question pertinente.

— Est-ce qu'elle avait déjà été poursuivie pour détournement de fonds ?

Amanda s'adossa dans son siège.

— Non. Elle a un appartement à East Village. Un petit ami par intermittence, prénommé Scott, qui ne la mérite pas, à mon avis. Elle prend des cours du soir en informatique pour apprendre à utiliser les tableurs. Sa mère est percluse d'arthrite. Elle a deux neveux, les fils de sa sœur Robin, qu'elle emmène au zoo le samedi après-midi.

— Alors, elle peut faire du classement.

— Daniel !

— Je ne vois pas où tu veux en venir, Amanda. Elle est ton employée, pas ta meilleure amie.

Amanda ouvrit le tiroir de son bureau et farfouilla à l'intérieur.

— Evidemment tu ne peux comprendre mon point de vue, dit-elle. Tu as engagé Sharon.

Daniel se crispa. Son ex-femme n'avait rien à voir avec cette histoire.

— C'est hors sujet, lança-t-il.

— Hors sujet ?

— Je n'ai pas *engagé* Sharon.

Amanda le regarda.

— Sois honnête, Daniel. As-tu épousé Sharon pour son sens de l'humour, ses opinions en matière de littérature ou la pertinence de son regard sur l'actualité ?

D'une voix plus forte, elle poursuivit :

— Ou est-ce que tu l'as épousée parce qu'elle pouvait faire un peu de conversation dans trois langues, tartiner des canapés en moins d'une heure, et avoir beaucoup d'allure dans n'importe quoi signé Dior ?

— J'ai divorcé de Sharon.

— Que s'est-il passé ? Les canapés étaient ramollis ?

Daniel se leva.

— Je n'aurais pas dû venir.

Il n'avait pas eu l'intention d'énerver Amanda, ni de discuter de Sharon qui était sortie de sa vie pour de bon.

— Pourquoi es-tu venu, Daniel ?

— Pas pour parler de Sharon.

Amanda hocha la tête ; ses yeux s'adoucirent jusqu'à cette couleur café qu'il aimait.

— Bien sûr que non, dit-elle. Je suis désolée. Elle te manque ?

— Nous avons divorcé.

— Mais quand même…

— Sharon ne me manque pas. Pas une seconde, pas une nanoseconde.

Ce qui, en y songeant, pouvait vouloir dire qu'Amanda avait raison. Il fronça les sourcils.

Amanda se leva et fit le tour de son bureau.

— Alors, ce devait être à cause de ses vêtements chic et de son babil polyglotte.

— Tu m'as acculé dans les cordes et tu veux marquer des points ?

— Absolument.

Daniel soupira. Qu'est-ce qui l'avait attiré chez Sharon, au départ ? Son père approuvait ce mariage, mais ce ne pouvait pas être l'unique raison.

A l'époque, il se remettait de sa rupture avec Amanda. Peut-être avait-il pensé que Sharon serait une épouse plus tranquille. Une épouse qui connaissait son monde et ne lui demanderait pas des choses qu'il ne pouvait offrir. Contrairement à Amanda.

— Daniel ?

La voix d'Amanda interrompit le cours de ses pensées. Il la regarda. Elle s'était approchée de lui et il pouvait sentir son parfum.

— Oui ?

— Je t'ai demandé quand ?

— Quand quoi ?

Elle lui offrit un sourire patient.

— Le dîner avec Cullen et Misty.

Il la regarda sourire. Elle était si belle avec ses lèvres pulpeuses, ses cheveux brillants et ses yeux d'une profondeur insondable.

— Oh ! Vendredi, 20 heures, chez *Le Premier.*

— D'accord.

Il ressentit l'envie irrépressible de lui toucher les cheveux. Il avait toujours adoré passer les doigts dans cette masse soyeuse et parfumée. C'était l'un de ses bonheurs sur terre.

— Daniel ?

Il serra les poings pour résister à la tentation.

— Oui.

— Je suis désolée d'avoir parlé de Sharon.

— Tu penses vraiment que je l'ai engagée comme femme ? demanda-t-il sincèrement.

— Je crois que tu mélanges l'ordre des priorités.

— Comment ?

— Tu es un homme plein d'énergie, Daniel.

— Oui ? En ce moment elle me pousse vers toi.

Elle inclina la tête et un sourire se forma lentement sur ses lèvres.

— Tu devrais arrêter de me poursuivre.

— Tu as probablement raison sur ce point, murmura-t-il, en osant se rapprocher. Mais voilà, je te trouve irrésistible.

Les yeux d'Amanda s'agrandirent.

Cessant de combattre ses impulsions, il tendit la main et lui toucha les cheveux. Sous ses doigts, la chevelure libéra son parfum et le propulsa quinze ans en arrière.

— J'essaie seulement de t'aider, Amanda.

— Je n'ai pas besoin d'aide, répondit-elle, dans un souffle.

— Si, bien sûr.

Il lui déposa un léger baiser sur le front.

— Et tu as de la chance, je suis disponible.

Tandis que la porte se refermait en grinçant sur Daniel, Amanda s'agrippa au rebord de son bureau pour ne pas chanceler.

Je suis disponible. Que voulait-il dire par là ? Et pourquoi l'avait-il embrassée ? D'accord, il ne l'avait pas vraiment embrassée. Mais il avait…

— Amanda ?

La porte du bureau s'était ouverte sur Julie qui arborait un sourire plein de sous-entendus.

— Qui était cet homme à tomber par terre ?

Amanda posa sur elle un regard vide.

— Daniel ?

— Oui, approuva Julie en feignant la pâmoison. Daniel, le magnifique.

— Mon ex-mari.

Julie sursauta.

— Ouah ! Vous avez jeté ce type ?

— Oui.

— A quoi pensiez-vous ?

— Je pensais qu'il était snob, prétentieux et dominateur.

— Et alors ?

Bonne question. Non, mauvaise question. Amanda se souvint qu'elle avait quitté Daniel pour de bonnes raisons, notamment son désir obsessionnel de réussite et son incapacité à maintenir son père à distance.

— Alors ça m'était insupportable, répliqua-t-elle.

Julie poussa un grand soupir.

— Que voulait-il ?

— Diriger ma vie, répondit-elle en se frottant les tempes.

— Et vous allez le laisser faire ?

— Pas question.

— Vous allez le revoir ?

— Non. Enfin, pas après vendredi. Et cette soirée-là ne compte pas parce que Cullen et Misty seront là.

Julie hocha la tête.

— D'accord. Alors ces deux heures que vous avez passées…

— Il est près de 14 h 30 ! s'exclama Amanda en regardant sa montre.

— Je ne voulais pas vous déranger.

Elle poussa doucement Julie hors du bureau. Julie résista, le temps d'ajouter par-dessus son épaule :

— Je me suis dit que vous seriez peut-être en train de chevaucher M. Magnifique sur le bureau.

— Oui, bien sûr, plaisanta Amanda, en essayant d'ignorer l'accélération de son pouls.

Julie émit un rire rauque.

— Parce que moi, c'est ce que j'aurais fait.

- 4 -

Amanda repoussa sa robe *Chaiken* au fond de la penderie : trop sexy pour une soirée avec Daniel. Puis, elle élimina la *Vera Wang* avec un col en V : trop Las Vegas. La *Tom Ford* à paillettes ? Trop princesse.

Sa *Valentino* multicolore, vieille de dix ans, était la dernière sur le portant. Question confort, elle laissait un peu à désirer : sans bretelles, elle exigeait le port d'armatures pour maintenir les seins en place. Mais elle était taillée dans une jolie soie aux fils orange, jaune et rouge mêlés. Ajustée au niveau du corsage, avec une jupe fluide à bordure festonnée, elle était élégante, sans donner dans le classique noir new-yorkais.

Amanda regarda sa montre. Plus le temps de tergiverser ! Pour le meilleur ou pour le pire, cette robe serait la bonne. Elle la jeta sur le lit et se rua vers la douche. Le répondeur téléphonique clignotait, mais elle l'ignora. Elle s'était attardée au bureau, et maintenant il ne lui restait plus que cinq minutes pour faire un shampoing, se maquiller un peu et se sangler dans ces sous-vêtements de torture.

Au milieu de son shampoing, elle se souvint qu'il lui fallait aussi des chaussures. Plus précisément, elle devait remettre la main sur ses petites sandales dorées aux lanières croisées. Peut-être les dénicherait-elle dans le placard de l'entrée ?

Tant pis pour le maquillage ! Fermant le robinet, elle s'enroula dans une serviette et fonça dans l'entrée de son appartement.

A genoux sur la moquette douce, elle fourragea dans un désordre de chaussures. Noires, beiges, à talons plats, baskets… Enfin, une petite sandale dorée. Puis, une deuxième. Elle les jeta devant la porte d'entrée et s'élança vers la chambre.

Amanda attacha le soutien-gorge et enfila une culotte assortie. Dieu merci, elle avait pris le temps de se raser les jambes, ce matin ! Ces derniers temps, elle n'avait pas toujours fait preuve d'autant de diligence. Elle se glissa dans sa robe, trop heureuse de ne rencontrer aucune résistance en remontant la fermeture Eclair. Un détour par la salle de bains, où elle passa un peigne dans ses cheveux. Dernière étape dans le hall d'entrée où elle chaussa les sandales. Voilà, elle était prête.

Zut, il manquait le sac à main ! En pestant, elle rebroussa chemin en courant vers la chambre et attrapa une pochette de soirée. Au passage, elle récupéra une paire de boucles d'oreilles sur la commode. Cette fois-ci, il fallait y aller. Ses cheveux sécheraient dans le taxi.

Elle saisit ses clés au vol et sortit.

— Madame Elliott ?

Un chauffeur en uniforme attendait en bas des marches à côté d'une longue limousine.

— Oui ?

Il ouvrit pompeusement la porte arrière de la voiture.

— Avec les compliments de M. Elliott, madame.

Amanda regarda la voiture, interloquée.

— Il s'excuse si vous n'avez pas eu son message, ajouta le chauffeur.

Amanda faillit renvoyer la limousine, puis elle se ravisa. Pourquoi se priver d'un taxi par pure rancune ? Elle sourit au conducteur et traversa le trottoir.

— Merci, dit-elle.

D'un coup d'œil, Amanda fit l'inventaire de la voiture : un bar, une télévision, trois téléphones, une commande de jeu vidéo. Elle n'avait pas voyagé dans un tel luxe depuis des lustres.

— J'imagine que vous n'avez pas de sèche-cheveux là-dedans ? demanda-t-elle au chauffeur.

Il sourit.

— Non. Vous avez besoin de quelques minutes de plus ?

— Non, merci. Je suis déjà en retard. Ils vont devoir me prendre comme je suis.

Le chauffeur referma la portière. La limousine démarra et se glissa doucement dans le flot de la circulation. Des lumières tamisées éclairaient l'habitacle, et d'invisibles haut-parleurs diffusaient de la musique.

Amanda s'adossa dans son siège ; les lueurs irréelles des feux rouges lui parvenaient à travers les vitres teintées. Elle se reprocha d'apprécier tellement tout ça.

— M. Elliott m'a demandé de l'excuser pour le changement de restaurant, l'informa le chauffeur.

Amanda se redressa.

— Quel changement ?

— Il n'a pas eu de réservation chez *Le Premier*.

Amanda réprima un sourire. Un Elliott refusé par un maître d'hôtel ? Cela avait dû rendre Daniel fou de rage.

— Où allons-nous, alors ?

— Chez M. Elliott.

— A son appartement ?

Le chauffeur acquiesça dans le rétroviseur.

— Oui, madame.

Amanda porta la main à sa poitrine. Fichtre ! « Respire un grand coup. Tu peux gérer ça », s'ordonna-t-elle. Misty et Cullen seraient là pour faire tampon. Et il y aurait une douzaine de cuisiniers et de serveurs. Ce n'était pas comme si elle risquait de se retrouver en tête à tête avec Daniel.

Amanda se répéta qu'il ne s'agissait pas d'un rendez-vous galant. Même s'il l'avait embrassée. Sur le front. Cependant, ses lèvres avaient touché sa peau.

Elle se prit la tête entre les mains.

— Madame ? Tout va bien ?

Amanda se redressa, dégageant ses cheveux humides de son visage.

— Ce n'est rien. Tout va bien, rassura-t-elle le chauffeur.

Elle se rendrait chez Daniel, dînerait, papoterait avec son fils et sa nouvelle belle-fille. Et puis, elle rentrerait avant que la situation ne devienne bizarre.

La situation devint bizarre beaucoup plus rapidement qu'Amanda ne l'avait escompté.

— Misty ne se sentait pas bien, l'informa Daniel.

Amanda venait à peine de pénétrer dans le hall de l'appartement, un espace lambrissé de chêne et éclairé par une verrière.

— Alors ils ne viennent pas ?

Elle glissa un regard vers la porte, se demandant si elle ne ferait pas mieux de filer avant qu'il ne soit trop tard.

— Elle avait très mal au dos.

La santé de Misty était plus importante qu'un dîner, bien sûr. Mais une soirée en tête à tête avec Daniel, c'était plus qu'Amanda pouvait supporter en ce moment.

— Pourquoi n'as-tu pas appelé ?

— J'ai appelé et je t'ai laissé un message.

— Alors, pourquoi as-tu envoyé la voiture ?

— Le message te prévenait du changement d'endroit, pas d'une annulation.

— Mais…

D'un geste, il l'invita à emprunter le petit escalier qui conduisait dans le salon, en contrebas.

— Viens, je t'en prie.

Amanda marqua un temps d'hésitation. Mais comment s'esquiver sans avoir l'air effrayée ? Du reste, elle n'était pas exactement effrayée.

Elle se décida à descendre vers le moelleux tapis ivoire. La pièce était tout simplement magnifique. Très haute de plafond, décorée de toiles abstraites et de sculptures. Sur les canapés aux tons fauves étaient éparpillés des coussins bordeaux et marine. Deux fauteuils écossais complétaient le coin conçu pour la conversation. Au-dessus de la cheminée de marbre, flanquée de hautes fenêtres qui donnaient sur le parc, était accroché un Monet.

Les meubles étaient lustrés, les arrangements floraux d'une fraîcheur irréprochable. Si les photographes d'un magazine de décoration de luxe s'étaient présentés, ils n'auraient eu à faire aucune retouche au décor.

— J'ai croisé Taylor Hopkins tout à l'heure, annonça Daniel en traversant la vaste pièce pour se diriger vers le bar en merisier.

— Oh !

Amanda le suivit avec précaution. Même selon les critères de Daniel, la pièce était impeccable. Pas le moindre papier traînant sur les tables, pas un grain de poussière, pas même une trace sur le tapis. Etait-ce l'influence de Sharon, ou était-il en train de tomber dans une sorte de psychose de perfectionniste ? se demanda-t-elle.

Il sortit deux verres à vin.

— Il était libre ce soir, alors je l'ai invité à dîner, continua Daniel.

— Tu as invité qui à dîner ?

— Taylor.

— Pourquoi ?

— Parce qu'il était libre.

Taylor était libre. Le même Taylor que Daniel avait croisé par hasard mardi. Le même Taylor qu'il lui avait cité en exemple de perfection de la profession d'avocat.

— Qu'est-ce que tu cherches à faire ? lui demanda-t-elle, sur ses gardes.

— A ouvrir le vin. Tu en veux ?

— Tu es tombé par hasard sur Taylor Hopkins, après l'appel de Misty ?

Amanda était persuadée que, dans la vie de Daniel, rien n'arrivait par hasard.

Il se contracta.

— Après le coup de fil de Cullen, rectifia-t-il. Un verre de merlot ?

— Daniel, qu'est-ce qui se passe ?

295

Il haussa les épaules.

— Rien de particulier.

— Quelle est la vraie raison de la venue de Taylor ?

— Mon maître d'hôtel avait déjà acheté le saumon et nous aurions été seuls toi et moi.

Seuls ? Si cela lui posait un problème, pourquoi n'avait-il pas annulé dans ce cas ?

Un homme en veste blanche pénétra dans la pièce.

— Puis-je vous aider à servir les boissons, monsieur ?

— Merci, accepta Daniel en abandonnant la bouteille qu'il venait de déboucher au serveur professionnel.

— On aurait pu reporter, suggéra Amanda.

— Qui aurait mangé le saumon, alors ?

Amanda fronça les sourcils. Il y avait quelque chose de suspect dans ce scénario apparemment logique, mais elle ne parvenait pas à trouver quoi.

— Un verre avant le dîner ? proposa Daniel avec décontraction.

Amanda ne détecta pas la moindre trace de ruse dans son regard. Peut-être devenait-elle paranoïaque ? Peut-être avait-elle complètement surestimé l'intérêt qu'il lui portait ?

— D'accord, répondit-elle.

L'homme en veste blanche leur tendit un verre à chacun, et demanda :

— Je sers le dîner dans une heure ?

— Ça me paraît parfait, répondit Daniel.

Puis, il posa sa main avec légèreté dans le bas du dos d'Amanda.

— Allons là-haut, proposa-t-il.

Amanda se força à rester calme et à se concentrer sur le décor. La pièce sentait la cire d'abeille et le citron. Elle effleura de la main la rampe lustrée, tandis qu'ils grimpaient au niveau supérieur.

Quand ils arrivèrent sur le palier, Daniel la guida le long du hall qui ouvrait sur le salon.

— Ta maison est impeccablement tenue, commenta-t-elle avec un soupçon de moquerie dans le ton.

— D'où me vient cette impression qu'il ne s'agit pas d'un compliment ?

— Je ne sais pas, mentit-elle.

— Tu préférerais que ce soit la pagaille ?

Elle aurait préféré que l'endroit ait une âme.

— Eh bien, ma maison est incontestablement moins bien rangée que la tienne !

— Tu n'as pas de domestique ?

Elle lui lança un coup d'œil.

— Pour quoi faire ?

Il évita son regard.

— Je me demandais seulement si tu avais embauché une ancienne cliente pour ça aussi, répliqua-t-il.

Amanda résista à l'envie de lui envoyer un coup dans les côtes.

— Je n'ai pas de domestique, se contenta-t-elle de répondre.

— Je vois.

Pas de reproche. Aucune critique ouverte qu'elle aurait pu réfuter. Juste une réponse posée, mais pleine de sous-entendus.

— Tu sais, les gens ordinaires font leur ménage eux-mêmes, souligna-t-elle.

Il ouvrit une porte et alluma la lumière.

— La bibliothèque.

Encore une pièce immaculée. Deux chauffeuses en cuir se faisaient face, de part et d'autre d'une table ancienne. Un bureau occupait un coin de la pièce. Et au milieu des rayonnages de livres qui couvraient les murs du sol au plafond, était encastré un aquarium d'eau de mer. Le bois avait des teintes profondes et chaudes, contrastant avec les peintures neutres du salon et du hall.

Elle avança dans la pièce, effleurant du bout des doigts les reliures de cuir des ouvrages.

— Shakespeare, dit Daniel.

Evidemment.

— Tu n'as rien de plus léger ?

— Une première édition de Dickens.

— Rien de plus récent ?

— *L'Histoire de Pi*, de Yann Martel.

— Je renonce.

Peut-être que Daniel ne jouait pas. Peut-être était-il vraiment devenu un parangon de perfection. Son père devait être fier.

— Tu renonces à quoi ? demanda-t-il.

— M. Elliott ? intervint le maître d'hôtel depuis le seuil de la bibliothèque. Votre invité est arrivé.

— Merci.

Daniel sourit à Amanda en la guidant vers la sortie.

— Taylor. Ravi que tu aies pu venir ! cria-t-il à son hôte par-dessus la balustrade.

— Je n'aurais jamais manqué cette occasion, répondit Taylor, souriant à Amanda qui descendait l'escalier au côté de Daniel.

— Amanda, dit-il en lui tendant la main.

Elle avança la sienne, à son tour.

— Vous ne vous en souvenez sans doute pas, mais nous nous sommes déjà rencontrés lors d'une soirée. Karen et Michael nous avaient présentés, dit-il, en serrant la main d'Amanda avec chaleur.

— Au Ritz, répondit-elle.

Elle s'en souvenait très bien. Il s'était montré souriant, amical, et d'une courtoisie qui aurait pu faire oublier qu'il était un homme d'affaires froid et insensible.

— Vous vous en souvenez ! se réjouit-il.

Il prolongea la poignée de main et lui adressa un sourire radieux.

— Merlot ? proposa Daniel.

Taylor laissa lentement s'échapper la main d'Amanda tout en continuant à la fixer dans les yeux.

— Volontiers.

*
* *

Pendant tout le dîner, Daniel s'était interdit de s'agacer de l'intérêt que portait Taylor à Amanda. Certes, il l'avait invité pour parler affaires. Pas pour la dévorer des yeux et glousser à chacune de ses remarques plus ou moins drôles. Et il ne s'était pas attendu à le voir lui toucher le bras ou lui poser des questions sur sa vie personnelle. Mais Amanda était une femme sexy et attirante, surtout en cet instant : cheveux ébouriffés, pieds nus et jambes repliées sur le canapé.

C'était normal que d'autres hommes la trouvent… intéressante. Mais quand Taylor proposa de la ramener chez elle, il dut serrer les dents pour retenir le commentaire acéré qui lui brûlait les lèvres. Après tout, cela ne le regardait pas… Il vit Amanda lui lancer un regard, et demeura volontairement impassible.

— Non, je vous remercie, Taylor.

Taylor accepta sa réponse avec sérénité.

Daniel le reconduisit, seul, sur le pas de la porte, essayant de masquer son soulagement, tout en s'intimant l'ordre de ne pas se mêler de la vie sentimentale d'Amanda. Il devait se concentrer sur son but initial : l'amener à changer d'orientation professionnelle.

Quand il regagna le salon, Amanda était toujours pelotonnée dans le canapé, et elle sirotait une deuxième tasse de café.

— J'espère que tu as passé une bonne soirée, dit-il, reprenant son fauteuil, face à elle.

— Heureuse coïncidence que tu l'aies croisé au club de sport.

Daniel acquiesça.

— C'est tellement intéressant, tous ces petits détails à propos de son cabinet, poursuivit-elle.

Il croisa son regard.

— Oui, je sais.

— Je n'aurais jamais cru que le métier d'avocat d'affaires était si facile et si lucratif.

— Ça me donne des regrets. J'aurais dû faire avocat, plaisanta Daniel.

— Moi aussi. Oh, mais je *suis* avocate !

Daniel sourit. Elle était drôle quand elle se détendait.

— Et tu sais, reprit-elle en claquant les doigts, à écouter Taylor, je me suis demandé pourquoi j'avais passé ma vie à défendre des criminels.

Daniel essaya de cacher son enthousiasme.

— Vraiment ?

Elle hocha la tête avec vigueur.

— Imagine un peu : si je m'étais lancée dans le métier d'avocat d'affaires directement, je pourrais avoir une Mercedes flambant neuve à présent !

— Tu pourrais, approuva-t-il.

Il fallait qu'il remercie encore Taylor, demain. Visiblement, cet homme avait su trouver le ton adéquat.

— Et je pourrais dormir le matin, me faire offrir les meilleures places au théâtre par mes clients, aller faire du shopping sur la Cinquième Avenue.

Daniel posa les mains sur les bras de son fauteuil, en essayant de ne pas paraître trop empressé.

— *Snap* serait ravi de te confier quelques dossiers et de te donner d'excellentes recommandations.

Amanda hocha la tête.

— Cela me faciliterait les choses. Et je parie que tu pourrais aussi me trouver des bureaux dans les beaux quartiers.

— Bien sûr.

Il était surpris et enchanté par le tour que prenait la conversation.

— Et tu pourrais louer une camionnette, empaqueter mes dossiers.

— Je serais ravi de…

— Tu pourrais probablement engager aussi quelqu'un pour supprimer mes clients actuels.

Soudain, l'estomac de Daniel se contracta. Les yeux sombres d'Amanda lançaient des éclairs.

— Je…

— Et me trouver une nouvelle réceptionniste, le coupa-t-elle, je me trompe ?

Daniel se sentit idiot.

— Tu te fiches de moi, n'est-ce pas ?

Elle se leva du canapé.

— Bien sûr que je me fiche de toi ! Est-ce que tu as vraiment pensé que ce piège allait fonctionner ?

Eh bien, oui. Daniel se leva à son tour.

— Je…

— Que Taylor Hopkins était le parfait messager ?

Il fallait trouver l'issue de secours. Que pouvait-il dire ? Que pouvait-il faire ?

— Je pensais seulement…

— Oui, oui, l'interrompit-elle, en agitant la main. Tu pensais seulement à moi. Dis-moi, Daniel, est-ce que tu avais vraiment invité Misty et Cullen ?

Il tressaillit. Il ne pensait pas que ce sujet remonterait à la surface. Il avait bien pensé à les inviter, mais il lui avait paru plus simple de convier Taylor directement.

Mains sur les hanches, Amanda continua :

— Je le savais. Est-ce que tu vas cesser de t'occuper de mes affaires ? Je m'en sors très bien, merci.

Elle lui enfonça l'index contre la poitrine.

— Tu me fiches la paix.

— D'accord.

« Du moins, pour le moment », songea-t-il.

— Vraiment ?

Il haussa les épaules.

— Bien sûr.

Comme si cela aurait pu servir à quelque chose de discuter avec elle maintenant…

Amanda hocha la tête.

— Sage décision.

Puis, baissant la voix jusqu'au murmure, elle ajouta :

— Ce n'est pas comme si ta propre vie allait si bien que cela.

— Pardon ? fit-il en se redressant.

— Rien.

— Non, tu as dit quelque chose.

— Très bien. J'ai dit que ce n'était pas comme si ta vie allait si bien que cela.

— Tu vas devoir m'expliquer ça.

— Regarde autour de toi, dit-elle en faisant un geste circulaire.

Il regarda, et ce qu'il vit lui parut sacrément correct.

— Qu'est-ce qui ne marche pas si bien que ça, exactement ?

— C'est immaculé. C'est parfait. Il n'y a absolument pas de vie dans ta vie !

— Tu as gagné beaucoup d'affaires avec des arguments comme celui-là ?

Elle inclina la tête, croisa les bras sous sa poitrine, ce qui mettait ses seins très en valeur. Daniel se demanda comment il allait pouvoir se concentrer, maintenant.

— Je commence vraiment à croire que tu as besoin de l'aide d'un professionnel, déclara Amanda.

Pendant un moment, il resta sans voix. *Elle* s'inquiétait pour *lui* ?

— C'est toi qui n'as plus prise sur ta vie, contra-t-il.

— Au moins, je sais ce que je veux ! rétorqua-t-elle.

Il retint un sourire de triomphe. Sur ce terrain-là, il était sûr de gagner. Il avait toujours su se fixer des objectifs dans la vie, et s'y tenir.

— Je sais exactement ce que je veux, affirma-t-il.

— Et c'est quoi ?

Il choisit la réponse la plus facile.

— Devenir le P.-D.G. du groupe Elliott.

— Vraiment, Daniel ?

— Bien sûr.

Contrairement à Amanda, il recherchait la réussite.

— Peut-on revenir à toi, maintenant ? demanda-t-il.

— Non. Car ne n'est pas moi qui ai un problème.

Daniel ricana.

— J'ai vu ton bureau.

Elle ricana à son tour.

— J'ai vu ton appartement.

Il ouvrit la bouche, mais se tut. Une idée venait de lui traverser l'esprit. Elle semblait faire une fixation sur cet appartement. Peut-être y avait-il quelque chose à imaginer de ce côté-là. Lui proposer un genre de troc : cet appartement contre le bureau d'Amanda.

— Dis-moi ce que tu changerais, proposa-t-il. Je suis prêt à suivre ton conseil.

— Je suis persuadée que non.

— Si, je t'assure.

Il se rapprocha d'elle. S'il suivait son avis, elle se sentirait moralement obligée de suivre le sien.

— Donne-moi franchement ton opinion, Amanda. Je peux l'entendre.

Elle resta un instant silencieuse, puis son regard se teinta de pitié.

— Très bien. Je vais être franche. Tu as cessé de ressentir.

— De ressentir quoi ?

— Tout.

Cette assertion était inexacte. Surtout à ce moment précis. Elle posa sa petite main sur l'épaule de Daniel qui sentit son muscle se contracter sous la chaleur de sa paume si douce.

— Sens ! le pressa-t-elle.

— C'est ce que je fais, répliqua-t-il d'une voix rauque.

Alors, les yeux d'Amanda prirent leur couleur café ; elle se hissa sur la pointe des pieds ; elle inclina la tête sur le côté ; elle entrouvrit ses lèvres pourpres et les posa sur celles de Daniel.

Une foule de souvenirs et de sensations assaillirent Daniel. Attente, passion, désir. Il fut catapulté des années en arrière. Il la prit dans ses bras et la serra contre lui. Il pencha la tête et lui rendit son baiser, s'enivrant d'un parfum familier.

Il se délecta de la tendre moiteur de la bouche d'Amanda ; ses mains glissèrent le long de son dos, comme si elles se souvenaient ; le corps d'Amanda était imprimé dans son cerveau. Oh, comme elle lui avait manqué !

Il sentait chaque cellule de son corps renaître à la vie. Les couleurs et les émotions tournoyaient comme dans un kaléidoscope.

Il ne se rassasiait pas de la bouche d'Amanda. Quand elle noua les bras autour de son cou, il la serra à en perdre la tête. Il mourait d'envie de se perdre en elle, de lui arracher les vêtements et de l'étendre à même le tapis moelleux pour faire revivre tout l'amour qu'ils avaient éprouvé l'un pour l'autre.

Elle gémit.

Il murmura qu'il la voulait, si fort, trop fort.

Ce fut alors qu'elle s'écarta, clignant des yeux, l'air confuse. Les joues rougies, les lèvres humides, les cheveux ébouriffés formant un halo qui laissait filtrer la lumière. Il n'y avait jamais eu de femme plus désirable. Jamais. Mais elle n'était pas sienne. Elle ne l'était plus depuis longtemps. Il se força à relâcher son étreinte.

— Je suis désolé, dit-il, je n'avais pas le droit de…

Il ne savait quoi ajouter. Il ne s'était jamais

laissé emporter de cette manière, lui, le roi du self-control.

Un petit sourire ironique se dessina sur les lèvres d'Amanda.

— Ne sois pas désolé. Tu ressens quelque chose. Tu fais des progrès.

Il recula de quelques pas.

— C'était une séance de thérapie ?

— Evidemment, répliqua-t-elle un peu trop vivement. Que croyais-tu ?

Daniel sentit quelque chose se glacer dans sa poitrine. Ce baiser n'était pour elle qu'un point de sa démonstration ? Il avait voyagé seul sur la route des souvenirs ?

Certes, il voulait qu'elle change de carrière. Mais il y avait des limites à ne pas franchir. Et il eut le sentiment de les avoir atteintes.

- 5 -

Amanda s'abandonna contre l'appui-tête, tandis que la limousine se faufilait dans la circulation. Embrasser Daniel avait été une thérapie. Un réveil de la mémoire. Pour elle. Si elle n'avait pas été aussi entraînée à garder son sang-froid face à des juges à l'œil acéré, elle aurait succombé, supplié ou même pire.

Daniel avait toujours embrassé divinement. Avec lui, depuis la première nuit, elle avait connu tremblements de terre et feux d'artifice. Tandis que la limousine redémarrait à un feu rouge, Amanda mit la machine à remonter le temps en route. Elle repensa à leur tout premier baiser, au bal de fin d'année du lycée.

A l'époque, elle était plus studieuse que noceuse. Le samedi soir, on avait plus de chance de la trouver au labo photo qu'aux soirées organisées chez les lycéens de la haute société. Mais cette fois-là, son amie Bethany avait arraché, de haute lutte, une invitation à la fête de Roger Dawson, après le bal de fin d'année. Pour rien au monde Amanda n'aurait raté l'événement, organisé dans la suite présidentielle d'un hôtel cinq étoiles, le *Riverside*.

C'était la cohue totale à cette fête : musique assourdissante, punch corsé et amer, petits-fours utilisés comme projectiles… Très rapidement, Amanda s'était retrouvée séparée de Bethany. Aussi avait-elle été quasiment transportée de bonheur quand elle avait repéré un personnage à demi familier, debout, seul, près de la porte. Daniel. Elle s'était frayé un chemin parmi les couples qui dansaient pour le rejoindre.

Ils s'étaient rencontrés à plusieurs reprises au cours de l'année écoulée, quand Amanda sortait avec un ami de Daniel. Elle l'avait toujours pris pour un type bien, et il connaissait tout le monde. Avec un peu de chance, il la présenterait à quelques invités et elle pourrait cesser d'errer comme une idiote.

— Hé, Daniel ! l'avait-t-elle hélé, s'arrachant à la foule.

— Amanda ! Je ne savais pas que tu serais là, avait-il répondu en lui souriant avec chaleur.

— Je suis venue avec Bethany.

Elle avait fait un geste vague dans la direction où son amie avait disparu quelque vingt minutes plus tôt.

— Hé, Elliott ! avait alors crié quelqu'un perdu au milieu des fêtards, tu as une chambre ici, non ?

Daniel avait acquiescé en regardant au-dessus des têtes des danseurs. Amanda était trop petite pour voir son interlocuteur.

— Nous avons besoin de ton seau à glace et de verres supplémentaires, avait continué le type.

— O.K., je vais en chercher.

Le cœur d'Amanda s'était serré. Juste au moment où elle avait trouvé quelqu'un à qui parler, il s'en allait ! Mais au même instant, Daniel s'était retourné vers elle.

— Tu veux venir m'aider ?

— Oui, avait-elle répondu très vite.

— Allons-y.

Daniel leur avait taillé un chemin jusqu'à la porte et ils avaient émergé dans un hall frais et paisible.

— Ma chambre est de l'autre côté.

— Tu n'avais pas envie de conduire pour rentrer, c'est pour ça que tu as pris une chambre ?

Il avait gloussé, un peu gêné.

— Mon frère aîné, Michael, a loué cette chambre. Il s'imaginait que je serais peut-être… chanceux.

Amanda avait avalé sa salive et essayé de prendre un ton dégagé.

— Oh… euh. Tu es ici avec, euh, Shelby Peterson ?

Daniel avait haussé les épaules.

— C'est ce que je croyais. Mais la dernière fois que j'ai vu Shelby, elle dansait avec Roger. Peut-être que c'est Roger qui va être chanceux.

Amanda avait alors senti son visage s'empourprer. Elle n'avait pas l'habitude de parler de sexe, encore moins avec des garçons, et surtout pas avec ce genre de tombeur qui avait probablement couché avec la moitié de l'équipe de pom-pom girls du lycée.

Comme elle ne répondait pas, Daniel s'était tourné vers elle.

— Je suis désolé. C'était vulgaire.

— Non, pas du tout, s'était-elle récriée, gênée de ne pas être aussi délurée que ses amis.

— Mais si, bien sûr. Voilà, nous y sommes.

Il avait ouvert une porte. C'était la première fois qu'Amanda mettait les pieds dans un hôtel cinq étoiles. Elle n'avait pas vu grand-chose de la suite présidentielle, à cause de la foule. Maintenant, elle regardait autour d'elle, muette d'étonnement devant les confortables canapés, le bar de bois aux formes incurvées, la porte à doubles battants qui ouvrait sur la chambre et le Jacuzzi niché dans une alcôve dotée d'une baie vitrée envahie de fougères.

— Tu peux visiter, avait dit Daniel en laissant tomber la clé sur la table de l'entrée. J'en ai pour deux minutes.

— C'est époustouflant ! s'était écriée Amanda, sans prétendre être blasée. Michael a dû penser que tu serais très chanceux.

Elle avait alors entendu le rire de Daniel, derrière le bar.

— Michael est l'optimiste de la famille !

Amanda avait jeté un coup d'œil sur la table basse en chêne. Elle avait noté le bouquet de fleurs fraîches, l'assortiment de chocolats fins, quelques magazines et aussi un intéressant gadget rectangulaire couvert de boutons multicolores.

— C'est une télécommande ? l'avait-elle interrogé, en saisissant l'objet et en le pointant vers la télévision.

La tête de Daniel avait émergé de derrière le bar où il empilait des verres.

— Je ne sais pas. Essaie.

Elle avait appuyé sur le bouton rouge et la télévision s'était allumée, ce qui avait tiré des cris de joie à Amanda. Daniel avait ri de son enthousiasme, et elle avait commencé à tester les autres boutons pour naviguer d'une chaîne à l'autre.

— Je ne trouve pas le seau à glace, avait soudain déclaré Daniel en regardant sur les étagères près de lui.

— Tu veux que j'aille voir dans la salle de bains ?

— J'y vais, avait-il répondu en contournant le bar. Mange plutôt l'un de ces chocolats, tu veux ? Michael a probablement payé une fortune pour ça.

Amanda avait souri, ravie de rendre service. Elle s'était affalée sur le canapé moelleux et avait ôté le papier doré d'une bouchée au chocolat.

Quel bonheur de se retrouver dans cet endroit climatisé et confortable, loin des cris, des petits-fours volants, des pulsations de basses martyrisant les tympans ! Et plus encore, quel soulagement de ne plus se sentir terriblement mal à l'aise de n'avoir personne à qui parler !

— Pas de seau à glace, avait annoncé Daniel en revenant dans la pièce.

Il s'était arrêté derrière le canapé.

— C'est *American Graffiti* ? avait-il demandé en fixant l'écran.

— Je crois, oui.

— Super. Est-ce qu'ils sont bons ces chocolats ?

Elle s'était penchée pour attraper un autre globe doré sur le plateau.

— A mourir, avait-elle assuré en le tendant à Daniel.

Sur l'écran, un groupe de lycéens fêtaient leur dernière nuit ensemble. Daniel avait ôté le papier d'emballage et, montrant la scène, avait commenté :

— C'est un peu comme nous.

Amanda avait approuvé d'un signe de tête. Comme les personnages du film, ils se tenaient sur le bord d'un monde nouveau. Parfois, elle en était tout excitée. Le plus souvent, cela lui faisait peur. Ses parents avaient économisé assez d'argent pour lui payer sa première année d'université. Mais ensuite, il lui faudrait vraiment se battre.

— Ces chocolats sont à tomber par terre ! avait-il dit en contournant le canapé. Il faut qu'on les termine avant de partir.

Attrapant le plateau, il l'avait posé entre eux, au milieu du canapé.

— Tu as raison, ce serait dommage de les laisser perdre.

Elle avait laissé le chocolat crémeux fondre dans sa bouche, et ils avaient regardé le film en silence, pendant quelques minutes.

— Après, qu'est-ce que tu vas faire ? avait-il soudain demandé.

— Après la fête ?

— Non. Après le lycée. Tu as de très bonnes notes, n'est-ce pas ?

Amanda avait hoché la tête. Le calme de sa vie amoureuse lui laissait beaucoup de temps pour étudier.

— J'ai été acceptée à l'Université de New York.

— Génial ! Dans quelles matières ?

— Littérature anglaise et droit. Et toi ?

— Entreprise familiale, avait-il dit avec un sourire fatigué.

— Travail garanti, en somme.

Il s'était tu un instant, le regard rivé sur l'écran.

— Tu sais ce que j'espère vraiment…

Elle avait attendu la suite, qui n'était pas venue.

— Qu'espères-tu, Daniel ?

Pliant une jambe sur le canapé, il s'était tourné vers elle.

— Jure-moi de ne pas te moquer.

Amanda Kedrick se moquant de Daniel Elliott ? Jamais de la vie !

— Je te promets.

— J'espère pouvoir convaincre mon père de lancer un nouveau magazine.

— Vraiment ? Quel genre ?

— Un magazine d'aventures sportives, de voyages, d'action. Je pourrais faire le tour du monde, écrire des articles et les envoyer à New York.

Amanda avait senti sa gorge se serrer. A cet instant précis, elle se trouvait triste et ennuyeuse. Elle qui ne prévoyait même pas de quitter l'Etat.

— Tu penses que c'est une idée stupide ? avait-il demandé, l'air peu sûr de lui tout à coup.

— Non ! s'était-elle récriée, en se rapprochant de lui. Je pense que c'est une idée formidable. Je suis jalouse, c'est tout.

— Vraiment ?

— C'est un projet fantastique ! avait-elle acquiescé avec fougue.

Il avait pris un autre chocolat, défait le papier doré et gobé la confiserie en souriant.

— N'est-ce pas ?

Puis ils avaient reporté leur attention sur l'écran. Après un moment, Daniel avait bondi sur ses pieds et s'était dirigé vers le bar.

— Ces chocolats me donnent soif. As-tu déjà bu du champagne ?

Les yeux d'Amanda s'étaient agrandis.

— Où est-ce qu'on pourrait trouver du champagne ?

Il avait levé une bouteille d'un vert sombre avec un air de triomphe, et fait sauter le bouchon qui avait frappé le plafond avant de retomber sur le tapis.

Amanda s'était soudain sentie pleine d'audace.

— J'adorerais un peu de champagne !

Il avait souri et sorti deux flûtes du bar. Puis, attrapant au passage un paquet de biscuits apéritifs, il l'avait rejointe sur le canapé à un moment où le personnage de Ron Howard se disputait avec sa petite amie.

Sur une musique des années cinquante, Daniel et Amanda s'étaient penchés l'un vers l'autre et avaient trinqué.

— Joyeuse fête de fin d'année, avait-il murmuré.

Elle avait plongé le regard dans les yeux d'un bleu profond de Daniel, se sentant dix fois moins mal à l'aise que quelques moments plus tôt.

— Est-ce que tu te rends compte que tu ne vas pas être chanceux ?

Les yeux de Daniel avaient brillé et il avait souri.

— C'est fichu, avait-il dit en abaissant le regard sur le plateau vide. Tu as englouti tous les chocolats que je comptais offrir à la fille pour la séduire.

Elle lui avait donné une petite tape sur l'épaule.

— J'ai eu un peu d'aide, il me semble !

— C'était mon arme secrète, avait-il répliqué en affichant une mine faussement sévère.

Au lieu de répondre, elle avait bu une gorgée de champagne, puis elle avait levé le verre dans la lumière et regardé les petites bulles exploser à la surface.

— Je pense que le champagne pourrait aussi être ton arme secrète.

— Ah oui ? Et tu es en train de le liquider aussi !

Elle avait souri en sirotant une nouvelle gorgée.

— La vie est dure parfois, non ?

Il avait éclaté de rire, saisi son verre et regardé vers l'écran de télévision.

— Qu'est-ce que j'ai raté ?

— Terry le crapaud espère avoir de la chance.

— Est-ce que Richard Dreyfuss a trouvé la blonde ?

— Pas encore, avait-elle répondu, avant de soupirer d'aise.

Elle avait détesté la fête. Elle avait du mal à l'admettre, mais elle avait détesté la première fête chic de sa vie d'adolescente. Elle se sentait bien mieux dans cette pièce, installée confortablement à regarder un film drôle, tout en bavardant gaiement avec Daniel et en sirotant une boisson qui n'avait pas un goût de jus d'orange parfumé à l'essence.

Au moment du film où le personnage de Richard Dreyfuss s'envolait en avion, la bouteille de champagne était à moitié vide, et Amanda avait enlevé ses chaussures. Ils n'avaient cessé de commenter pendant tout le film, partageant les moments de surprise, de suspense et de rire.

— Il n'a même pas eu l'occasion de la rencontrer,

avait déploré Daniel alors que le générique se déroulait à l'écran.

— Elle restera pour toujours la femme mystérieuse.

— Ça craint.

— C'est du cinéma, avait-elle répliqué en levant son verre.

— Eh bien, ça craint quand même. Un mec ne devrait pas laisser passer des opportunités comme ça.

— Tu veux dire que tu penses qu'un mec doit embrasser la blonde atomique quand il en a l'occasion ?

— Oui, je pense.

Avec un sourire, elle avait ramassé les restes de leur pique-nique improvisé et s'était dirigée vers le bar, goûtant la douceur de la moquette sous ses pieds nus.

— On devrait sans doute retourner à la fête, avait-elle alors suggéré sans entrain.

Il s'était levé à son tour, et les verres avaient tinté quand il les avait récupérés sur la table basse.

— J'imagine. On n'a jamais trouvé le seau à glace.

— J'ai l'impression qu'à ce stade de la soirée, personne ne va remarquer que la glace fait défaut.

Tout en finissant sa phrase, elle s'était retournée et s'était retrouvée face à lui, ou plus exactement face à son torse : il faisait une vingtaine de centimètres de plus qu'elle, à présent qu'elle avait ôté ses chaussures.

Il avait tendu le bras derrière elle pour poser les verres sur le bar.

— Amanda ?

La voix de Daniel était étrangement basse.

Elle avait levé le menton et l'avait regardé.

— Oui ?

Il avait incliné la tête d'un côté, puis de l'autre, et tout à coup, elle s'était rendu compte du changement d'atmosphère.

— Je pensais…, avait-il commencé, en se rapprochant d'elle imperceptiblement.

Cette proximité aurait pu oppresser Amanda, mais il n'en avait rien été. Il avait de larges épaules, un torse puissant. Il la dominait, mais elle ne se sentait pas du tout intimidée. Elle respirait son odeur mâle et épicée.

— Tu pensais à quoi ?

— Aux occasions manquées.

Il avait relevé une mèche de cheveux qui s'était égarée sur la tempe d'Amanda.

C'était un signal assez clair, mais Amanda ne pouvait croire que Daniel Elliott la draguait.

— Tu veux parler du film ?

— De la fin du lycée.

Troublée, elle l'avait regardé de côté.

— Peut-être qu'on ne se reverra plus, avait-il dit.

— C'est possible…

Même en fréquentant la même école, ils se croisaient à peine. Alors, quand elle serait à NYU et lui en train de parcourir le monde...

— Alors, que peut-on faire à ce sujet ? avait-il murmuré.

Elle avait fixé ses yeux assombris, son visage sérieux, sa bouche entrouverte.

— Daniel ?

— C'est maintenant ou jamais, Amanda.

Il lui avait effleuré la joue, avec douceur et lenteur, lui laissant le temps d'apprécier le changement de climat, le temps de protester. Puis, il avait glissé les doigts dans les cheveux d'Amanda.

— Je vais t'embrasser, avait-il chuchoté d'une voix rauque.

— Je sais, avait-elle murmuré, brûlant d'impatience.

Elle avait su que ce baiser était destiné à arriver, en ce moment et en ce lieu. De tout son être, elle l'avait compris.

Les lèvres de Daniel s'étaient posées sur les siennes. Fermes, tendres, humides, puis chaudes. Elle avait répondu à leur pression. Glissant ses mains dans le cou de Daniel, elle avait incliné le visage pour le laisser prendre possession de sa bouche. Le désir était monté en elle. Elle avait eu chaud, puis froid, puis plus chaud encore.

C'était Daniel — Daniel Elliott — qui l'embrassait, avait-elle songé, qui la tenait dans ses bras. Son odeur se mêlait à celle des fleurs. Sa saveur supplantait celle du chocolat et du champagne. Amanda avait alors senti sa peau frémir et son sang chanter dans ses veines. Jamais elle n'avait connu quelque chose d'approchant.

Des étincelles de désir avaient enflammé son corps. Elle avait déjà embrassé des garçons auparavant, mais jamais de cette façon. Aucun d'entre eux n'avait ainsi pris le contrôle d'elle, corps et âme.

Elle le voulait plus fort, plus profond. Elle s'était ouverte à lui. Quand la langue de Daniel avait envahi sa bouche, elle avait failli gémir de plaisir. Daniel l'avait enlacée de son bras libre, pressant le creux de son dos, l'arrimant contre son corps durci.

« Oui. Plus près, plus fort », avait supplié Amanda, intérieurement.

Daniel avait eu un gémissement sourd, venu du plus profond de sa poitrine, puis il l'avait renversée sur le bar. Sa main avait glissé le long du dos d'Amanda, puis vers son ventre. De son pouce, il avait effleuré sa peau, juste en dessous de sa poitrine. Elle avait senti ses seins se dresser, et des éclairs de plaisir la parcourir tout entière. Elle aurait aimé qu'il la touche, mais n'osait pas le demander.

L'autre main de Daniel était descendue le long de son cou. Se contractant imperceptiblement, elle avait attendu. Quand les doigts de Daniel s'étaient arrêtés sur ses seins, elle ne s'était pas dérobée, bien au contraire, malgré l'intensité de la sensation.

— Amanda, avait-il appelé d'une voix éraillée.

Le souffle court, elle avait fait glisser ses paumes ouvertes sur le torse de Daniel, écartant les pans de sa veste. Puis elle avait cherché la chaleur de son dos, se pressant contre lui. Le monde n'existait plus en dehors de lui et elle. Un désir violent qui l'emportait tout entière abolissait le temps, l'espace et la raison.

— Daniel, avait-elle supplié.

Il l'avait encore embrassée. Amanda avait senti ses mains brûlantes à travers le haut de soie de sa robe dos nu. De ses pouces, il avait effleuré la pointe de ses seins tendus, déclenchant en elle des décharges de plaisir d'une intensité qu'elle n'aurait jamais soupçonnée.

Oubliée la pudeur ; envolée la timidité. Elle voulait Daniel de toutes les fibres de sa peau ; elle le désirait comme jamais elle n'avait désiré quelqu'un auparavant.

Elle avait alors senti la bouche de Daniel glisser vers son cou, dévorer sa peau douce avec une fureur délicieuse. Elle avait rejeté la tête en arrière, haletante, s'agrippant encore plus fort à son dos. Il devait ôter cette veste. Elle voulait sentir le contact de sa peau nue.

Il avait embrassé son épaule. Ses lèvres avaient couru jusqu'au creux, entre ses seins. Puis, il avait saisi l'attache de la robe, sur la nuque d'Amanda.

— Dis-moi d'arrêter, lui avait-il demandé tout en défaisant le nœud.

Il respirait sa peau, la goûtait.

— Non, ne t'arrête pas, avait-elle prié, essoufflée de désir.

Elle voulait qu'il apaise cette tension délicieuse, en haut de ses cuisses.

— Amanda, avait-il chuchoté, en libérant le haut de sa robe.

Le léger tissu avait glissé jusqu'à sa taille. Daniel s'était écarté, les yeux rivés sur les seins nus d'Amanda. Elle s'était cambrée, avait levé les bras pour dénouer ses cheveux.

— Tu es belle. Incroyablement belle.

De ses mains, il avait enrobé les seins d'Amanda et elle avait gémi. Elle se sentait belle. Pour la première fois de sa vie, elle se sentait belle, désirable et parfaitement à l'aise dans son corps.

Elle avait alors dégagé la veste des épaules de Daniel, impatiente de sentir sa peau contre la sienne. Dans son inexpérience, elle savait une chose : Daniel devait enlever ses vêtements. La veste tomba au sol ; elle s'attaqua à la cravate.

— Amanda…

Son ton était presque désespéré.

Elle l'avait embrassé et commencé à défaire les boutons de sa chemise.

— On peut s'arrêter, avait-il dit dans un souffle. Cela me tuera, mais on peut encore…

Enfin, sa peau nue. Amanda avait touché le torse de Daniel qui s'était mis à trembler.

— On ne s'arrête pas, avait-elle murmuré contre lui.

S'arrêter était la dernière chose qu'elle désirait au monde.

— Dieu merci, avait-il alors chuchoté en caressant la pointe d'un sein d'Amanda, avant de la serrer de nouveau contre lui.

Puis il l'avait soulevée dans ses bras et embrassée tout en se dirigeant vers la chambre. Elle avait fait courir ses doigts sur le torse de Daniel, jouant avec les poils doux et épars, effleurant les mamelons plats en se demandant si cela lui procurait les mêmes sensations qu'à elle.

Il avait murmuré son nom une nouvelle fois en la déposant debout près du lit. Sans le quitter des yeux, elle avait défait un bouton, sur sa hanche, et la robe était tombée autour de ses chevilles. Les mains de Daniel avaient couru le long de son dos nu, enrobé ses fesses et l'avaient pressée très fort contre lui.

Amanda avait frémi un peu en songeant à la suite. Mais elle était décidée à le faire. Aucun pouvoir au monde n'aurait pu l'arrêter.

— Amanda ? avait-il demandé, en s'écartant légèrement pour la contempler dans la pénombre de la chambre. Tu es nerveuse ?

— Non, avait-elle menti.

Après un silence, il avait demandé :

— Tu as déjà…

Cette fois, elle l'avait regardé. Ce n'était pas la peine de mentir. Il se rendrait compte assez rapidement, de toute façon. Elle avait secoué lentement la tête.

— Désolée.

Desserrant son étreinte, il avait étouffé un juron.

— Désolée ?

Il avait toussoté, puis, du bout des lèvres, il avait effleuré la bouche d'Amanda, ses joues, ses cils, ses tempes, éveillant une sensation exquise après l'autre.

— Si tu es sûre, avait-il enfin chuchoté.

— Totalement.

Un sourire s'était dessiné sur le visage de Daniel ; du bout des doigts, il avait effleuré le ventre d'Amanda, était descendu en haut des cuisses, entre les boucles, jusqu'aux replis de chair tendre.

Les yeux d'Amanda s'étaient agrandis et ses lèvres s'étaient entrouvertes, laissant échapper un petit gémissement.

— Tu aimes ? avait-il demandé en plongeant son regard brûlant dans celui d'Amanda.

— Oh oui !

Il avait accentué la pression, et, haletante, elle s'était accrochée à ses épaules.

— Qu'est-ce que je dois faire ?

— Rien, avait-il murmuré.

— Mais…

— Tu ne peux pas te tromper, Mandy. C'est absolument impossible.

Elle avait senti ses muscles se contracter. Elle avait les larmes aux yeux. D'un geste plein de douceur, il l'avait fait basculer sur le lit, les pieds toujours posés au sol.

— Dis-moi si je te fais mal.

— Tu ne me fais pas mal.

Il en était loin. Il s'était alors débarrassé de son pantalon, puis ses mains s'étaient mises à la caresser, partout, passionnément. Elle était restée un moment immobile à s'imprégner de chacune de ces sensations nouvelles, puis elle avait voulu donner à son tour, être sûre qu'il éprouvait la moitié du plaisir qu'elle ressentait. Elle avait touché le torse de Daniel et dessiné un chemin sur son corps ferme, jusqu'à son ventre, et elle avait senti que sa respiration s'accélérait.

Il avait gémi et l'avait embrassée. Elle lui avait rendu son baiser, jouant avec sa langue, puis elle s'était cambrée contre ses doigts, l'incitant à aller plus loin, plus fort. Et soudain, elle avait pris le sexe de Daniel entre ses mains.

Il avait sursauté, et, instinctivement, elle avait retiré sa main.

— Je t'ai fait mal ?

— Tu me tues, ma puce.

— Désolée.

Il avait eu un rire rauque.

— Tue-moi encore, s'il te plaît.

Elle l'avait exaucé.

Enfin, Daniel était venu s'allonger sur elle, son visage trahissant les efforts qu'il faisait pour se contrôler.

— C'est maintenant ou jamais.

— Maintenant, dit-elle.

Il l'avait pénétrée, et l'avait aussitôt embrassée pour chasser la douleur qu'il lisait dans ses yeux.

— Ça va aller, lui avait-il murmuré à l'oreille.

Très vite, la douleur avait laissé place à d'autres sensations. Amanda avait senti Daniel bouger en elle. Le plaisir s'était propagé dans ses cuisses, son ventre, ses seins.

Il avait accéléré le rythme. Elle avait senti son corps se contracter puis se détendre, obéir à ses propres règles, dans la quête de quelque chose qu'elle ne pouvait identifier.

Soudain, Daniel avait crié son nom, le corps tendu comme un arc, tandis que le monde s'arrêtait pendant une microseconde, et Amanda avait alors été balayée par le plaisir comme par un orage d'été.

— Madame Elliott ?

La voix du chauffeur de la limousine traversa les pensées d'Amanda et vint la tirer de ses rêves brûlants.

Elle se secoua, porta la main à sa poitrine, comme pour se protéger de l'embarras d'avoir été surprise en train de fantasmer sur Daniel.

— Euh… Oui ?

Il fit un signe vers l'immeuble en pierre sur la droite.

— Nous y sommes.

Chancelante, elle laissa le chauffeur l'aider à sortir de la voiture, le remercia et gagna sa porte d'entrée. Elle glissa la clé dans la serrure. Mais les souvenirs de cette nuit de bal refusaient de s'estomper.

Daniel et elle avaient fait l'amour toute la nuit. Ils s'étaient séparés le lendemain matin, dans une ambiance douce-amère, persuadés qu'ils ne se reverraient sans doute jamais.

Et c'était ce qui aurait dû se passer. Elle aurait dû aller à l'université de New York, et Daniel aurait dû parcourir le monde.

C'était sans compter sur Bryan.

Bryan avait tout changé.

- 6 -

Daniel gara sa Lexus gris métallisé devant le tribunal, bien décidé à changer de tactique. Il avait cédé à une impulsion en invitant Taylor. Il aurait dû savoir qu'un tel piège ne pouvait fonctionner avec une femme aussi fine qu'Amanda.

Cette fois, il se montrerait plus habile. Il allait prendre son temps, mener une mission de renseignements avant d'agir. Quand il se déciderait à passer à l'action, Amanda ne le verrait pas du tout venir.

Il ouvrit la portière et sauta sur le trottoir. La réceptionniste d'Amanda — que Dieu bénisse la gentillesse irréfléchie de cette femme ! — lui avait indiqué exactement où il pouvait trouver Amanda. Elle plaidait dans une affaire de détournement de fonds dont était accusée une employée indélicate. Il claqua la portière en serrant la mâchoire : ah, c'était un beau métier qu'avait choisi son ex-femme !

Il grimpa quatre à quatre le massif escalier en béton. L'audience avait commencé depuis environ une heure. Il poussa la lourde porte en chêne, traversa la salle des pas perdus et repéra la chambre numéro cinq. Il s'y faufila sans bruit et s'installa au dernier rang.

C'était la partie adverse qui menait l'interrogatoire, mais Daniel pouvait voir la nuque d'Amanda assise près de sa cliente, une femme mince aux cheveux raides et ternes, vêtue d'un chemisier beige.

— Pouvez-vous identifier la signature sur le chèque, monsieur Burnside ? demanda l'autre avocat au témoin.

L'homme posa les yeux sur la chemise en plastique qu'il tenait à la main et désigna la prévenue du menton :

— C'est la signature de Mary Robinson.

— Avait-elle une délégation de signature ? continua l'avocat.

Le témoin approuva.

— Pour les dépenses courantes, les fournitures de bureau, les choses comme ça.

— Mais elle ne pouvait pas s'établir un chèque à elle-même ?

— Certainement pas. C'est de l'escroquerie !

Amanda se leva d'un bond.

— Objection, Votre Honneur ! Pure spéculation.

— Retenue. Contentez-vous de répondre aux questions, intima le président au témoin.

L'homme pinça les lèvres.

— Pouvez-vous nous indiquer le montant du chèque ? poursuivit l'avocat.

— Trois mille dollars, répondit le témoin, le regard dur.

— Monsieur Burnside, à votre connaissance, est-ce que Mary Robinson a acheté des fournitures de bureau avec cette somme ?

— Elle l'a volée !

Amanda sauta sur ses pieds.

— Votre Honneur...

— Retenue, coupa le juge d'un ton las.

— Mais c'est vrai, insista le témoin.

Le juge l'écrasa du regard.

— Est-ce que vous voulez me contredire ?

M. Burnside se tut.

— Plus de question, dit l'avocat.

« Bonne idée », songea Daniel. M. Burnside ne semblait pas aider sa cause.

Le juge regarda Amanda.

— Pas de questions, dit-elle.

— Maître Elliott, vous pouvez appeler votre premier témoin, dit le juge.

Amanda se leva.

— La défense aimerait appeler Collin Radaski à la barre.

Un homme en costume sombre se leva et s'avança dans l'allée. Au moment où Amanda se retournait vers son témoin, Daniel se dissimula derrière une femme à grand chapeau, placée deux rangs devant lui.

L'huissier fit jurer le témoin et Amanda le rejoignit à la barre.

— Monsieur Radaski, pourriez-vous nous indiquer le poste que vous occupez dans l'entreprise de bâtiment *Westlake* ?

— Je suis chef de bureau.

— Le contrôle des chèques de paie fait-il partie de vos attributions ?

— Oui.

Amanda revint vers la table des avocats à la défense et saisit une feuille.

— Est-il exact, monsieur Radaski, que Jack Burnside vous a demandé de retrancher le montant des congés payés des fiches de paie ?

— On ne règle pas les congés tous les mois.

— Est-il aussi exact que, chez *Westlake*, les heures supplémentaires sont payées au même tarif que les heures normales, et non pas cinquante pour cent de plus ?

— Nous avons un accord verbal avec les salariés sur ce point.

Amanda se tut un instant pour marquer son incrédulité.

— Un accord verbal ?

— Oui, maître.

Amanda retourna à la table et prit une autre feuille.

— Etes-vous conscient, monsieur Radaski, que *Westlake* enfreint le droit du travail depuis plus de dix ans ?

— Qu'est-ce que cela a à voir avec...

— Objection ! lança l'avocat de l'accusation.

— Sur quel motif ? demanda le président.

— Le témoin n'est pas en mesure de…

— Le témoin est le chef de bureau chargé de superviser les fiches de paie, fit observer Amanda.

— Objection rejetée, trancha le président.

Daniel ne put retenir un petit sourire de fierté.

Amanda parcourut ses notes. Daniel était pratiquement certain que c'était pour le spectacle. Toute son attitude indiquait qu'elle n'avait pas besoin de se rafraîchir la mémoire. Elle savait parfaitement où elle voulait en venir.

Elle releva la tête.

— Est-ce que vous êtes aussi conscient, monsieur Radaski, que *Westlake* doit à ma cliente quatre mille deux cent quatre-vingt-six dollars en arriérés d'heures supplémentaires et congés payés ?

— Nous avions un accord verbal, répéta le témoin.

— Un accord verbal de cette nature n'a aucune valeur légale devant un tribunal de New York. Monsieur Radaski, selon le cabinet d'expertise comptable *Smith & Stafford*, la société *Westlake* doit à ses employés anciens et actuels une somme totale de cent soixante et onze mille six cent soixante et un dollars d'arriérés de salaires.

Radaski regarda Amanda en clignant les yeux.

— Votre Honneur, reprit Amanda en prenant un épais dossier sur la table. J'aimerais déposer ce rapport comptable comme pièce à conviction. Ma cliente souhaite, à ce stade de la procédure, répliquer par une plainte contre *Westlake*, pour le règlement des salaires lui restant dus, c'est-à-dire pour une somme de quatre mille deux cent quatre-vingt-six dollars.

— Mais elle a volé trois mille dollars ! cria Jack Burnside depuis le banc des plaignants.

Le juge donna un coup de marteau sur son bureau.

Amanda eut un petit sourire et indiqua :

— Je vais contacter les salariés anciens et actuels de *Westlake* pour établir leur droit dans une action de groupe contre la société de construction.

Le juge se tourna vers l'avocat de l'accusation.

— Je demande une suspension pour consulter mon client, dit-il.

— Je m'en doute, répondit le juge en abattant une nouvelle fois son marteau. Cette affaire est reportée à jeudi après-midi, 15 heures.

Daniel se faufila discrètement vers la sortie, en se disant que ces moments dignes de séries télé devaient être rares. Mais quand même, Amanda était bonne, songea-t-il.

Amanda regarda la petite carte qui accompagnait un bouquet de vingt-quatre roses rouges. « Félicitations ! » Etonnée, elle lut la suite. « *Je t'ai vue à l'audience d'aujourd'hui. Si jamais j'attaque une banque, tu seras la première personne que j'appellerai. D »*

Daniel…

— Monsieur Magnifique ? demanda Julie, en pénétrant dans le bureau, une pile de dossiers sur les bras.

— Oui, elles viennent de Daniel, confirma Amanda.

Julie se pencha pour sentir les fleurs.

— Cette fois, vous allez vraiment devoir vous donner à lui sur le bureau.

Amanda s'amusa de l'effronterie de Julie.

— Ce n'est pas le genre de Daniel.

Julie joua avec les boucles de son collier noir.

— Envoyer des roses rouges sur le lieu de travail signifie que le type veut faire l'amour sur le bureau. C'est prouvé, assena Julie.

— D'où sors-tu ça ?

— Vous n'avez pas lu le dernier *Cosmo* ?

Amanda dégagea un peu de place sur la crédence pour poser le bouquet.

— Non.

— Je vais vous prêter mon exemplaire.

Amanda posa le vase.

— Et si les roses étaient jaunes ?

Julie sourit.

— Même chose. Réfléchissez ! Tout signifie qu'ils veulent le faire sur le bureau.

— Pas Daniel.

Amanda ne parvenait pas à imaginer Daniel faisant l'amour sur un lieu de travail, quelles que soient les circonstances. Ce serait un sacrilège pour lui.

— Essayez, lui conseilla Julie, l'œil pétillant. Vous serez surprise.

— Daniel n'est pas un homme surprenant.

— Vous attendiez les roses ?

Amanda réfléchit.

— Non, je dois l'avouer.

— Vous voyez !

— C'est mon ex.

Amanda n'allait pas faire l'amour avec Daniel, ni sur son bureau, ni ailleurs. C'était déjà assez de l'avoir embrassé !

— Mais il est sexy.

C'était un fait. Et il embrassait toujours aussi incroyablement bien. Elle n'avait pas rêvé : il lui avait rendu son baiser. Ce qui signifiait qu'il avait été troublé, lui aussi. Par conséquent, ils étaient tous les deux en situation délicate.

— Amanda ?

Elle cligna des yeux.

— Hum ?

Julie souriait.

— Vous aussi, vous le trouvez sexy.

— Je crois que je vais être en retard à mon rendez-vous.

*
* *

Dès qu'Amanda franchit le seuil de la véranda, elle fut contente d'être venue aux *Tides,* rendre visite à Karen.

— Ah te voilà ! dit Karen.

Elle était allongée sur un transat, des albums de photos étalés autour d'elle. Extirpant un prospectus du fouillis, elle expliqua :

— Je n'arrivais pas à me décider entre une pédicure et une séance de réflexologie. J'ai réservé chez *Eduardo* le 25, mais il faudrait choisir nos soins plus tôt. Tu veux un nettoyage de peau ?

— Bien sûr, approuva Amanda.

Maintenant qu'elle avait accepté ce week-end thermal, elle était assez excitée. Karen lui désigna un pichet de thé glacé sur la table basse.

— Tu en veux ?

Amanda se leva.

— Volontiers. Je te ressers ?

— S'il te plaît.

Karen reposa le prospectus et se redressa.

— Raconte-moi un peu ce qui se passe dans le monde, dit-elle.

— Le monde entier ? demanda Amanda.

— Ton monde.

— J'ai gagné une affaire ce matin.

— Félicitations !

— Ce n'est pas encore officiel. Le juge prendra sa décision jeudi. Mais j'ai menacé la société de

339

construction *Westlake* d'une action de groupe. Ils vont se désister.

— C'était cette affaire de détournement de fonds contre une Mary-quelque-chose ?

Amanda acquiesça.

— Une femme très gentille. Mère seule avec trois enfants à charge. Cela ne rendrait service à personne si elle passait six mois en prison.

— Mais elle a volé de l'argent, non ?

Amanda se rassit.

— Elle a pris une avance sur les congés payés qui lui étaient dus depuis des mois.

Karen sourit.

— Est-ce que tu accepterais d'être mon avocate ?

— Tu n'en as pas besoin.

— Cela pourrait venir. Je m'ennuie. Je pense à une attaque de banque…

— Décidément, c'est une manie, commenta Amanda avec un petit rire. Tu as parlé à Daniel ?

Les yeux de Karen pétillèrent.

— Non. Et toi ?

Amanda regretta immédiatement d'avoir lâché cette blague. Mais il était trop tard pour faire marche arrière. Cela n'aurait servi qu'à exciter la curiosité de Karen.

— Il m'a envoyé des fleurs, admit-elle. Il a évoqué une attaque de banque, lui aussi. Est-ce que vous me cachez quelque chose à propos de la fortune de la famille Elliott ?

— Quel genre de fleurs ?

— Des roses.

— Rouges ?

— Oui.

— Sapristi !

— Ce n'est pas ce que tu crois, répliqua aussitôt Amanda, sans trop savoir elle-même quoi penser de ce bouquet de fleurs.

— Comment est-ce que ça pourrait être autre chose que ce que je pense ? interrogea Karen. Une douzaine ?

Amanda hésita.

— Deux.

— Deux douzaines de roses rouges...

— C'était pour me féliciter.

— Te féliciter de quoi ?

— Il est passé me voir au tribunal. J'ai gagné le procès. Il m'a envoyé des fleurs.

Karen referma l'un des albums étalés devant elle.

— Daniel est allé te voir au tribunal ? Pour quoi faire ?

— Pour me prouver que j'ai tort.

Elle avala une gorgée de thé et poursuivit :

— Et je peux te dire qu'il me rend nerveuse. Après l'épisode Taylor Hopkins, il m'avait promis de me lâcher.

341

— Quel épisode Taylor Hopkins ?

— Daniel nous a invités à dîner ensemble l'autre soir, et Taylor a tenté de m'endoctriner avec un sermon sur le dollar Tout-Puissant.

— Taylor est certainement capable de faire ça, commenta Karen. As-tu visité sa nouvelle maison ?

— Non.

Karen se pencha et se mit à feuilleter un album.

— En voici une photo.

Amanda se leva et s'installa à côté de Karen.

— Jolie.

— Elle donne sur la plage et il y a des courts de tennis magnifiques.

C'était une belle maison, mais Amanda n'avait jamais été impressionnée par l'immobilier de luxe. Elle regarda les photos de la famille Elliott.

— Quelle jolie photo de Scarlet et Summer ! s'exclama-t-elle.

— Elle a été prise l'an dernier à Martha's Vineyard où nous avions tous fini par atterrir. Bridget a mitraillé comme une folle.

— Qui est là, avec Gannon ?

— Sa petite amie de l'époque. Je n'arrive même plus à me souvenir de son prénom. C'était entre une brouille et une réconciliation avec Erika.

A la mention d'Erika, Amanda repensa au récent mariage de Gannon.

— Tu as des photos du mariage ? demanda-t-elle.

— Bien sûr.

Karen tourna les pages de l'album et s'arrêta sur une classique photo de mariés.

— Magnifique robe, commenta Amanda.

— C'est une femme merveilleuse, dit Karen. Si bonne pour Gannon.

Sur une photo de famille de la page suivante, Amanda repéra Daniel, splendide dans son smoking. Puis, elle vit une femme près de lui.

— Sharon a débarqué, expliqua Karen. Personne ne savait très bien comment réagir.

Amanda regarda l'ex de son ex. Sharon était petite et menue avec des cheveux blonds légèrement platine. Elle ne faisait pas ses quarante ans. Impeccablement maquillée, elle portait une robe ruisselant de paillettes argentées. Avec ses fleurs dans les cheveux, elle concurrençait la mariée.

— Je ne lui ressemble vraiment pas, n'est-ce pas ? demanda Amanda, se sentant tout à coup décalée.

— Dieu merci, tu n'as rien à voir avec elle.

— Mais elle représente ce que veut Daniel.

— Tu sais qu'il a divorcé d'elle, n'est-ce pas ?

— Mais il l'a épousée.

— Il t'aime, *toi*.

— J'étais enceinte.

Karen prit Amanda par le bras.

— Tu es une femme gentille, compatissante, intelligente, aimante...

— Et elle est mince, belle, dotée d'une sorte de sixième sens en matière de créateurs de mode ou de mondanités.

— Elle est sèche et cruelle.

— Mais elle a beaucoup d'allure en robe du soir. C'était incontestable.

— Toi aussi.

Amanda sourit.

— Tu ne m'as pas vue dans une robe du soir depuis au moins dix ans. D'ailleurs, à bien y réfléchir, moi-même je ne me suis pas vue en robe du soir depuis des années !

— Peut-être qu'il serait temps d'y songer.

— Je dois mettre des sous-vêtements à armature, confessa Amanda.

Karen gloussa.

— Eh bien, au moins, moi je n'ai plus besoin de ce genre d'attirail !

Horrifiée, Amanda sentit son sang se glacer. Mais Karen secoua la tête et dit :

— Merci. C'était ma première blague sur les seins.

Amanda eut un mouvement de recul.

— Mais je...

— Ne t'excuse surtout pas ! Tu te fiches de la perfection. C'est pour cela que tu as parlé de seins sans faire attention, parce que tu es capable d'oublier mon opération.

C'était vrai. Quand elle pensait à Karen, Amanda pensait à une vraie amie, pas à une personne ayant subi une mastectomie.

— C'est pourquoi je t'aime tant, reprit Karen, en serrant plus fort le bras d'Amanda. Tu te moques des imperfections physiques.

— Pas Daniel, apparemment, reprit Amanda avec un soupir dont elle n'aurait su dire la signification.

— Je ne crois pas.

— Ma chérie, rétorqua Amanda, nous sommes d'accord toutes les deux pour considérer que Sharon n'a rien pour elle, à part son aspect physique, n'est-ce pas ?

— Oui, admit Karen.

— Alors c'est forcément ce qui a attiré Daniel.

Involontairement, Karen baissa les yeux sur son pantalon de toile bleu et son chemisier blanc.

— Est-ce que ça t'importe, ce qu'il pense ? demanda Karen.

« Bonne question », se dit Amanda. Elle aurait dû s'en moquer éperdument. Elle ne cherchait pas à lui plaire. Tout ce qu'elle voulait c'était qu'il sorte de sa vie.

Pourtant, le baiser, les fleurs, les souvenirs… Quelque chose était en train de se produire. Et elle ne savait comment s'en défendre.

*
* *

— Papa ?

Cullen lui donna un coup, sous la table de la salle du conseil d'administration, et lui glissa une feuille de papier.

Daniel revint à la réalité et se força à se concentrer sur les visages attentifs des membres de l'équipe de direction du groupe. Il était en train de se demander si Amanda avait aimé les roses. Pour gagner du temps, il regarda le papier de Cullen.

« Dis : Cullen a ces chiffres », lut-il.

Daniel releva la tête, et se redressa légèrement.

— Cullen a ces chiffres, dit-il.

L'attention se reporta immédiatement sur Cullen.

— Les chiffres de l'Allemagne et de l'Espagne sont très prometteurs, annonça Cullen. Ceux du Japon ne sont pas significatifs, en raison des coûts de traduction. Quant à la France, elle reste marginale.

« Ah, les bureaux de traduction », se dit Daniel, en rattrapant le train en marche.

Michael, le frère de Daniel, hocha la tête.

— Nous obtenons à peu près les mêmes résultats pour *Pulse*. Le Japon va incontestablement nous rapporter moins.

La sœur de Daniel, Finola, prit la parole.

— *Charisma* est prêt pour tous les marchés.

— C'est parce que vous donnez un maximum de

place à la photo, analysa Michael. Vous pourriez pratiquement vous passer de frais de traduction.

— Tout de même pas. C'est un tout, répliqua Finola.

— Et toi, Shane ? interrogea Michael.

Daniel sentit que tout le monde se demandait si le frère jumeau de Finola allait prendre le parti de sa jumelle ou défendre son magazine.

— *Buzz* pourrait se concevoir avec ou sans traduction.

— Pourquoi ne pas reporter le débat au sujet du Japon ? suggéra Cullen.

— Pourquoi ? demanda Cade McMann, le rédacteur en chef de *Charisma*. Rien ne va changer.

— Et si nous testions deux bureaux de traduction, l'Allemagne et l'Espagne ? proposa Cullen. Nous ne pourrons pas perdre sur les deux marchés, et cela nous permettra peut-être de répondre à quelques questions encore en suspens.

Le silence se fit, tandis que tout le monde réfléchissait à la proposition. Cullen afficha un petit sourire.

— Je pense que personne n'a envie de réaliser des pertes inutiles cette année, n'est-ce pas ?

Il y eut des hochements de tête approbateurs autour de la table.

— Je peux demander à Patrick de trancher la question, proposa Michael.

— Cela me va, dit Daniel, fier du sens du compromis de son fils.

— Parfait, dit Shane en claquant la main sur la table. On peut lever la séance ? J'ai un déjeuner d'affaires.

Tandis que les uns et les autres se levaient et récupéraient leurs papiers, Daniel se représenta le sourire d'Amanda, une fois encore. Avait-elle aimé les roses ? Peut-être devrait-il l'appeler et le lui demander, juste pour être sûr que les fleurs lui étaient bien parvenues ?

— Tu as une minute, papa ? demanda Cullen au moment où Daniel s'apprêtait à se lever.

— Bien sûr, fit-il en se rasseyant.

La porte de la salle du conseil se referma sur le reste de l'équipe de direction ; ils restèrent seuls tous les deux.

Cullen fit pivoter sa chaise et se pencha, faisant rouler son stylo en or entre ses doigts.

— Bon. Qu'est-ce qui se passe ?

— Que veux-tu dire ?

Cullen ricana en hochant la tête.

— Je veux dire que j'ai dû te sauver la mise trois fois pendant cette réunion. Qu'est-ce qui te rend aussi distrait ?

— Tu n'as pas…

Cullen tapota du doigt la note qu'il lui avait passée au cours de la réunion.

— Je pensais juste…

— A maman ?

— Aux affaires.

— C'est le potentiel du marché espagnol qui allumait cette étincelle dans tes yeux ?

— Je n'avais pas d'étincelle dans les yeux.

Cullen reposa son stylo ; soudain, il eut l'air dirigeant, jusqu'au bout des ongles.

— Qu'est-ce que tu fais, papa ?

Daniel scruta le visage de son fils.

— Comment ça ?

— Tu es allée la voir au tribunal hier.

— Et alors ? Je suis en train d'essayer de la faire changer de métier. Tu le sais.

Cullen regarda Daniel d'un air malin.

— Papa, papa, papa...

— Quoi, quoi, quoi ?

— Tu es retombé amoureux de maman.

Daniel faillit s'étouffer.

— Pardon ?

— Papa, tu sais très bien qu'il ne s'agit pas de son métier.

Daniel s'adossa dans son siège et regarda son fils d'un air incrédule. Cullen ne pouvait pas savoir au sujet du baiser. Même le téléphone arabe des Elliott n'était pas à ce point efficace.

— Papa, j'ai discuté avec Bryan. On pense tous les deux que c'est une bonne idée.

— Vous pensez que quoi est une bonne idée ?

— Que vous vous remettiez ensemble, toi et maman.

Daniel leva les bras.

349

— Eh bien !

Cullen reprit :

— Tu auras peut-être du mal à la convaincre, mais nous pensons que le jeu en vaut la chandelle.

— Oh, vous pensez, n'est-ce pas ?

Daniel se pencha en avant et dévisagea son jeune fils. Il ne savait pas ce qui se passait entre Amanda et lui, mais ce dont il était sûr, c'est qu'il n'avait pas besoin de supporters mal inspirés.

— Ne vous mêlez pas de ça, les garçons ! ordonna-t-il, laconique.

— Ecoute, papa, que tu sois d'accord ou non, Bryan et moi on est vraiment d'accord : c'est le moment de dépasser cette salade sur le métier d'avocat d'affaires. C'est une manœuvre, de toute façon. Alors va de l'avant et fais-lui la cour.

— Elle n'est pas…

— Envoie-lui des fleurs ou quelque chose.

— J'ai déjà…, commença Daniel, avant de s'arrêter net.

— Tu as déjà quoi ?

Daniel sauta sur ses pieds et attrapa ses dossiers.

— Cette réunion est terminée.

Cullen se leva aussi.

— Tu as déjà quoi ?

— Tu es un jeune voyou effronté.

— Tu sais, elle n'a pas eu de petit ami depuis un moment.

Daniel ne put s'empêcher de demander :

— Que veux-tu dire par « depuis un moment » ?

A l'idée d'Amanda sortant avec quelqu'un d'autre, il ressentit comme un coup de poignard dans la poitrine. Il avait eu la même réaction quand Taylor avait flirté avec elle.

— Un certain Roberto lui a fait une demande en mariage à Noël dernier.

— Une demande en mariage ?

— Elle a refusé. Mais je pense que tu as plus de chance.

Un autre homme avait voulu épouser sa femme ? Daniel sentit l'air manquer dans ses poumons. Elle aurait pu dire oui. Elle aurait pu être mariée à présent, hors d'atteinte. Et il n'aurait plus la moindre chance de…

De quoi au juste ?

Cullen s'appuya des deux mains sur la table.

— Emmène-la en dehors de la ville, papa ! Fais-la se sentir unique.

Daniel regarda son fils d'un air absent.

— Elle aime le homard, continua Cullen.

Chez Hoffman, on trouvait des homards succulents. Ou chez Angelico. Daniel imagina Amanda avec lui dans un restaurant aux lumières tamisées. Resplendissante.

Avec une vertigineuse certitude, Daniel sut que son fils avait raison. Cela signifiait qu'il se retrouvait dans une situation délicate : il voulait sortir avec son ex-femme.

Séducteur patenté, Daniel savait qu'en matière de rendez-vous galants, la première impression comptait énormément. Son expérience lui dictait donc de se concentrer sur les détails.

Comme calligraphe, il pensa à un petit imprimeur, sur Washington Square, capable de fabriquer une invitation élégante en un temps record. Il pourrait envoyer le chauffeur la porter chez Amanda en fin d'après-midi.

Il s'adossa dans son siège et sonna Nancy.

Deux heures plus tard, il recevait une réponse. Un simple mail d'Amanda. Il avait opté pour le style et l'élégance ; elle avait choisi la méthode expéditive. Il cliqua sur le message.

« Non, merci », lut-il. Aurait-elle pu faire plus sec et impersonnel ? Cette réponse ne lui offrait aucune prise. Pas d'explication, pas de suggestion de reporter le rendez-vous. Rien.

Non, merci ? Cela l'étonnerait. S'il avait fait de

Snap un grand succès, c'était parce qu'il n'était pas homme à se contenter de pareils refus.

Il appuya sur l'Interphone.

— Nancy, pouvez-vous m'appeler le bureau d'Amanda Elliott, s'il vous plaît ?

— Tout de suite.

Dès que le voyant lumineux de la ligne numéro un clignota, il décrocha.

— Amanda ?

— C'est Julie.

— Oh… Est-ce qu'Amanda serait disponible ? C'est Daniel Elliott à l'appareil.

— M. Magnifique ?

— Je vous demande pardon ?

Elle gloussa, puis répondit :

— Un moment, je vous prie.

Daniel se massa les tempes. Il ne voulait pas de dispute, juste un rendez-vous. Un simple dîner pour discuter et savoir où ils en étaient tous les deux. Il entendit sa voix rauque sur la ligne.

— Amanda Elliott.

— Amanda ? C'est Daniel.

Silence.

— J'ai reçu ton message.

Il s'efforçait de garder un ton uni, sans trace de reproche.

— Daniel…

Il fit l'idiot.

— Est-ce que le vendredi soir ne te convient pas ?

Nouvelle pause.

— Ce n'est pas un problème d'emploi du temps.

— Vraiment ? s'étonna-t-il. De quel genre de problème s'agit-il alors ?

— Ne joue pas à cela, Daniel.

— A quoi ?

— Les roses étaient superbes, mais…

— Mais quoi ?

— Tu veux que je sois franche ?

— Bien sûr.

Elle poussa un soupir.

— Je n'ai pas l'énergie.

— Je ferai la réservation. J'irai te chercher. Je réglerai la note et je te ramènerai à la maison. En quoi cela pourra-t-il te prendre de l'énergie ?

— Ce n'est pas l'organisation matérielle qui en prend.

— Alors, c'est quoi ?

— C'est toi. Tu me promets de me laisser tranquille, mais tu débarques au tribunal.

— Je ne m'occupe pas de tes affaires, se défendit-il.

— Vraiment ? M'espionner, c'est t'occuper de mes affaires.

— Je ne t'espionnais pas.

Bon, peut-être l'espionnait-il. Mais c'était hier.

Maintenant, il se fixait une nouvelle mission, bien meilleure.

— Tu m'as observée au tribunal.

— Comme pas mal de gens dans le public.

— Daniel…

C'était le moment de jouer le tout pour le tout.

— Tu avais raison ; j'avais tort ; je vais arrêter, dit-il.

Il y eut un long silence. Puis, Amanda demanda avec un soupçon de rire dans la voix :

— Pourrais-tu répéter ça ?

Daniel grogna :

— Non.

Un autre silence.

— C'est quoi l'enjeu ?

Daniel fit pivoter son fauteuil.

— Pas d'enjeu. Je veux juste t'inviter à dîner. C'est ma façon de m'excuser.

— T'excuser ? Toi ?

— Oui. Je crois que nous avons fait beaucoup de progrès dans notre relation, Mandy.

Elle eut le souffle coupé, en l'entendant utiliser ce petit nom.

— Je ne veux pas perdre ça, continua-t-il. Et je te promets de n'émettre aucune opinion sur les avantages comparés du droit des affaires et du droit pénal pendant toute la durée du dîner.

— Est-ce que quelqu'un se joindra à nous au dernier moment ? s'enquit-elle d'une voix enjouée.

— Non, si cela ne tient qu'à moi.

— Qu'est-ce que cela signifie ?

De sa vie, il ne se souvenait pas d'avoir autant ramé pour obtenir un rendez-vous. Il devait perdre la main.

— Cela signifie que je ne peux pas me porter garant du comportement de tous les citoyens de la ville de New York. Mais que je n'inviterai personne d'autre que toi.

— C'est une promesse ?

— Un serment.

Un autre silence.

— D'accord, finit-elle par lâcher.

— Vendredi soir ?

— Vendredi soir.

— Je passerai te prendre à 20 heures.

— Au revoir, Daniel.

— Au revoir, Amanda.

Daniel sourit, gardant la main une minute sur le combiné après avoir raccroché. Il avait réussi ! Maintenant, il ne manquait plus qu'une boîte d'excellents chocolats et une réservation chez Hoffman.

Amanda était vraiment trop simplement habillée pour un endroit comme Hoffman. Elle s'était précipitée chez elle, après le travail, et elle avait enfilé une jupe en jean noire et un chemisier de coton blanc. Son maquillage était léger et ses cheveux, tirés en arrière, découvraient des boucles d'oreilles de jade. Elle avait bien suggéré de dîner au bistrot du coin, mais Daniel n'avait pas voulu changer d'avis.

Dans le plus pur style Elliott, il s'était battu pour obtenir une table dans le restaurant le plus branché du moment, bien décidé à faire étalage de son argent et de ses relations. Qui compte-t-il donc impressionner ? s'était demandé Amanda. Car elle n'était pas du genre à se pâmer pour des hors-d'œuvre à cinquante dollars. Elle ne s'imaginait pas non plus comme un trophée que Daniel pourrait exhiber devant ses congénères.

Un serveur en smoking les conduisit vers une alcôve aux lumières tamisées, près d'une baie vitrée donnant sur le parc. Daniel leur commanda un Martini. En son for intérieur, Amanda apprécia le confort des chaises à hauts dossiers. Et elle admit que la porcelaine fine et le mobilier ancien flattaient le regard.

Le serveur recouvrit la table d'une nappe de lin et tendit la carte des vins à Daniel. Comme chez les Elliott, l'importance des événements se mesurait en dollars, Amanda se dit qu'il allait se passer quelque chose. Elle se pencha vers lui.

— Tu m'as bien juré que cette soirée n'entrait pas dans le cadre d'un vaste plan visant à me faire changer de carrière ?

— Tu es cynique, répondit Daniel avec son plus désarmant sourire.

— J'ai seulement un peu d'expérience, rétorqua Amanda.

Elle s'attendait presque à voir Taylor Hopkins surgir de derrière une tenture. Daniel se concentra sur la carte des vins.

— Tu devrais te détendre et profiter de ce dîner, lui conseilla-t-il.

— C'est ce que je vais faire, dès que le moment de vérité sera passé.

— Le moment de vérité ? demanda-t-il en relevant la tête.

— Quand on découvre la dernière pièce à conviction et que tout devient lumineux.

— Tu passes trop de temps dans les tribunaux.

— J'ai été trop longtemps ta femme.

Daniel ferma la carte et la regarda par-dessus la petite bougie.

— Voyons si je peux faire progresser les choses.

Surprise, Amanda demanda :

— Tu vas confesser le vil complot que tu fomentes ?

Un serveur en courte veste rouge s'arrêta pour remplir leurs verres d'eau et déposer un panier de petits pains frais sur la table. Daniel le remercia et reporta son attention sur Amanda.

— Il n'y a pas de vil complot. C'est Bryan l'espion de la famille, pas moi.

Amanda frémit. Daniel lui saisit la main et la

pressa ; elle ressentit un chaud fourmillement dans tout son bras.

— Désolé, dit-il.

— C'est de l'histoire ancienne, fort heureusement, soupira-t-elle en retirant sa main. Alors confesse-toi. Qu'est-ce qui se passe ?

— Je voulais te dire que je t'ai trouvée formidable à l'audience.

Le compliment lui réchauffa le cœur, mais elle combattit cette sensation. Ce n'était pas le moment de mollir face à Daniel qui manigançait quelque chose.

— C'est gentil, mais ce n'est pas pour cela que nous sommes ici, répliqua-t-elle en attrapant un petit pain.

Il était chaud et odorant, juste comme elle aimait.

— Nous sommes ici parce que, quand je t'ai vue pilonner ce type, j'ai compris que j'avais tort de te pousser à changer de carrière.

Amanda ne pouvait ignorer ce compliment. Ce n'était pas des paroles en l'air. Au plus profond d'elle-même, elle sentait que Daniel était sincère.

Le serveur apparut et déposa un verre de Martini devant chacun d'eux.

— Etes-vous prêts à commander ? demanda-t-il.

— Donnez-nous encore quelques minutes, répondit Daniel sans quitter Amanda des yeux.

Le serveur s'inclina et se retira. Daniel prit son verre pour trinquer. Amanda leva le sien.

— Disons que je te crois, dit-elle.

— J'applaudis à ta clairvoyance.

— Mais je continue à penser que tu mijotes quelque chose.

Il haussa les épaules.

— Il n'y a rien d'autre que ce que tu vois.

— Oui, bien sûr ! Les Elliott sont renommés pour leur transparence.

Il la regarda avec une telle intensité que l'air sembla se solidifier entre eux.

— Je suis aussi clair que je peux l'être.

Elle attendit.

— Réfléchis, Amanda. Chocolats, fleurs, dîner...

Elle cligna des yeux.

— Tu me fais la cour ?

Il sourit avec une certaine fierté.

— C'est cela.

— Non, non, ce n'est pas vrai, fit Amanda d'une voix trop rapide. Tu voulais t'excuser. Nous sommes en train de rééquilibrer notre relation pour le bonheur de nos enfants et de nos petits-enfants.

— Tu peux dire ce que tu veux, Amanda. Je ne vais pas me disputer avec toi.

Elle lui adressa un regard de défi, mais le serveur réapparut, l'empêchant de répliquer.

— Etes-vous prêts à commander ?

— Oui, dit-il en regardant Amanda. Le homard ?

Amanda ne put réprimer un petit frisson, en constatant qu'il se souvenait de son plat favori. Mais elle se ressaisit très vite. Ce n'était pas un rendez-vous amoureux. Ces détails intimes stupides n'étaient que de vieilles habitudes.

— Les coquilles Saint-Jacques, annonça-t-elle pour le contredire. Et une salade verte.

— Tu es sûre ? s'étonna Daniel.

— Oui.

— La même chose pour moi, dit-il.

— Mais…

Elle s'était attendue à le voir commander une côte de bœuf, mais elle n'était pas près de l'admettre. Ce soir, il s'agissait seulement de rétablir des relations harmonieuses. Elle se creusa la tête à la recherche d'un sujet de conversation neutre.

— Alors, euh, tu as réussi à résoudre tes problèmes juridiques ?

Daniel but une gorgée de son Martini.

— Quels problèmes juridiques ?

— Le règlement intérieur pour les employés.

— Ah cette histoire ! Malheureusement, il semble qu'on va devoir licencier le type.

— Tu vas licencier quelqu'un parce qu'il n'a pas respecté le règlement intérieur ?

— J'en ai bien peur.

D'instinct, Amanda fut sur la défensive.

— Tu te montres un peu cavalier avec le gagne-pain de cet homme !

— Eh bien, il s'est aussi montré cavalier dans son travail.

— Qu'a-t-il fait ?

— Il a pris sur son temps de travail pour faire autre chose.

— Quoi ? Il est allé chez le coiffeur ?

Daniel poussa un soupir.

— On ne licencie pas quelqu'un pour un rendez-vous chez le coiffeur.

— Moi non. Mais, on pourrait penser que tu en es capable.

— Il a appelé pour dire qu'il était malade et un responsable l'a vu sur la Septième Avenue.

— Peut-être allait-il chercher son ordonnance ?

— D'après mes sources, il avait l'air en pleine forme.

Elle fronça les sourcils.

— Tu as tes *sources* ? Bryan tient vraiment de toi.

Daniel passa le doigt sur le pied de son verre de Martini.

— Même toi, tu dois admettre qu'une société de la taille de la *Elliott Publication Holding* ne peut s'offrir le luxe de garder des salariés qui abusent des congés maladie.

— Mais est-ce que tu lui as demandé sa version des faits ?

— Pas personnellement. On lui a proposé d'apporter un certificat médical. Il ne l'a pas fait.

Amanda se pencha sur la table.

— Peut-être qu'il n'a pas vu de docteur ?

Daniel avala une autre gorgée de son Martini.

— Il s'est absenté pour maladie. Il n'était pas malade. C'est de la fraude.

— Est-ce qu'il a été entendu de manière juste et impartiale ?

— Pourquoi ? Tu veux prendre sa défense ?

Elle croisa son regard, avec un air de défi.

— J'adorerais prendre ce dossier.

Daniel recula sur sa chaise.

— On devrait danser.

— Pardon ?

Du menton, il désigna un escalier.

— Il y a une piste de danse sous la véranda, en haut.

— Mais, on vient juste de commander.

Il se leva et lui tendit la main.

— Je vais leur demander d'attendre un peu. Je pense qu'on devrait faire quelque chose qui ne requiert aucune discussion pendant un moment.

— Je gâche ton parfait dîner d'amoureux ?

— Disons que tu es un cas plus compliqué que la moyenne…

— Peut-être devrais-tu me laisser tomber ?

— Je suis un gentleman.

Amanda se leva, sans saisir la main tendue.

— Daniel, tu ferais mieux d'annuler nos commandes et de me ramener à la maison.

Tendue, elle attendit sa réponse. Quitter ce restaurant lui apparaissait comme la chose la plus sensée du monde. Danser avec lui, comme une initiative stupide et dangereuse.

— Ne sois pas ridicule, répondit-il en lui saisissant la main.

Au plus profond d'elle-même, elle se détesta d'en éprouver un tel soulagement. Les doigts chauds et forts de Daniel s'entremêlèrent aux siens, et elle sentit toute résistance la quitter.

— Ceci n'est pas un rendez-vous amoureux, affirmat-elle tandis qu'il la guidait vers l'escalier.

— Bien sûr que si. Je t'ai envoyé des roses.

— Tu sais que ma maison est parfumée comme un magasin de fleuriste ?

Il s'effaça devant elle, au bas de l'escalier en colimaçon.

— C'est mal ?

— C'est bizarre.

— Tes anciens petits amis ne t'envoyaient pas de fleurs ?

Elle tourna la tête vers lui.

— Quels anciens petits amis ?

— Cullen m'a parlé de Roberto.

Amanda trébucha sur une marche, et se raccrocha à la rambarde. Son histoire avec Roberto avait été passionnée. Daniel l'attrapa par la taille pour l'empêcher de tomber.

— Il t'a demandée en mariage ?

Elle retrouva l'équilibre.

— Oui.

— Tu as refusé ?

— Oui.

— Pourquoi ?

— Cela ne te regarde pas.

Elle ouvrit la porte, en haut de l'escalier, et se laissa submerger par la musique d'un quintette à cordes.

— Très juste, dit-il.

Amanda s'attendait à une dispute, aussi fut-elle désarçonnée par la réaction de Daniel. Il la prit par la taille et la guida vers la piste. Elle comprit immédiatement qu'elle avait fait une erreur colossale en acceptant de danser avec lui. Et dès le départ, en acceptant cette soirée avec lui. Elle aurait dû le savoir : quand un Elliott sortait le grand jeu, aucune femme ne pouvait vraiment résister.

Daniel l'attira contre lui et elle se laissa aller à son rythme. La brise du soir était fraîche. Même les étoiles coopéraient : elles brillaient dans un ciel étonnamment clair. Amanda se demanda si les super riches pouvaient aussi contrôler la météo. Peut-être y avait-il un réseau de satellites secret là-haut ?

Elle bascula la tête en arrière et contempla les petites taches argentées qui s'éparpillaient dans la lueur pourpre du ciel de minuit.

— Est-ce que tout ce que tu fais est toujours aussi parfait ?

Il eut un petit rire, venant du fond de la gorge.

— Aussi parfait ?

— Parfaites fleurs, parfait dîner, parfaite nuit.

Il regarda en l'air, comme elle.

— Il faut juste un peu planifier.

— Et tu es un planificateur.

— Oui.

— Tu ne fais jamais rien au hasard ?

Il haussa les épaules.

— Quel intérêt ?

L'orchestre enchaîna sur une autre valse, et Daniel resserra son étreinte. Amanda s'ordonna de ne pas aimer cela. C'était déjà assez grave qu'elle fantasme sur lui quand elle se trouvait seule à l'arrière d'une limousine. Fantasmer pendant qu'il la tenait dans ses bras, c'était vraiment trop dangereux.

— Cela peut être drôle, répondit-elle, se forçant à entretenir la conversation.

Tout sauf laisser libre cours à ses pensées érotiques.

— Qu'est-ce qu'il y a de drôle dans la désorganisation ?

— Je te parle de spontanéité.

— Spontanéité n'est qu'un synonyme de chaos.

— C'est faire ce qu'on veut quand on veut.

— C'est juste frivole.

— Tu me traites de femme frivole ?

367

Il posa son front contre celui d'Amanda en soupirant.

— Je ne te traite de rien du tout. Je veux seulement dire que je n'ai pas le temps de changer de désir en une semaine. Je ne change pas vite à ce point-là !

— Et en un mois ? En un an ?

— Là nous sommes dans des registres de planification différents…

Amanda recula, puis s'arrêta.

— Tu as vraiment des projets à un an ?

— Evidemment. Il y a le cycle des comptes annuels, les réservations, les conférences. On ne peut pas juste sauter dans un avion pour Paris, au dernier moment, et balancer une plaquette du groupe à nos collaborateurs extérieurs !

— Et s'il y a un changement ?

Il l'entraîna de nouveau dans la danse ; sa paume chaude descendit le long du dos d'Amanda, la faisant frissonner.

— Qu'est-ce qui peut changer ? Je veux dire, fondamentalement changer ?

Malgré tous ses efforts pour entretenir le débat, Amanda sentait sa voix s'adoucir, devenir plus soyeuse encore que l'air de la nuit.

— Tu n'as jamais envie de vivre au jour le jour ?

— Non.

— Même pas pour les petites choses ?

— Amanda…

La voix de Daniel s'était voilée, et sa main poursuivait ses allers-retours tranquilles le long du dos d'Amanda.

— Il n'y a pas de petites choses.

— Et ce dîner ? Est-ce que ce n'aurait pas été marrant de choisir un restaurant selon l'inspiration du moment ?

Il les fit tourbillonner vers l'extérieur de la piste tout en répondant d'un ton moqueur :

— Tu aurais préféré faire la queue pendant deux heures avant d'obtenir une table ?

Battant le rappel de son énergie chancelante, elle lui donna une tape sur le bras.

— Tu fais exprès de ne pas comprendre.

— Je suis logique. Prévoir n'enlève pas le plaisir de la vie. Au contraire. Il permet de goûter le plaisir parce qu'on a éliminé toutes les contrariétés.

Elle le regarda de nouveau.

— Prends des risques, une fois de temps en temps…

— Je n'en ai pas envie.

— Cela donne la sensation d'être vivant.

Il se tut. Puis, d'un geste tendre, il dégagea une mèche de cheveux rebelles du visage d'Amanda, et elle ne put réprimer un frisson.

— Tu crois ? demanda-t-il doucement.

— J'en suis sûre, affirma-t-elle.

— Très bien. Voici quelque chose que tu n'avais sans doute pas prévu.

Tout en l'attirant plus près de lui, il s'inclina vers

sa bouche. Ce fut un doux baiser qui ne dura pas plus de dix secondes. Mais il eut le temps d'allumer le désir d'Amanda. Les étoiles argentées se troublèrent et elle sentit ses genoux fléchir.

Il l'embrassa de nouveau, avec plus d'insistance, et Amanda sentit que tout devenait flou autour d'elle. Elle s'accrocha aux épaules de Daniel, se répétant silencieusement son nom encore et encore. Juste au moment où des mots fous menaçaient de lui échapper, il mit fin au baiser.

Ils se regardèrent l'un l'autre, immobiles au milieu des couples qui ondulaient, reprenant leur souffle pendant de longues minutes.

— Tu n'avais pas prévu cela, n'est-ce pas ? demanda-t-il enfin.

Elle observa la lueur dans ses yeux.

— Et toi ?

— Oh oui ! Depuis une semaine !

— Quoi ?

Il eut un rire rauque.

— Je suis un planificateur, Amanda. On ne peut rien y changer.

— Mais…

— Et mes plans soigneusement élaborés ne m'ont pas privé de la moindre parcelle de plaisir.

Amanda se dégagea. Il avait prévu de l'embrasser ? Une idée effrayante lui traversa l'esprit et elle s'agrippa plus fort aux bras de Daniel pour garder son équilibre.

— S'il te plaît, dis-moi que tu n'as rien programmé d'autre.

Ses dents blanches brillèrent à la lueur de la lanterne.

— Il vaut mieux que je ne réponde pas.

- 8 -

L'Interphone de Daniel sonna, le lundi matin, et la voix de Nancy annonça :

— Mme Elliott pour vous.

Amanda ? Daniel n'en crut pas ses oreilles. Elle lui avait semblé si nerveuse après leur baiser, vendredi soir, qu'il avait décidé de prendre ses distances pendant quelques jours.

Peut-être avait-il eu tort de dévoiler son jeu si vite ? Mais il voulait lui faire comprendre son envie de recommencer une histoire avec elle. Plus il la voyait, plus il se souvenait de tout ce qu'ils avaient partagé, et plus il voulait faire renaître cette magie.

Il se leva, rajusta sa cravate, se passa la main dans les cheveux et appuya sur le bouton de l'Interphone.

— Faites-la entrer, dit-il.

La porte s'ouvrit. D'un seul coup, le sourire avenant de Daniel s'évanouit. C'était Sharon. *L'autre* Mme Elliott. Elle entra, redressant au maximum son mètre soixante.

Daniel détailla son ex-femme, mince à en faire

presque de la peine, avec ses cheveux fatigués de trop de visites chez le coiffeur. Ses yeux bleus lançaient des éclairs ; elle claqua violemment la porte derrière elle.

— Que diable fabriquais-tu ? siffla-t-elle en avançant dans la pièce.

— Ce que je fabriquais ?

— Chez Hoffman ?

Daniel se rassit et remua une pile de papiers.

— Je peux faire quelque chose pour toi, Sharon ?

Elle s'arrêta devant le bureau.

— Oui. Respecter les termes de notre divorce.

— Tu as reçu ton chèque.

Elle l'avait d'ailleurs encaissé dans la journée.

— Je ne parle pas d'argent ! cria-t-elle. Je parle de notre accord.

— Quel accord ?

Daniel signa une lettre, puis porta son attention sur un dossier.

— J'ai une matinée chargée, ajouta-t-il.

Sharon appuya ses deux mains sur le rebord du bureau et se pencha en avant. C'était difficile pour une fée ultra décolorée de paraître intimidante, mais elle s'appliquait.

— Notre accord pour faire croire à nos amis que c'est moi qui te quittais !

— Je ne leur ai jamais dit autre chose.

— Les actions parlent plus que les mots, Daniel.

Il jeta un coup d'œil à sa montre.

— Peut-on en venir à l'essentiel ? J'ai un rendez-vous avec Michael à 10 heures.

Sharon serra les mâchoires et des rides se formèrent au coin de ses yeux, malgré deux opérations de chirurgie esthétique hors de prix.

— Personne ne va me croire si tu caresses une autre femme sur les pistes de danse !

Daniel se redressa.

— Ce n'était pas une autre femme, c'était Amanda.

Sharon balaya la remarque d'un revers de main.

— Tiens-toi à l'écart d'elle, Daniel.

— Non.

Les yeux bleu pâle de Sharon lui sortirent quasiment de la tête.

— Quoi ?

Il se leva et se croisa les bras sur la poitrine.

— J'ai dit : non.

— Comment oses-tu…

— J'ose parce que nous sommes divorcés, toi et moi. Et j'ai l'intention de voir qui je veux, quand je veux.

— Nous avions un accord ! dit-elle en trépignant.

— J'ai accepté de mentir, une fois, pour préserver ta réputation. C'est fini. Tu n'as plus ton mot à dire sur ma vie. Tu comprends cela ?

Sharon fit une jolie petite moue. Son expression

en fut presque magiquement transformée. Avec une certaine gêne, Daniel pensa que ce genre de comédie avait prise sur lui, autrefois.

— Mais, Daniel, minauda-t-elle, je serai humiliée.

— Pourquoi ?

— Parce que les gens penseront que tu m'as laissée tomber.

— Ecoute, Sharon, si tu veux sauver ta réputation, sors avec des hommes. Sois heureuse. Montre-leur à quel point tu es épanouie depuis que tu es débarrassée de moi.

Elle versa des larmes de crocodile qui n'émurent pas Daniel. Il lui avait laissé la maison, les œuvres d'art, les abonnements aux spectacles de la saison, le personnel de maison. Il était quitte.

Il se leva et se dirigea vers la porte.

— Tu es libre, Sharon. Raconte-leur tout ce que tu veux, mais laisse-moi en dehors de tout ça.

Elle redressa les épaules.

— Au moins, ne t'affiche pas avec cette femme en public !

Daniel ravala les paroles qu'il avait envie de lui hurler. Il ouvrit la porte.

— Au revoir, Sharon.

Elle renifla, leva son petit menton pointu, coinça sa pochette sous son bras et partit.

Une fois la porte refermée, Daniel retourna s'installer à son bureau. Ne pas s'afficher en public avec Amanda ? C'était ce qu'on allait voir. Il sonna Nancy.

— N'aurais-je pas reçu des invitations pour ce week-end ? Quelque chose de très chic, de très mondain ?

— Il t'a *embrassée* ? s'étonna Karen, ses yeux verts s'éclairant d'un sourire, tandis qu'elle tassait la terre autour d'une violette africaine.

Elle travaillait dans le solarium, outils, terre de rempotage et engrais étalés sur la table devant elle.

— Est-ce que je suis folle ? demanda Amanda, en transportant un plateau de jeunes plants sur une étagère, à l'autre bout de la pièce.

— Folle de craquer pour ton ex-mari ?

Amanda grommela en revenant.

— C'est encore pire quand tu le dis tout haut.

— Au contraire ! C'est vraiment mignon, commenta Karen en ôtant ses gants et en se laissant tomber sur une chaise en osier.

Immédiatement, Amanda alla vers elle.

— Tu te sens mal ?

Karen hocha la tête et sourit.

— Juste un peu fatiguée. Mais c'est une saine fatigue. C'est bon de faire quelque chose, dit-elle en regardant les plantes.

Amanda s'accroupit et étreignit la main de Karen.

— C'est bon de te voir si pleine d'énergie.

— N'essaye pas de changer de sujet, ma belle. On était en train de parler de Daniel et toi.

Amanda grogna et Karen éclata de rire.

Un téléphone sonna, et Karen regarda le sac d'Amanda près des violettes.

— C'est ton portable ?

Amanda sauta sur ses pieds, attrapa l'appareil et vérifia le nom sur l'écran. Sa poitrine se contracta.

— C'est Daniel.

— Prends-le, la pressa Karen en se redressant.

Amanda ferma les yeux une seconde, et appuya sur le bouton.

— Amanda Elliott.

— Bonjour, Mandy. C'est Daniel.

— Salut, Daniel.

— Est-ce que tu es libre samedi soir ?

— Euh… samedi ?

Karen fit des signes frénétiques.

— Laisse-moi…

Amanda ne voulait pas avoir l'air trop enthousiaste. Elle ne savait pas où ils allaient, mais elle voulait ressentir cette bouffée d'excitation, une fois encore.

— Oui. Samedi, c'est bon.

— Très bien. Il y a une soirée au *Riverside*. Une collecte de fonds pour le musée.

Le *Riverside* ? Comme l'hôtel où ils avaient fait

l'amour la première fois ? Amanda ouvrit la bouche, mais aucun son n'en sortit.

— Je passe te chercher à 20 heures ?

— Je… euh..

— C'est une soirée habillée. Pour une vraie bonne cause.

Evidemment. Daniel se montrait toujours dans ce genre d'occasions, au milieu de reporters et de personnages influents.

Pourquoi n'iraient-ils pas tout simplement manger une pizza ?

— Amanda, la pressa-t-il. 20 heures, c'est bon ?

— Très bien.

— Alors à samedi !

Amanda ferma le téléphone.

— Un autre rendez-vous ? s'enquit Karen avec un sourire malicieux.

— La collecte de fonds du musée, au *Riverside*.

Karen émit un petit sifflement.

— Alors, ça ! C'est un vrai rendez-vous !

— Je n'ai rien à me mettre.

Karen balaya la remarque.

— Bien sûr que si.

Amanda remit le téléphone dans son sac.

— Non, je t'assure. J'ai passé en revue tout mon placard.

— Voyons ce que je peux faire pour toi.

— Que veux-tu dire ?

Karen se leva.

— Scarlet doit avoir une centaine de ses créations là-haut.

— Je n'oserais jamais, protesta Amanda.

— Si, bien sûr. Ce sera drôle, assura Karen. Quand on aura trouvé quelque chose, on appellera Scarlet pour lui demander sa permission. Elle va être très excitée !

Amanda se laissa entraîner.

— Tu penses qu'elle me laissera porter l'une de ses robes ?

— Certainement. Et si nous avons besoin d'ajustements, nous lui demanderons de venir.

Amanda hésita.

— Je ne…

— Fais-moi plaisir. Je me sens comme si j'allais à cette soirée moi-même !

— Tu aimes ce genre de mondanités ? demanda Amanda tandis qu'elles grimpaient l'escalier.

— C'est marrant de s'habiller, non ?

— Hum. C'est la différence entre toi et moi.

Amanda se sentait raide et artificielle en tenue de soirée, avec un maquillage appuyé et des cheveux laqués.

— Alors, tu vas l'embrasser encore ? demanda Karen.

— Comme si j'avais eu le temps de penser à cela !

Pur mensonge ! Elle n'avait cessé de fantasmer sur le sujet depuis vendredi.

— Eh bien, penses-y !

Elles pénétrèrent dans une chambre d'amis, et Karen ouvrit les doubles portes d'un dressing.

— Bon. Je vais m'asseoir ici pour être à l'aise, indiqua-t-elle, en désignant un fauteuil à repose-pieds en tissu ottoman. Je veux que tu me fasses un défilé de mode et un monologue sur le baiser avec ton ex-mari.

Amanda éclata de rire.

— Ce fut un baiser rapide !

— Mais agréable ? s'enquit Karen en s'installant.

Amanda laissa son esprit revenir en arrière pour la millième fois.

— Très agréable, avoua-t-elle.

« Et même plus », songea-t-elle.

— Tu devrais voir l'expression de ton visage ! se moqua Karen.

— En fait, je ne sais plus quoi penser ! répliqua Amanda en pénétrant dans le dressing. Nous sommes divorcés, tout de même !

— Peut-être qu'il n'en veut qu'à ton corps ?

Amanda repassa la tête par la porte.

— Comment ? Après Sharon ?

— Surtout après Sharon. Cette femme fait peut-être joli en photo mais, crois-moi, de près c'est maquillage, injections de collagène et compagnie !

Amanda gloussa, imitée par Karen.

— Elle est effrayante, surtout quand elle se met

à parler. Alors que toi, à l'inverse, tu deviens belle dès que tu t'animes.

Amanda n'en crut rien ; Karen était une très bonne amie.

— Bon, maintenant nous allons tuer cet homme avec une robe sexy ! lança Karen.

— Je ne suis pas sûre de pouvoir porter du sexy, dit Amanda. Si je sors en vamp, tu sais ce qu'il va penser.

— Et que va-t-il penser, mademoiselle stupide ?

Amanda fronça les sourcils.

— Que je… tu sais… que je suis intéressée par lui.

— Mais tu es intéressée par lui, non ?

Amanda se sentit rougir. C'était imparable.

— Oui, enfin non, enfin, pas comme petit ami.

— Et comme quoi, alors ?

Amanda ôta son chemisier en soupirant.

— Ça, c'est la question à un million de dollars.

— Il pourrait devenir ton amoureux clandestin.

— Une aventure cachée ? Avec Daniel ?

— Ce n'est pas comme si tu n'avais jamais couché avec lui avant, fit remarquer Karen.

Amanda leva les yeux au ciel et Karen se mit à rire.

— Est-ce que je peux supposer que c'était bien ?

— Bien sûr que c'était bon !

Amanda enleva son pantalon et le posa sur le lit. Le sexe n'avait jamais été un souci dans leur mariage.

Ce qui avait posé problème, c'était le poids de la famille de Daniel, et sa propre obsession de l'argent et de la réussite.

Dans les premières années, ils avaient vécu une véritable passion. Puis, le cœur brisé, Amanda avait assisté à la lente dégradation de leurs relations quand Daniel s'était réfugié de plus en plus loin dans sa coquille d'homme d'affaires. Mais le sexe, ah, le sexe…

— Alors, le sexe était bon mais pas le mariage ? insista Karen.

Amanda pénétra de nouveau dans le dressing.

— C'est un bon résumé.

— Tu pourrais avoir le meilleur des deux mondes, lui cria Karen. Dormir avec le bon amant, sans vivre avec le mauvais mari.

Amanda s'arrêta brusquement. Cette idée était totalement folle, ou bien géniale.

— Nous sommes au XXIe siècle, continua Karen.

Daniel comme amant, et seulement comme amant ? Il lui avait promis de ne plus se mêler de sa carrière, donc elle n'aurait plus à endurer d'autres sermons. Un tel accord était-il possible ?

— Tu vas avoir besoin d'une robe spéciale, dit Karen avec un clin d'œil de connaisseuse.

Amanda sentait que quelque chose clochait dans cette histoire, mais elle ne pouvait mettre le doigt dessus.

— Je ne pourrais pas…, commença-t-elle.

— Pourquoi pas ? la coupa Karen. Ce n'est ni anormal, ni immoral, ni mauvais pour la santé.

A cet instant, la gouvernante des Elliott apparut dans l'embrasure de la porte.

— Avez-vous besoin de quelque chose, mesdames ?

— Oui, Olive. Nous avons besoin de champagne ! dit Karen d'un ton décidé. Nous avons quelque chose à fêter.

— Tu as le droit de boire ? s'étonna Amanda.

— Avec modération.

— Je vous apporte cela tout de suite, dit Olive en s'esquivant.

Karen désigna le dressing de manière impérieuse.

— Je veux que tu commences par les vêtements que tu imagines le moins porter en public.

Amanda s'avança dans le musée dans un fourreau de soie orientale noir, sans manches. Il était fendu à l'arrière pour favoriser la marche, et son col mandarin rendait inutile le port d'un collier. Un motif floral or et rose, en sérigraphie, cascadait en diagonale sur le devant.

Cette création de Scarlet constituait un bon compromis entre les options de Karen et les siennes : la robe était élégante sans être trop sexy.

Scarlet avait insisté pour qu'Amanda porte un fin

bracelet en or à la cheville ; il brillait à chaque pas et se mariait parfaitement aux sandales à lanières. Amanda n'avait pas l'habitude de talons aussi hauts, mais Daniel lui offrait un bras solide sur lequel s'appuyer.

Quand ils franchirent la porte de la salle de réception, Amanda fut saisie par le décor de la pièce : arrangements floraux flamboyants, chandeliers ruisselant de larmes de cristal, plafond aux poutres blanches incrustées d'or, tables somptueusement dressées, piste de danse rutilante au centre de la pièce, orchestre…

Le bal de Cendrillon n'était rien à côté de cette splendeur.

Ce fut alors qu'elle aperçut Patrick et Maeve. Son estomac se noua et elle trébucha.

— Tu ne m'avais pas prévenue de la présence de tes parents, chuchota-t-elle.

Amanda se sentait de nouveau comme à dix-huit ans, incroyablement gauche.

— C'est un problème ? murmura Daniel en retour.

— Oui, dit-elle entre ses dents.

— Pourquoi ?

Quelle question !

— Parce qu'ils ne m'aiment pas.

— Ne sois pas ridicule.

Elle ralentit. Elle se sentait gagnée par la claustrophobie dans ce décor. Elle n'appartenait pas à ce monde ; n'y avait jamais appartenu. Il fallait qu'elle sorte. Elle allait le proposer à Daniel.

— Daniel chéri !

Une femme, la soixantaine, venait d'embrasser Daniel sur les deux joues. Elle dégoulinait de paillettes et exhibait une quantité de diamants qui aurait suffi à rembourser la dette nationale.

Daniel lui sourit et serra la main parcheminée.

— Madame Cavalli.

— J'ai vu votre mère à la tombola de la Société Protectrice des Animaux, la semaine dernière.

— J'ai entendu dire que la tombola avait remporté un grand succès, répondit Daniel avec aisance.

— C'est vrai.

Le regard de Mme Cavalli dériva vers Amanda.

— Voici mon amie Amanda. Amanda, Mme Cavalli, les présenta Daniel, une main légèrement posée dans le bas du dos d'Amanda.

Amanda tendit la main.

— Ravie de vous rencontrer.

— Avez-vous des animaux de compagnie, ma chère ?

— Euh non, répondit Amanda en secouant la tête.

— Vous devriez songer à aller au refuge pour en adopter un. C'est là que nous avons trouvé Bouton, il y a trois, peut-être quatre ans.

Puis, se tournant de nouveau vers Daniel, elle ajouta.

— La petite friponne s'est fourrée dans des bonbons au caramel la semaine dernière !

— Vraiment ?

Mme Cavalli gloussa, faisant tressauter sa poitrine.

— Il a fallu trois heures au valet pour enlever le sucre de son plumage !

Revenant à Amanda, elle précisa :

— C'est une cacatoès. De grands yeux bruns. Un vrai trésor.

— Elle semble adorable, commenta Amanda.

— Vous verra-t-on au thé de l'Hôpital pour Enfants, ma chère ?

Amanda jeta un regard à Daniel.

— Amanda travaille pendant la journée, dit-il.

Mme Cavalli recula, les yeux arrondis.

— Oh, je vois.

— Amanda est avocate.

— Eh bien, c'est adorable, ma chère. Peut-être à une autre fois ?

— Peut-être, répondit Amanda.

Mme Cavalli papillonna des doigts en signe d'au revoir.

— Je dois chercher Maeve.

— C'était un plaisir de vous revoir ! cria Daniel.

— Daniel ! mugit un homme grisonnant, en smoking, main tendue.

— Sénateur Wallace ! répondit Daniel.

— Avez-vous vu le prix des contrats à terme sur

le pétrole, à la clôture des cours, cet après-midi ? demanda Wallace.

Sans attendre une réponse, il leva les mains.

— Nous devons absolument forer en Alaska. Le plus tôt sera le mieux pour la Californie.

— Et si nous prenions des mesures d'économie ? interrogea Daniel.

Le sénateur Wallace pointa son index vers lui et répliqua :

— Vous connaissez un conducteur de 4x4 prêt à renoncer à sa climatisation ?

Le sénateur explosa de rire, puis reprit :

— Avez-vous laissé des plumes dans le scandale Chesapeake ?

— Non, j'ai vendu mes valeurs technologiques assez tôt, expliqua Daniel.

— Maudits comptables, dit le sénateur, pas meilleurs que les avocats !

La gêne d'Amanda dut se voir.

— Ne vous méprenez pas, petite madame, dit le sénateur en faisant semblant de la découvrir. Je suis avocat moi-même. Mais au diable ces parvenus ! Il faut remettre l'économie entre les mains des 500 plus riches du classement de *Fortune*.

La main d'Amanda se crispa sur le bras de Daniel qui se hâta de rediriger l'attention du sénateur.

— Sénateur, vous vous souvenez de Bob Salomon ? Bob, viens saluer le sénateur Wallace !

Un homme se libéra d'une conversation voisine et s'approcha.

— Bob était un ardent supporter de la campagne de Nicholson, expliqua Daniel.

Le sourire du sénateur s'élargit, et Daniel en profita pour piloter Amanda hors de ce groupe.

— J'aimerais savoir une chose, dit-elle. Si l'économie n'est plus entre les mains des 500 de *Fortune*, qui diable peut bien la posséder à son avis ?

— Allons plus loin, suggéra Daniel.

— Montons à l'étage, dit Amanda.

Il la regarda.

— A l'étage ?

Amanda avait prévu de boire un verre, voire deux ou trois, avant d'affronter ce moment. Mais elle pensa qu'elle ne pouvait plus attendre.

— Je dois te confesser quelque chose.

Daniel fronça les sourcils.

— J'ai loué une chambre.

— Tu as quoi ?

— J'ai…

Lui attrapant le bras, Daniel la fit pivoter.

— Bon sang ! Continue à marcher. Ne te retourne pas, lui intima-t-il à voix basse.

— Ce sont tes parents ?

— Mais non. Seigneur, Amanda ! Ils t'aiment.

— Tu sais bien que c'est faux.

Il l'entraîna dans un coin, hors de vue de la salle principale. Les portes-fenêtres garnies d'épais rideaux bordeaux ouvraient sur un balcon surplombant la Cinquième Avenue. Comme il avait commencé à pleuvoir, le balcon était désert. Des gouttelettes voilaient les lumières de la ville, ce qui plongeait cet endroit tranquille dans une douce pénombre.

— Qui avons-nous fui ? s'enquit Amanda.

— Sharon.

Amanda écarquilla les yeux. Ils se cachaient de son ex-femme ? Pourquoi devaient-ils se cacher de Sharon ?

— Elle a été… difficile, se justifia Daniel.

Amanda sentit son estomac se nouer. Peut-être avait-elle tout faux ? Peut-être que son imagination, ajoutée à l'enthousiasme de Karen, l'avait guidée sur un mauvais chemin ?

Elle s'écarta.

— Daniel, si tu éprouves encore quelque chose pour…

Il lui prit les bras et l'empêcha de reculer davantage.

— Je n'éprouve rien pour Sharon. Mais elle est tapageuse, imprévisible. Je ne veux pas qu'elle t'insulte.

— M'insulter ?

Daniel se rapprocha encore et sa voix devint grave.

— Oublions Sharon et revenons au moment où tu m'as annoncé que tu avais loué une chambre.

Amanda sentit son cœur flancher.

— Tu as loué une chambre ? la pressa-t-il, ses yeux bleus brûlant d'un désir évident.

Elle poussa un soupir. Cela allait être encore plus difficile qu'elle l'avait imaginé.

La voix de Daniel se fit murmure.

— J'ai loué une chambre dans cet hôtel, une fois.

— Oui ? articula-t-elle.

Les yeux de Daniel brillèrent comme un océan au clair de lune.

— C'était la nuit du bal de la fin du lycée. Et j'ai été très, très, très chanceux.

Amanda baissa la tête et concentra son regard sur le torse de Daniel.

— Eh ! dit-il en lui relevant le menton d'un doigt. Est-ce possible que tu me fasses des propositions ?

Elle acquiesça lentement.

— C'est possible.

Le visage de Daniel s'illumina. Il prit la joue d'Amanda dans le creux de sa main et s'inclina vers elle. Les muscles tendus, tout le corps bouillonnant d'un désir réprimé, Amanda se redressa à sa rencontre.

Quand les lèvres de Daniel touchèrent les siennes, elle sentit ses membres flancher. Il prit sa bouche, l'explora du bout de la langue. Le pouls d'Amanda s'accéléra et leurs deux corps se fondirent dans une délicieuse chaleur.

Le baiser s'approfondit, se prolongea. Le son

de l'orchestre s'évanouit, en arrière-plan. Amanda n'entendait plus que les gouttes d'eau, battant en cadence.

— Mandy, murmura Daniel, en lui caressant le visage de son pouce.

Il plongea son regard dans celui d'Amanda pendant un long moment. Il l'embrassa de nouveau, lui saisissant les fesses à deux mains pour la presser contre son sexe dressé. Amanda se liquéfia.

— Daniel, gémit-elle.

Ce fut alors qu'une voix mâle toussota dans leur dos.

— Hum, hum.

Amanda s'écarta de Daniel et pivota brutalement. Le sénateur, Sharon et deux autres personnes les fixaient dans un silence réprobateur.

9.

Daniel envisagea une dizaine d'issues de secours. Toutes mauvaises. Il aurait aimé faire un pied de nez à Sharon, mais écarta très vite cette idée. Les yeux de Sharon avaient la dureté du granit ; sa bouche pincée n'était plus qu'une fine ligne.

Le sénateur Wallace semblait légèrement amusé. Il fit un petit salut avec son verre de whisky et tourna les talons. Les Wilkinson eurent la bonne idée de simplement se fondre de nouveau dans la foule des invités.

Sharon, elle, s'avança.

— As-tu perdu la tête ?

— Est-ce bien nécessaire ? demanda Daniel, entourant toujours la taille d'Amanda.

Avec le chèque à sept chiffres qu'il lui avait signé, il estimait que Sharon aurait dû lui ficher la paix.

— Oui, c'est nécessaire. Qu'est-ce que je t'avais demandé ?

Amanda entama un mouvement de retrait.

— Je crois que je…

— Ne pars pas, lui demanda Daniel en resserrant son étreinte.

Voyant ses yeux s'agrandir, il ajouta :

— S'il te plaît, attends.

Puis, il se tourna vers Sharon.

— Retourne à la fête.

— Jamais de la vie. Je serais la risée de tous !

— Tout dépend de ton comportement.

— Tu ne penses pas que l'histoire a déjà fait le tour de la salle une douzaine de fois ?

— Cela fait trois minutes.

Elle pointa l'index vers lui.

— C'est toi le responsable de ce désastre, Daniel. Et c'est toi qui vas le réparer.

— Ne sois pas mélodramatique.

— Tu vas danser avec moi.

— Quoi ?

— J'insiste, Daniel. Tu files sur cette piste de danse pour que tout le monde nous voie rire et bavarder ensemble. Cela amoindrira les commérages.

— Pas pour un million…

— Tu me le dois ! l'interrompit-elle d'une voix presque hystérique.

— Je ne te dois rien du tout.

Amanda se dégagea de l'étreinte de Daniel et s'éloigna. Il ne pouvait lui en vouloir. Qui avait envie de voir un couple de divorcés se bagarrer ? Cela devait lui rappeler de pénibles souvenirs. Il lui fallait neutraliser Sharon, c'est-à-dire danser avec elle, pour reprendre le fil de son histoire avec Amanda.

— Très bien, dit-il avec réticence.

Se tournant vers Amanda, il ajouta :

— Cela va prendre une minute. Retrouve-moi près de la statue.

— D'accord, accepta-t-elle avec un haussement d'épaules et une expression énigmatique.

Sharon lui saisit le bras, et il la suivit sur la piste. Mais au milieu de sa danse forcée, il aperçut Amanda qui quittait la soirée. Avec un juron, il planta Sharon et fonça vers la sortie. Il la rattrapa par le bras, au milieu du hall.

— Amanda !

Elle lui lança un regard furieux.

— Tu devrais retourner à la soirée, Daniel. Tu ne voudrais pas que les gens médisent.

— Je me moque des médisances !

Il avait laissé Sharon, en rage, sur la piste de danse. Les ragots devaient déjà aller bon train.

— Mais non, bien sûr, contra Amanda.

— Je cherchais juste à me débarrasser d'elle.

— En dansant avec elle ?

— Tu as vu ce qui s'est passé ?

— Est-ce que, oui ou non, tu m'as jetée pour sauvegarder les apparences ?

— Ce n'était pas cela.

— C'était exactement cela. Non que cela me surprenne, d'ailleurs !

Elle hocha la tête et se remit en marche.

— Amanda…

Il aligna son pas sur celui d'Amanda.

— C'était une erreur, Daniel.

— Qu'est-ce qui était une erreur ?

— Toi, moi, nous. Penser que nous pouvions avoir le meilleur des deux mondes.

Il plissa des yeux.

— Quel meilleur des deux mondes ?

— Oublie.

— Non. Pas question ! Tu as une chambre. *Nous* avons une chambre.

Elle leva les yeux au ciel et ricana.

— Bien. Nous allons nous faufiler là-haut tous les deux. Et si le sénateur te voit ? Et si *tes parents* te voient ?

— Je m'en fiche.

— C'est faux.

Il la prit par le bras et tenta un demi-tour.

— Allons-y. Toi et moi. Là-haut. Tout de suite.

Elle se dégagea.

— Eh bien, ce n'est pas vraiment l'invitation la plus romantique que j'aie reçue. Bonne nuit, Daniel, dit-elle en se dégageant.

Daniel serra les mâchoires. A défaut de pouvoir la prendre et l'emporter sur son épaule, il n'eut d'autre choix que de la regarder s'éloigner.

*
* *

— Bonjour !

Cullen entra d'un pas leste dans le bureau de Daniel.

— J'ai entendu dire que tu avais eu un rendez-vous avec maman, ce week-end ?

— Où as-tu entendu ça ? grogna Daniel.

Il avait essayé de joindre Amanda pendant les trente-six dernières heures.

— Tante Karen l'a raconté à Scarlet, qui l'a rapporté à Misty.

— Les nouvelles vont vite dans cette famille.

Cullen se posa à califourchon sur une chaise.

— Comment cela s'est-il passé ?

Daniel le regarda de travers.

— Alors ? interrogea Cullen. Je ne te demande pas de détails intimes. Je finirai par les entendre si maman se confie à Karen.

— Comment se portent les ventes cette semaine ?

Cullen recula.

— Tu veux parler business ?

— Nous sommes au bureau, n'est-ce pas ?

— Mais…

— Et où en est cette affaire Guy Ludin ?

Cette histoire de faux arrêt maladie avait trotté dans la tête de Daniel depuis une semaine. Certes, il n'avait pas l'intention d'adopter le style d'Amanda en matière de gestion du personnel. Loin de là. Mais il voulait comprendre ce qui s'était passé pour éviter qu'une telle situation se reproduise à l'avenir.

— L'arrêt maladie ? Est-ce que tu es en train de me dire que, lorsque je te parle de maman au bureau, c'est du même registre que cette affaire de faux malade ?

— Cela dépend du temps que tu vas consacrer à me parler d'elle. Est-ce qu'on l'a licencié ?

— Je le vois cet après-midi.

— Qu'est-ce que tu en penses, au fond de toi ?

Cullen parut ne pas comprendre.

— Tu connais déjà tous les faits vérifiables, non ?

— Et les non vérifiables ?

— Ils ne sont pas pertinents.

— Y en a-t-il ?

— Guy Ludin prétend qu'il emmenait sa mère à la clinique du cancer.

— A-t-on vérifié ça ?

Cullen s'assit.

— Il n'y avait pas de raison de vérifier.

— Pourquoi ?

— Emmener des membres de sa famille à des rendez-vous médicaux n'est pas prévu par le règlement.

— Mais comment font les gens dans ce cas ?

Daniel avait pris sur son temps de travail pour aller boire un verre avec Amanda, pour lui commander des fleurs. Et si elle tombait malade, il l'emmènerait chez le médecin, même pendant les heures de bureau. Sans aucun doute !

— Comment ils font quoi ? demanda Cullen.

— Pour les rendez-vous chez le médecin des membres de leur famille. Les urgences. Les crises.

Cullen leva les mains.

— Je n'en sais rien.

— Peut-être qu'on devrait le savoir. Penses-tu que la mère de Guy est réellement malade ?

— Il n'est pas abonné aux arrêts maladie. Il n'a été absent qu'un jour l'an dernier. Deux, l'année précédente.

— Laissons tomber, conclut Daniel.

— Mais, je l'ai convoqué…

— Annule. Laissons-le tranquille.

— Et les autres salariés ? Que ferons-nous la prochaine fois que l'un d'entre eux utilisera cet argument ?

— Bonne question.

Daniel pressa le bouton de l'Interphone.

— Nancy ? Est-ce que nous avons un exemplaire du règlement intérieur ?

— Oui. Je vous l'apporte ?

— Pas tout de suite.

Cullen se pencha.

— Qu'est-ce que tu fais ?

— Je réponds à ta question, dit Daniel.

Puis, le congédiant d'un geste de la main, il ajouta :

— Ne t'inquiète pas de ça.

— Papa, tu ne veux pas qu'on regarde les chiffres de vente ?

Daniel se leva et se décontracta les épaules.

— Non. Tu te charges de ça. Dis-moi seulement s'il y a quelque chose dont je devrais m'inquiéter.

Cullen se leva aussi.

— Tu es sûr ?

— Tu es un bon directeur des ventes. Est-ce que je te l'ai déjà dit ?

Daniel contourna son bureau et donna une tape dans le dos de son fils.

— Un super directeur des ventes.

— Papa, tu vas bien ?

— Pas vraiment.

Il poussa Cullen vers la porte.

— Mais je m'attaque à ce problème, ajouta-t-il.

Tout en regardant son père d'un air bizarre, Cullen se laissa refouler dans la zone de réception. Daniel s'arrêta devant le bureau de Nancy.

— Pourriez-vous faire une petite recherche pour moi ?

Elle attrapa un stylo.

— Bien sûr.

— Cherchez des entreprises de taille comparable à la nôtre, et regardez si certaines permettent à leurs salariés de prendre des congés pour raisons familiales.

— Des congés pour raisons familiales ?

— Oui, pour enfants malades et autres.

Nancy le dévisagea.

— Des autorisations d'absence pour les gens dont les enfants sont malades ou qui doivent conduire des parents à un rendez-vous médical.

— Est-ce qu'il s'agit de Guy Ludin ?

Daniel sourit.

— Je m'en occupe, dit Nancy.

Daniel allait repartir, puis il se ravisa.

— Comment va votre famille ?

Elle lui jeta un regard en coin, hésitant une seconde.

— Ils vont bien.

— Vos enfants...

— Sarah a neuf ans et Adam sept ans.

— C'est vrai. Ils aiment l'école ?

Nancy plissa les yeux.

— Oui.

Daniel hocha la tête.

— C'est bien.

Il regagna son bureau. Sarah et Adam. Il fallait qu'il s'en souvienne. Il s'adossa dans son fauteuil et attrapa son téléphone. Il avait mémorisé le numéro d'Amanda à présent. Il le composa aussitôt.

— Bureau d'Amanda Elliott, annonça Julie.

— Salut, Julie ! C'est Daniel.

— Je ne suis pas censée vous transférer.

— Oui, je m'en doute.

— Vous voulez me corrompre ?

Daniel gloussa. Il appréciait cette Julie un peu plus chaque fois.

— Cela me coûterait combien ?

— Un peu plus de ces chocolats enrobés de papier doré qu'Amanda a apportés l'autre jour.

— Ils seront sur votre bureau dans une heure.

— Je vous passe Amanda tout de suite.

Un cliquetis sur la ligne, puis un silence.

— Amanda Elliott.

— C'est moi.

Silence.

— J'ai suivi ton conseil aujourd'hui.

Il attendit.

— Quel conseil ?

Bingo ! Il aurait parié que cet argument porterait.

— J'ai ordonné de prévoir des absences pour raisons familiales dans le règlement intérieur.

— Ordonné ?

— D'accord. J'ai demandé à ma secrétaire de regarder. Au fait, ses enfants se prénomment Sarah et Adam.

— Tu as dû te renseigner à ce sujet, n'est-ce pas ?

— L'important c'est que je le sache, non ?

— C'est vrai. Je porte ça à ton crédit.

Elle avait un sourire dans la voix. Il en profita pour se précipiter dans la brèche.

— Accepte de sortir encore avec moi, Amanda.

— Daniel…

— Où tu veux, quand tu veux, ce que tu veux.

— Cela ne va pas marcher.

Daniel se sentit gagné par la panique.

— Tu n'en sais rien. Nous ne savons même pas ce qui se passe, ni où nous allons. Comment peux-tu dire que ça ne va pas marcher ?

— Tu n'as jamais songé à devenir avocat ? ironisa-t-elle.

— Que te dicte ton instinct, Amanda ?

— Mon instinct ?

— C'est toi qui es forte en instinct et spontanéité. Oublie la logique…

— Oublier la logique ?

Il se calma un peu.

— Laisse-toi guider par tes émotions sur ce coup, Amanda. Si je peux suivre ton conseil, tu peux certainement le faire toi-même.

D'une voix douce, elle répondit :

— Ce n'est pas loyal, Daniel.

— Qui a parlé d'être loyal ?

Elle poussa un soupir.

— Où je veux ?

— Oui.

— Un pique-nique, à la plage.

— Dimanche à 17 heures.

Elle hésita pendant deux battements de cœur.

— D'accord.

— Je passe te chercher.

— Pas de Limousine.
— Promis.

Amanda devait admettre qu'elle n'avait banni que les limousines, pas les hélicoptères. Ils arrivèrent donc dans la propriété des Carmichael, à Nantucket, par la voie des airs. Les Carmichael étaient à Londres. Ils avaient proposé à Daniel de profiter de leur plage privée et, apparemment, ils avaient mis leur personnel à sa disposition.

C'était une plage. Il y avait de la nourriture. Mais là s'arrêtait toute ressemblance avec un pique-nique. Une table ronde avait été dressée sur une étroite bande de sable, entre les vagues et les falaises rocheuses. Une nappe blanche flottait dans la brise légère, retenue par des fleurs, des lampes-tempête, du cristal et de la porcelaine. Un maître d'hôtel se tenait au garde-à-vous, relié par casque aux cuisines.

Daniel tira l'une des chaises rembourrées et lui fit signe de s'asseoir.

— Je leur ai demandé de programmer les entrées pour le coucher de soleil.

— C'est un pique-nique ?

Aussitôt qu'Amanda eut posé les fesses sur le coussin, le maître d'hôtel entra en action. Il murmura quelque chose dans son casque.

— Nous commençons par des margaritas, dit Daniel, assis en face d'elle.

— Des margaritas ?

— J'espère que tu aimes. Sinon, je peux demander...

— J'aime beaucoup. Mais, Daniel...

— Oui ?

— Ce n'est pas un pique-nique.

Il jeta un coup d'œil circulaire.

— Que veux-tu dire ?

— Un pique-nique, c'est du poulet rôti et du gâteau au chocolat sur une couverture assaillie de fourmis...

— Je pense qu'on peut se passer des fourmis.

— ... peut-être du vin bon marché et des verres en plastique.

— Maintenant tu deviens désagréable. Les gens boivent des margaritas sur la plage, partout dans le monde.

— Au bar de la plage, peut-être. Mais ils n'emmènent pas un mixeur en pique-nique. Où pourraient-ils le brancher ?

— Qui parle de mixeur ?

— C'est indispensable pour faire les margaritas.

— Le barman s'en occupe dans la maison. Maintenant détends-toi.

A ce moment précis, le barman apparut avec des margaritas givrées dans les mains. Puis, il regagna la maison par un escalier de bois. Amanda but une gorgée de margarita. Elle était délicieuse. Mais pas champêtre.

— Nous allons commencer par des crevettes à la créole, dit Daniel.

— Cesse d'essayer de m'impressionner !

Elle n'était pas venue pour voir l'argent de Daniel à l'œuvre. Elle était là pour le voir, lui.

Il s'enfonça un peu plus profondément sur son siège.

— C'est un rendez-vous amoureux. Pourquoi est-ce que je n'essayerais pas de t'impressionner ?

Peut-être était-ce le moment de lui annoncer que l'affaire était conclue. Elle sourit toute seule. Avant la fin de la nuit, elle allait partir à la recherche du vrai Daniel, puis lui faire l'amour.

— Qu'y a-t-il ? demanda-t-il en la voyant sourire.

— Je pensais au règlement intérieur.

— Nancy a fait un boulot fantastique. Nous allons soumettre une proposition à papa.

— Vous allez permettre les absences pour raisons familiales ?

— Nous allons le proposer.

Amanda sirota une gorgée de sa boisson acidulée.

— Qu'est-ce qui vous a fait changer d'avis ?

— Sur le fait de considérer mes salariés comme des êtres humains ?

Elle acquiesça.

— Toi, évidemment.

Une vague de chaleur l'envahit.

— Merci.

— Non. C'est moi qui te remercie. Tu pousses, incites, reviens à la charge. Tu es impitoyable.

— Comme toi, non ?

— Eh, j'ai capitulé !

C'était vrai. Daniel avait sincèrement essayé de comprendre son point de vue. Elle s'apaisa. Le rythme des vagues s'accélérait ; une bande de mouettes criait dans le vent, très haut au-dessus d'eux.

— Parle-moi de la course au poste de P.-D.G., reprit Amanda. Est-ce que tu vas gagner ?

Daniel haussa les épaules.

— Les abonnements Internet progressent très vite. Mais il reste quatre mois. Et *Charisma* fait toujours une bonne performance en décembre.

Amanda hocha la tête, tout en jouant avec la buée de son verre givré.

— Tu seras déçu si tu perds ?

Il la regarda droit dans les yeux.

— Bien sûr. Je joue pour gagner.

— Je sais, mais si on laisse les questions d'ego de côté…

— Je n'ai pas d'ego.

Amanda éclata de rire.

— Oh, Daniel !

Il eut l'air sincèrement étonné.

— Quoi ?

— Tu veux dire que c'est plus important d'avoir le poste que de gagner le jeu ?

— C'est exactement la même chose. Je ne comprends pas ce que tu veux dire.

Amanda secoua la tête, faisant danser ses cheveux dans la brise qui fraîchissait.

— Ce sont deux choses complètement différentes.

Un autre serveur en uniforme apparut avec les entrées. Une fois qu'il fut reparti, Daniel demanda :

— Comment cela ?

Amanda soupira et réfléchit à la meilleure manière de se faire comprendre.

— Enlève ta veste.

— Comment ?

— Tu m'as très bien entendue.

Comme il ne bougeait pas, Amanda se leva et alla vers lui. Au moment où elle le saisissait par les revers de la veste, un grondement d'orage se fit entendre dans le lointain.

Il se recula.

— Qu'est-ce que tu fais ?

Elle essaya de faire glisser le vêtement sur les épaules de Daniel.

— J'enlève les couches.

— Les couches ?

— Pour atteindre le vrai Daniel.

— Je pense que c'est métaphorique. Mais je suis le vrai moi.

Elle tira sur les manches.

— Comment le sais-tu ?

Finalement, il capitula et ôta sa veste.

— Parce que j'ai été le vrai moi toute ma vie.

Amanda s'attaqua à la cravate.

— Que veut le vrai toi ?

Il la regarda droit dans les yeux.

— Toi.

Certes, c'était une bonne réponse.

— Professionnellement, précisa Amanda.

— Je veux être P.-D.G. Pourquoi est-ce aussi inconcevable pour toi que je veuille le poste le plus élevé dans le groupe où j'ai travaillé toute ma vie ?

Elle desserra le nœud de la cravate et la fit passer par-dessus la tête de Daniel.

— Je pense que, depuis quarante ans, ta famille étale des choses devant toi et t'explique que tu es censé les aimer.

— Comme quoi ?

Elle posa la cravate sur la table.

— Pour commencer ? Moi.

Il regarda sur sa droite, puis sur sa gauche.

— Je ne vois pas ma famille ici.

— Je voulais dire : après le lycée.

Il l'attira sur ses genoux.

— C'était juste toi et moi, un soir de bal de fin d'année. Personne ne m'a demandé de te vouloir.

— Ils t'ont dit de m'épouser.

— Tu étais enceinte.

— Ils t'ont demandé de revenir dans l'entreprise familiale.

— On avait besoin de cet argent.

— Ils t'ont dit de rester sur ce continent.

— Je suis resté pour toi.

Elle secoua la tête.

— Tu es resté parce qu'ils te l'ont demandé. Quand tu as épousé Sharon, c'était l'idée de qui ?

— La mienne.

Mais il tressaillit, puis se tut.

— Quand tu as décidé de te lancer dans la course au poste de P.-D.G., c'était l'idée de qui ?

Daniel fixa les yeux sur elle.

— Qu'est-ce que tu veux, toi, Daniel ?

Le tonnerre gronda plus près, cette fois ; un éclair zébra le ciel assombri ; les premières grosses gouttes de pluie s'écrasèrent sur le sable.

Daniel se tourna vers le maître d'hôtel.

— Dites-leur d'apporter le parasol, Curtis.

Amanda sauta des genoux de Daniel.

— Non !

— Quoi ?

— Pas de parasol !

— Pourquoi ?

— Les couches, Daniel.

Il la dévisagea.

— Est-ce que tu souffres d'une maladie mentale ?

Elle se pencha vers lui et chuchota :

— Est-ce que tu peux renvoyer cet homme dans la maison ?

— Est-ce que je serai en sécurité, seul avec toi ?

— Peut-être…, murmura-t-elle d'une voix langou-
reuse.

Il hésita. Un autre coup de tonnerre résonna contre
les falaises rocheuses.

— Vous pouvez vous mettre à l'abri, Curtis. Nous
allons nous débrouiller.

Curtis fit un signe de tête et se dirigea vers l'escalier.

— Alors, nous allons rester ici à nous faire tremper ?
demanda Daniel.

— Oui. La vie est salissante. Il faut t'y faire.

— Est-ce que je peux remettre ma veste ?

— Non.

— Tu la veux ?

La pluie commençait à tomber sérieusement ;
Amanda ouvrit grand les bras.

— Non.

— Le dîner est fichu, constata-t-il.

— On commandera une pizza plus tard.

— Et maintenant, que faisons-nous ?

— Maintenant ?

Elle lui sauta de nouveau sur les genoux, et lui
lissa les cheveux en arrière.

C'était Daniel. C'était la réalité. C'était ce qu'elle
attendait.

— Maintenant, dit-elle, nous faisons l'amour.

- 10 -

Daniel écarquilla les yeux. Ce moment, il en avait rêvé un million de fois. Mais dans ses fantasmes, il y avait toujours un lit, des draps de satin, du champagne. Pas une plage sous la pluie. Amanda n'avait pas les cheveux humides et un chemisier plaqué sur les seins.

— Ici ?

— Oui, ici ! s'exclama-t-elle en sautant sur ses pieds.

Daniel jeta un coup d'œil vers les yachts mouillant dans la baie.

— Quelqu'un pourrait nous voir.

— Il leur faudrait un téléobjectif. Tu crains de finir en couverture de ton propre magazine ?

— Ne sois pas ridicule, Amanda !

— Embrasse-moi.

Les yeux de Daniel se fixèrent sur la bouche humide d'Amanda. Dieu que c'était tentant !

— Tu vas avoir du sable sur les fesses.

— Elles s'en remettront.

Il voulait faire de ce moment quelque chose de mémorable, de parfait, un souvenir qu'elle chérirait.

— Est-ce qu'on peut au moins aller à l'intérieur ?

Elle se pencha et posa ses lèvres sur celles de Daniel.

— Pas question.

Les lèvres d'Amanda étaient fraîches, humides et excitantes à mourir.

— Amanda, protesta-t-il dans un grognement.

— Ici et maintenant. Sauvagement, sous la pluie, sur le sable. A la merci de plaisanciers voyeurs.

Elle l'embrassa plus longuement ; leurs lèvres se réchauffèrent.

— Je ne me souvenais pas de toi comme ça, murmura-t-il avant de reprendre l'initiative.

— Tu ne faisais pas assez attention, c'est tout…

Elle s'attaqua aux boutons de la chemise de Daniel. Perdant le fil de la discussion, il glissa ses mains sous le chemisier d'Amanda.

— Oh si. Je me souviens des moindres parcelles de ta peau, assura-t-il, le souffle court.

— Tu veux les revoir ?

Daniel jeta un nouveau regard vers les bateaux qui se dandinaient au mouillage. La nuit tombait. S'il étalait sa veste derrière la table, la nappe protégerait leur intimité comme un rideau. Et il pouvait compter sur Curtis pour ne laisser aucun membre du personnel redescendre vers la plage, sans un ordre exprès.

— Oh oui, murmura-t-il.

Amanda s'écarta un peu, et s'installa à califourchon sur les genoux de Daniel. Tout en l'observant avec un sourire espiègle et suggestif, elle ôta lentement son chemisier, dénudant sa poitrine. Un éclair zébra la nuit, et sa peau d'albâtre apparut dans la lumière blanche.

Pour Daniel, le monde s'arrêta. Incapable de résister, il se pencha vers les seins offerts. La peau d'Amanda était si douce, comme avant. Il se souvenait d'avoir été drogué à cette saveur et ce parfum. Il se souvenait d'avoir compté les minutes qui le séparaient d'elle, du moment où il la prendrait dans ses bras pour se fondre en elle.

Les gouttes de pluie jouaient du tambour et les vagues se fracassaient sur la plage. Le tonnerre ébranla tout, engloutissant l'univers entier. Sauf la femme splendide qu'il tenait dans ses bras. Elle avait une peau lisse, humide, incroyablement douce. Elle murmurait des mots qui enflammaient son désir.

Il ne parvenait plus à la lâcher. Il se leva en la tenant toujours serrée contre lui. Amanda enroula ses jambes autour de la taille de Daniel et enfouit son visage dans le creux de son cou, laissant sa bouche et sa langue redécouvrir des territoires oubliés.

Il la déposa au sol et l'embrassa avec fougue, tout en étalant sa veste sur le sable mouillé. Elle s'écarta pour se débarrasser du reste de ses vêtements trempés. Sous la lumière de l'orage, Daniel capta des images terriblement excitantes du corps nu d'Amanda : ses seins ronds aux tétons roses ; son ventre doux, le triangle sombre en haut de ses cuisses.

C'était comme à la piscine, mais en mieux : il pouvait toucher ses courbes généreuses ; il pouvait la serrer dans ses bras et oublier le reste du monde.

— Tu es magnifique, chuchota-t-il en l'attirant doucement à lui.

En enlaçant le corps nu d'Amanda, il fut bouleversé de désir. Il y avait quelque chose d'incroyablement érotique dans cette situation : une femme nue dans l'obscurité d'une plage battue par les vents. Le temps d'une seconde, il se demanda pourquoi il n'avait jamais expérimenté ce genre de chose auparavant.

Soudain impatient, il l'allongea sur la veste, se défit de ses vêtements à la hâte et la rejoignit sur cette couche de fortune, derrière la nappe qui les protégeait du vent. Amanda sourit, caressant du regard le corps nu de Daniel. Puis elle avança la main, et l'attira à elle pour un baiser torride.

Il sentit les gouttes de pluie marteler sa peau brûlante. Amanda était la femme la plus étonnante, la plus sexy du monde et il devait se faire violence pour résister à l'envie de la prendre tout de suite. Il avala de longues gorgées d'air marin et se cuirassa contre les assauts du désir.

— Tu m'as manqué, murmura-t-elle.

Comme serrée dans un étau, la poitrine de Daniel lui sembla sur le point d'exploser. Il prit le visage d'Amanda dans le creux de sa main et lui embrassa les lèvres, se laissant gagner par les sensations qu'elle éprouvait.

— Oh, Amanda, c'est tellement...

— Vrai ?

Il hocha la tête.

Les cheveux d'Amanda étaient pleins de sable humide, son maquillage avait coulé et des gouttes d'eau glissaient sur ses joues. Pourtant, elle était la plus belle femme qu'il ait jamais vue. Des sensations déferlèrent sur lui au rythme des vagues.

— Je me souviens.

— Moi aussi, je me souviens. Tu étais merveilleux.

— Je me souviens de ta beauté.

Amanda s'agrippa aux avant-bras de Daniel.

— Prends-moi. Maintenant.

Il secoua la tête.

— Pas encore.

Rien ni personne ne pourrait les empêcher de se retrouver. Mais il voulait faire durer le plaisir ; il voulait imprimer ces moments dans son cerveau ; il voulait engranger des souvenirs brûlants pour les longues nuits de solitude à venir.

Il posa la main sur l'un des seins d'Amanda, sentit la pression du mamelon dressé contre sa paume. Elle gémit.

— Tu aimes ? demanda-t-il.

Elle hocha la tête.

De son pouce, il effleura la pointe de son sein. Puis il laissa libre cours à ses lèvres et ses mains. Amanda respira plus fort, puis haleta, puis gémit.

Les doigts de Daniel s'insinuèrent en haut des cuisses d'Amanda, à l'endroit le plus sensible. Elle cria, se cambra.

— Oh, Daniel…

— Laisse-toi aller, murmura-t-il.

Elle lui effleura le torse, toucha ses mamelons plats, son nombril, son ventre, lui envoyant des décharges de plaisir dans tout le corps. Puis, elle s'aventura plus bas. Elle le prit dans sa main, le caressa.

Daniel se plaça au-dessus d'elle.

— Maintenant, le supplia-t-elle, accentuant la pression de ses doigts.

Sa seule réponse fut un râle sourd. Il lui écarta les cuisses. Puis, il lui embrassa les joues, les lèvres, les yeux, tout en la pénétrant avec lenteur et précaution.

Elle gémit son nom. Il faillit crier « je t'aime », mais c'était à une autre époque, dans un autre lieu.

— Amanda, murmura-t-il, tandis qu'elle se soudait à lui et se laissait aller à son rythme.

Il sentit les ongles d'Amanda s'enfoncer dans la peau de ses épaules. Elle avait les yeux clos, la tête rejetée en arrière. Le tonnerre gronda de plus belle et les vagues s'écrasèrent avec une fureur redoublée. Il aurait pu y avoir une armée de paparazzi embusqués dans la baie, Daniel s'en serait moqué totalement. Amanda était sienne. Après toutes ces années, elle lui appartenait une fois encore.

Amanda se mordit la lèvre. Elle respirait fort. Daniel la sentait contre lui, le corps tendu, luttant contre une délicieuse douleur. Il attendit, attendit, attendit.

— Daniel ! cria-t-elle.

Alors, il se laissa aller, éclairs et tonnerre mêlés au plaisir.

Une fois le calme revenu, ils restèrent pantelants dans les bras l'un de l'autre. Daniel se maintenait sur les coudes pour la réchauffer de son corps.

Il l'embrassa sur le front et resta étendu ainsi, par pur plaisir. Il savait qu'ils auraient dû s'habiller et se précipiter dans la maison pour se sécher. Mais il ne pouvait se résoudre à la laisser quitter ses bras.

Elle sourit, les yeux encore clos.

— J'aime la spontanéité.

Le cœur de Daniel se contracta en entendant le mot « aime ». Mais ce n'était pas ce qu'elle avait voulu dire. Il écarta une mèche de cheveux pleine de sable de la joue d'Amanda.

— Qu'est-ce qui te fait croire que je n'ai pas planifié tout ça ?

Elle ouvrit les yeux d'un coup.

— C'est impossible.

— Bien sûr que si.

— Daniel, ce n'est pas le genre de plan que tu imaginerais.

Il hocha la tête.

— Et la meilleure, c'est que tu l'as programmé aussi.

— Tu rêves !

— Maître, êtes-vous en train de prétendre que vous n'aviez pas prévu de faire l'amour avec moi ce soir ?

— Je ne savais pas quand, et je ne savais pas comment.

Il fit basculer le poids de son corps sur le côté et s'allongea sur un coude.

— Cela reste un plan.

Elle remua en sentant l'air froid et la pluie dégouliner sur leurs corps.

— Non. C'était une idée.

— Sémantique.

— Philosophie.

Il gloussa.

— Admets que ta philosophie n'est pas très éloignée de la mienne.

Elle bougea sur la veste froissée et se redressa sur un coude, un éclat dans les yeux.

— Tu crois ? Alors, parlons philosophie. Redonne-moi la raison qui te pousse à vouloir le poste de P.-D.G.

Il attrapa sa chemise et en secoua le sable. Puis, il en drapa Amanda.

— Le bureau d'angle.

— Tu en as déjà un.

— Oui, mais celui-là est situé au vingt-troisième étage.

— Très léger comme argument, Daniel. Vraiment léger.

— Tu accordes davantage d'importance à cette histoire qu'elle n'en a réellement.

Elle secoua la tête.

— Non, c'est faux. Ton père vous oblige à vous battre pour ce poste de P.-D.G.

— Je me bats parce que *je* le veux.

Mais tout en parlant, Daniel sentit une faille dans son raisonnement. Avait-il pensé à devenir P.-D.G. avant que son père ne lance la compétition ? Il avait relevé le défi comme les autres, sans s'arrêter un instant pour analyser la situation.

Amanda poussa la discussion.

— Oublions le poste de P.-D.G. Quelle est la dernière envie qui ne t'a pas été suggérée par quelqu'un d'autre ?

— Changer le règlement interne de l'entreprise.

Amanda émit un grognement désapprobateur.

— C'était mon idée.

— Pas complètement.

— Tu te souviens du bal du lycée ?

Il resserra sa chemise autour d'elle.

— En détail.

— Tu te souviens de ton désir de parcourir le monde à la recherche de sujets de reportage ?

— Bien sûr.

Du bout de son index, elle suivit le contour du biceps de Daniel qui sentit tout son corps se réchauffer.

— C'était toi, Daniel, à ce moment-là. Vraiment toi. Que s'est-il passé ensuite ?

Quelle question !

— Bryan est arrivé. *Tu* es arrivée.

— As-tu déjà songé à ce que tu serais devenu si tu avais persisté dans ton projet ?

Daniel laissa dériver son regard par-delà Amanda, vers les falaises noires et la maison faiblement éclairée.

— Non, mentit-il.

— Jamais ?

Il haussa les épaules.

— Où veux-tu en venir ?

Elle se redressa et s'assit, s'enroulant sur elle-même, les pans de la chemise lui retombant sur les cuisses.

— A quelque chose de très important. Je me demande tout le temps ce qui serait arrivé si j'avais envoyé paître Patrick.

— Comment ça ?

— Si j'avais refusé de lui obéir. Si je lui avais dit de saisir la justice s'il le voulait à propos de Bryan, comme il menaçait de le faire. Et de t'expédier en Afrique ou au Moyen-Orient.

Daniel sentit ses entrailles se nouer. Saisir la justice ?

— Peut-être qu'il bluffait, poursuivit-elle, les yeux dans le vague.

Daniel s'assit à son tour.

— Comment ça, il bluffait ?

Amanda se mordit la lèvre, une expression de vulnérabilité dans le regard.

— Tu penses qu'un juge aurait séparé un bébé de sa mère ? Même à cette époque-là ?

Daniel sentit sa gorge se serrer. Il secoua la tête, incrédule.

— Patrick avait menacé de te prendre le bébé ? articula-t-il avec peine.

— Oui...

Elle s'arrêta net, dardant sur Daniel ses yeux plus sombres encore qu'à l'accoutumée.

— Tu ne savais pas...

Il se leva, fit quelques pas dans le sable et pivota, passant une main dans ses cheveux humides.

— Mon père avait menacé de t'enlever Bryan ?

Elle se leva.

— C'était il y a longtemps. Je pensais que tu...

Il serra les poings ; chaque muscle de son corps se raidit.

— Tu croyais que j'étais au courant ?

Elle acquiesça. Puis secoua la tête.

— Je suis désolée. Je n'aurais pas dû réveiller les souvenirs. Tu as raison, cela ne sert à rien de refaire le passé avec des si.

Daniel se força à respirer à fond, plusieurs fois. Ce n'était pas la faute d'Amanda ; rien n'était sa faute. Elle avait été obligée de l'épouser. Cela expliquait tellement de choses. Pendant toutes ces années, elle avait accepté son rôle d'otage, pour le bonheur de ses enfants. C'était même étonnant qu'elle soit restée si longtemps.

En un éclair, Daniel comprit qu'Amanda avait raison. Patrick était beaucoup plus pervers qu'il ne l'avait imaginé. Qu'avait-il pu manigancer d'autre encore ? De combien de manipulations la famille Elliott avait-elle été le théâtre ?

« Est-ce que je veux vraiment devenir P.-D.G. ? » se demanda-t-il.

Il n'avait rien contre les P.-D.G. Mais est-ce qu'il voulait consacrer tous ses efforts, tout son temps et toute son énergie à cette tâche ? Il ne trouverait pas la réponse instantanément, et il n'avait pas l'intention de la chercher alors qu'Amanda grelottait sur la plage.

Il poussa un soupir libérateur et se dirigea vers elle.

— C'est moi qui suis désolé, dit-il en l'attirant doucement contre lui. Mon père n'aurait pas dû faire ça. Je ne me suis jamais douté que tu avais subi un chantage.

Elle frissonna dans ses bras.

— C'était il y a longtemps.

Il déposa un baiser dans les cheveux poudrés de sable d'Amanda. Elle leva la tête pour le regarder dans les yeux.

— On pourra s'adonner encore à la spontanéité ?

Il lui caressa les cheveux.

— Où tu voudras, quand tu voudras.

Un sourire illumina le visage d'Amanda.

Dès le lundi matin, à 8 heures, Daniel traversait le vingt-troisième étage en direction du bureau de son père.

— Bonjour, Daniel ! lui lança la secrétaire de Patrick.

— J'ai besoin de le voir. Maintenant.

— Je crains que cela ne soit pas possible.

— Regardez-moi bien.

Mme Bitton fit glisser ses lunettes au bout de son nez.

— Regardez-moi bien, répliqua-t-elle.

En temps ordinaire, Mme Bitton impressionnait beaucoup Daniel. Pas aujourd'hui.

— Dérangez-le.

Un petit sourire étira le coin des lèvres de la secrétaire.

— Mauvaise idée.

— Je me fiche complètement de ce qu'il peut bien faire.

— Il est à neuf mille mètres au-dessus du Texas.

Daniel réfléchit.

— Quand arrive-t-il ?

— Il sera là à 14 heures. Mais il enchaîne avec un rendez-vous.

— Déplacez ce rendez-vous.

— Daniel…

— Regardez au fond de mes yeux, madame Bitton.

Elle se tut un instant.

— Je peux le décaler à 14h30.

Daniel lui adressa un bref signe de tête.

— Cela ira.

Amanda n'ignorait pas qu'il s'était écoulé moins de douze heures depuis leur départ de la plage. Mais Daniel avait dit où elle voulait, quand elle voulait. Maintenant qu'elle avait réussi à entrouvrir la porte du petit monde bien rangé de Daniel, elle était bien déterminée à l'attirer au-dehors.

Elle s'arrêta devant le bureau de Nancy, avec ses hamburgers.

— Est-il disponible ?

Une lueur s'alluma dans le regard de Nancy, et elle appuya sur l'Interphone.

— Mme Elliott pour vous, annonça-t-elle.

Il y eut un silence, puis d'une voix dure, Daniel répondit :

— Très bien.

Amanda hésita, mais Nancy expliqua :

— Ne vous en faites pas. Sa matinée a été rude. Vous allez le réconforter.

Amanda l'espérait bien. Elle pénétra dans le bureau de Daniel et ferma la porte à clé derrière elle. Il releva la tête de son dossier. Ses yeux s'agrandirent et il se recula dans son fauteuil.

— Amanda !

— Tu t'attendais à qui ?

— A personne. A rien, assura-t-il en se levant.

Il contourna son large bureau... fort opportunément vide.

— Je suis content de te voir.

— Super. J'ai apporté le déjeuner.

Il baissa le regard sur le sac en papier qu'elle tenait à la main et fronça les sourcils.

— Des Buster Burgers ?

— Tu en as déjà goûté ?

— Pas vraiment.

Elle posa le paquet sur le bureau.

— Ils sont à se damner.

Daniel regarda par-dessus l'épaule d'Amanda.

— Tu as verrouillé la porte ?

Elle se faufila jusqu'à lui et se mit à dénouer sa cravate de soie.

— Exactement. N'avais-tu pas dit : où tu veux, quand tu veux ?

Bouche bée, Daniel lui attrapa les mains.

— Amanda…

Elle sourit.

— C'est n'importe où, n'importe quand, et je suis là pour un peu de spontanéité.

— Ah oui, bien sûr !

Elle dégagea ses mains et attaqua de nouveau le nœud de cravate.

— Et si quelqu'un…

— Fais un peu confiance à Nancy ! Depuis que tu es passé à mon cabinet, j'ai envie de toi sur un bureau, murmura-t-elle.

Il ouvrit la bouche, mais ne put articuler aucune parole. Amanda retira la cravate et commença à déboutonner la chemise.

— Tu veux les hamburgers d'abord ? s'enquit-elle, avant de déposer un baiser sur le torse de Daniel. Ou tu me veux moi ?

Il émit un son, entre soupir et grognement. Puis, il la serra contre lui, embrassa ses cheveux et murmura son prénom, encore et encore.

— On peut faire vite, l'assura-t-elle en faisant valser ses chaussures. Je suis nue sous cette jupe.

Il se pencha vers elle et prit ses lèvres. Elle s'ouvrit à lui, parcourue de frissons de désirs. Il remonta sa main le long de la cuisse d'Amanda, poussant un grognement de plaisir au contact de ses fesses nues.

Puis, il la souleva, la posa sur le bureau et releva sa jupe, sans cesser de l'embrasser. Il lui effleura les cuisses, électrisant sa peau nue.

— Quel effet tu me fais, murmura-t-il, en accentuant la pression de ses caresses.

Amanda frissonna contre le bois lisse du bureau.

— Et toi. Qu'est-ce que tu me fais ? haleta-t-elle en enfouissant son visage dans le cou de Daniel, s'enivrant de son odeur.

— Mais je suis très occupé…

Les doigts de Daniel s'immiscèrent entre les cuisses d'Amanda.

— … et je ne suis pas certain que ce soit le lieu et l'heure…

— Chut…, l'interrompit Amanda en se cambrant.

Elle gémit et appuya sur la main de Daniel. Il s'agenouilla devant elle, et lui déposa de légers baisers à l'intérieur des cuisses. Elle se laissa aller en arrière, s'accoudant sur le bureau. Elle se sentait littéralement fondre. Le souffle chaud de Daniel monta de plus en plus haut ; puis sa voix vibra contre le petit bouton de chair tendre.

— Je pense que je suis en train d'enfreindre une des règles de l'entreprise, murmura-t-il.

— Surtout ne t'arrête pas.

— Peut-être deux.

— Daniel !

Il eut un petit rire. Puis il se mit à l'embrasser

vraiment, profondément, métamorphosant la pièce en un coin de paradis. Amanda s'agrippa au rebord du bureau, cherchant son souffle.

Elle flottait, volait… Tout à coup, elle comprit ce qu'il était en train de faire. Il voulait la faire jouir, sans lui. Elle s'écarta vivement, se rassit, le saisit par les épaules et l'attira vers elle.

— Tu as joui ? s'étonna-t-il, en se relevant lentement.

— Presque.

Avec un sourire langoureux, elle commença à déboutonner le pantalon de Daniel. Il lui attrapa la main pour l'empêcher de continuer. Mais elle le caressa à travers le tissu et il ne put retenir un grognement de plaisir.

— Je te veux, Daniel, dit-elle.

— Je ne peux pas…

Il serra la mâchoire et libéra la main d'Amanda.

Elle ôta le bouton, fit glisser la fermeture Eclair, et enserra le sexe dur et chaud.

— Amanda.

— Fais-moi l'amour sur ton bureau, Daniel, murmura-t-elle d'une voix rauque. Maintenant.

Elle accentua la pression de sa main et le guida en elle. Daniel jura, mais cela ressemblait à une prière. Enfin, abandonnant toute résistance, il glissa ses mains sous les fesses d'Amanda et la pénétra. Il lui murmura à l'oreille ; lui dit comment il la voyait, comment il la sentait, comment il la voulait. Elle s'enivrait de ses mots, de son odeur, de son contact. Bientôt, elle perdit la notion du temps et de l'espace, et quand le plaisir explosa en elle, comme un feu d'artifice, elle eut la sensation de glisser au bord du monde. Son corps se contracta encore et encore.

Quand ils redescendirent sur terre, Daniel lui embrassa la tempe et lui caressa doucement la joue.

— Je commence à aimer la spontanéité, dit-il.

— Un hamburger ? proposa-t-elle.

Daniel éclata de rire et il la serra plus fort contre lui.

— Il y a un cabinet de toilette derrière cette porte, si tu veux te rafraîchir, dit-il.

Elle l'embrassa.

— Volontiers.

Il lui rendit son baiser.

— J'espère que tu aimes le Coca.

Elle l'embrassa encore.

— Bien sûr.

Ils s'embrassèrent et, cette fois, ils s'attardèrent.

— J'imagine que nous n'avons pas le temps de recommencer ? tenta Amanda.

— Pas si nous voulons manger les hamburgers.

— Et nous ne voudrions pas nous en priver, n'est-ce pas ?

Il recula et elle se laissa glisser du bureau.

Tandis qu'elle faisait un brin de toilette et se recoiffait, elle l'entendit déballer leur déjeuner. En retraversant le bureau, elle avisa la cravate de Daniel posée sur le dossier d'une chaise ; elle l'attrapa et se la glissa autour du cou.

Daniel lui tendit un hamburger et s'installa sur une chaise, près d'elle.

— Ils ne sont pas mauvais, commenta-t-il, après la première bouchée.

— Est-ce que je t'aurais trompé sur la marchandise ?

Le papier huileux crissa sous ses doigts tandis qu'elle déballait le sien.

— Apparemment pas. Où les as-tu achetés ?

— De l'autre côté de la rue.

— Vraiment ?

Elle hocha la tête et se mit à rire.

— Tu sais qu'il existe tout un monde, au-dehors, que tu ne connais pas ?

Il cessa de mastiquer et la regarda avec intensité.

— Veux-tu me le faire découvrir ?

Amanda se sentit soudain coupable. Il venait à elle, faisait sa part du chemin, désireux d'expérimenter de nouvelles choses, tandis qu'elle, elle ne bougeait pas. Daniel n'était pas responsable du génie machiavélique de son père. Plus que n'importe lequel dans la fratrie, il avait essayé de gagner son indépendance. Et ce n'était pas un hasard si Bryan était le seul Elliott à tailler sa propre route.

Elle décida de se lancer.

— Seulement si tu me montres ton propre monde.

Il froissa le papier d'emballage de son hamburger et le jeta dans la poubelle.

— Qu'est-ce que tu veux découvrir d'abord ? Paris ? Rome ? Sydney ?

— Je pensais plus au *Metropolitan Theater.*

— Tu y es déjà allée.

— Mais tu peux obtenir de meilleures places.

— *La Bohème* et ensuite une pizza ?

Amanda se leva en riant.

— J'ai un rendez-vous à 1 heure, annonça-t-elle.

Il s'avança vers elle, lui déposa un léger baiser sur les lèvres et tenta de récupérer sa cravate.

— Eh, eh ! dit-elle en secouant la tête et en retenant la cravate. Souvenir !

Il n'insista pas.

— D'accord, dit-il.

Amanda attrapa son sac à main, tandis que Daniel contournait son bureau. Il ouvrit un tiroir et prit une autre cravate. Immédiatement confisquée par Amanda.

— Hé !

— Pas de cravate. C'est le prix de la spontanéité, dit-elle.

— Nancy va savoir ce qui s'est passé.

Amanda lui décocha un grand sourire.

— Eh oui.

Il s'avança vers elle.
— Amanda…
— Appelle-moi.
Et elle s'esquiva très vite.

- 11 -

A 14 heures précises, Daniel pénétra dans l'anti-chambre de son père. Faire l'amour avec Amanda avait émoussé sa colère et adouci le monde entier. Mais faire l'amour avec Amanda lui avait aussi rappelé avec quelle cruauté son père avait effrayé et manipulé une adolescente enceinte.

— Il est là ? demanda-t-il à Mme Bitton, en ralen-tissant à peine l'allure.

— Il vous attend.

Daniel rabattit fermement la porte derrière lui. Sans même lever la tête des papiers qu'il était en train de signer, Patrick demanda :

— Avons-nous un problème quelconque ?

Daniel avança de quelques pas, refrénant sa colère.

— En effet. Nous avons un problème.

Patrick daigna lever les yeux.

— Et de quel genre ?

— Tu as fait du chantage à Amanda.

Patrick ne cilla même pas.

— Je ne lui ai pas adressé plus de trois mots en seize ans.

Daniel s'approcha un peu plus.

— Tu avais menacé de lui retirer Bryan. Comment as-tu pu faire ça ? Elle était enceinte, jeune, sans défense.

Patrick posa son stylo.

— J'ai agi au mieux pour la famille.

Daniel plaqua les mains sur le bureau.

— Au mieux pour toi, certainement. Pour la famille, peut-être. Pour Amanda ? Je ne pense pas.

— Amanda n'était pas sous ma responsabilité.

— Amanda est ma femme ! cria Daniel.

— *Etait* ta femme. `

Daniel serra les mâchoires. Patrick se leva.

— C'est de l'histoire ancienne, Daniel. Et j'ai un rendez-vous.

— Ne t'avise pas de faire ça !

— Que je ne m'avise pas de faire quoi ?

Daniel pointa un doigt sur la poitrine de son père. Curieusement l'homme qui l'avait intimidé toute sa vie ne lui semblait plus aussi impressionnant tout à coup.

— Nous n'avons pas terminé cette conversation.

Patrick contourna son bureau.

— Nous avons bel et bien terminé cette conversation. Et estime-toi heureux si tu as encore un travail !

Bras croisés, Daniel barra le chemin de la porte à son père.

— Tu vas présenter des excuses à Amanda.

Les yeux de Patrick lancèrent des éclairs et un muscle de sa joue tressauta.

— Amanda avait fait son choix.

— Tu ne lui avais donné aucun choix.

— Elle avait choisi de coucher avec toi.

— Tu ne sais rien de ce qui s'était passé cette nuit-là !

— Est-ce que tu es en train de me dire qu'elle n'était pas consentante ?

Daniel sentit quelque chose exploser dans sa tête. Il serra les poings et se pencha.

— Suggères-tu que je l'aurais violée ?

— C'est bien ce que je dis, elle avait choisi. Il y avait un bébé. Un Elliott. J'ai protégé la famille, et je n'ai rien à ajouter sur le sujet.

Patrick s'apprêta à contourner son fils. Cette fois, Daniel ne tenta pas de l'en empêcher. D'une voix sourde, il dit :

— Tu as trahi Amanda ; tu m'as trahi.

Patrick, tremblant de rage, répliqua :

— J'ai protégé cette famille !

— Tu as eu tort.

Patrick le fixa un moment, puis il sortit de son bureau.

*
* *

Daniel ne se sentait pas d'humeur à retourner travailler ; il n'avait pas non plus envie de rentrer chez lui ; et il était trop bouleversé pour appeler Amanda. Alors il échoua au restaurant de Bryan, Une Nuit. Bryan n'était pas là, ce qui était aussi bien. Daniel se réfugia dans un coin peu éclairé, pour siroter un whisky. Il avait besoin de réfléchir.

— Salut, frérot !

Michael se glissa sur une chaise, face à lui.

— Salut ! répondit Daniel en regardant aux alentours pour savoir si son frère était seul.

Il n'avait pas vraiment envie de compagnie, ce soir.

— J'ai entendu dire que tu avais sonné les cloches au patron ? s'enquit Michael tout en faisant signe au barman de lui servir son verre habituel.

Daniel hocha la tête, se demandant jusqu'à quel point la rumeur qui courait était exacte.

— A propos du travail ? s'enquit Michael.

— Non, d'un sujet privé.

Michael saisit le Martini apporté par la serveuse.

— Amanda ?

Daniel le regarda en coin.

— Qu'est-ce que tu as entendu exactement ?

— Que tu as ordonné à Mme Bitton de décaler un rendez-vous de papa — très intéressant rendez-vous au demeurant. Puis que tu t'es énervé contre lui et que tu en es ressorti vivant, dit Michael.

— Et avec mon job, en plus.

Daniel n'en revenait toujours pas de n'avoir pas été viré. Pêchant l'olive dans son Martini, Michael la jeta dans sa bouche et dit :

— La seule personne capable de te mettre dans cet état, c'est Amanda.

— Il avait menacé de lui enlever Bryan si elle ne m'épousait pas !

Michael resta silencieux un moment.

— Je sais.

— Tu *sais* ?

— Il avait peur que cela tue maman de perdre son petit-fils.

— Mais pourquoi n'as-tu rien dit ?

— Je faisais profil bas à l'époque. Souviens-toi, c'est moi qui t'avais offert cette suite à l'hôtel.

— Mais plus tard ?

— Plus tard, vous aviez l'air heureux tous les deux. Ensuite, quand les choses ont mal tourné, ce n'était pas le genre d'informations susceptibles de les arranger.

— C'était inadmissible !

Leur frère Shane apparut et s'installa près de Daniel.

— Qu'est-ce qui était inadmissible ?

— Papa a fait chanter Amanda pour qu'elle épouse Daniel, résuma Michael.

— Quand ? demanda Shane.

— A l'époque du lycée.

— Ah, cette fois-là. Comment s'y était-il pris exactement ? interrogea Shane.

Daniel avala la dernière gorgée de son whisky.

— Il a menacé de lui enlever Bryan. Il l'a forcée à m'épouser pour garder le bébé.

Très à propos, leur sœur Finola fit son apparition et s'assit près de Michael.

— Cela aurait pu être pire, dit-elle.

Les trois frères la dévisagèrent. Puis ils se turent, se souvenant que Patrick avait obligé Finola à abandonner son propre enfant quand elle avait accouché, à quinze ans. Shane saisit la main de sa sœur jumelle par-dessus la table.

— Oui, cela aurait pu être pire, dit-il.

Daniel se sentit soudain minable. Au moins, lui, il avait eu la chance d'élever Bryan.

— Vous n'avez jamais songé que cette famille aurait eu bien besoin d'une thérapie ? demanda Michael.

Finola se tourna vers son frère aîné, des larmes perlant au bout des cils.

— Seulement songé ? On se dispute comme des chiens le boulot de notre père !

Daniel fit glisser un morceau de glaçon dans sa bouche.

— A compter d'aujourd'hui, je pense que vous allez rester à trois dans la course.

Shane pouffa de rire.

— Qu'est-ce que tu as bien pu faire ?

— Je lui ai crié dessus, répondit Daniel.

— Tu as crié sur papa ! s'écria Finola, éberluée.

— Je lui ai ordonné de faire des excuses à Amanda. Et j'ai dû l'empêcher de sortir de son bureau pendant une minute.

— Physiquement ? demanda Michael.

— Aucun coup n'a été échangé, précisa Daniel avec un rire grave.

Shane se mit à rire avec lui.

— Ce pourrait devenir une course à deux participants, annonça Michael.

Tout le monde se tourna vers lui.

— Depuis qu'elle est malade, Karen a besoin de moi. J'ai l'intention d'être présent pour elle.

— Peut-être que je vais me retirer aussi, déclara Shane.

— De quoi parles-tu ? le sermonna Michael. Tu n'as aucune raison d'abandonner.

— Ne sois pas ridicule, Shane, renchérit Finola, tu adores ton travail.

— J'adore peut-être mon travail, mais je n'aime pas être manipulé. Il a blessé chacun d'entre nous. A un moment ou à un autre, il a gâché la vie de tout le monde.

Les trois autres acquiescèrent. Daniel eut l'impression que ses yeux s'étaient dessillés. Pour toujours.

— Pour moi, c'était quand il m'a incité à travailler dans le groupe, dit-il. Au moment où Bryan était malade, il m'a assuré que c'était le seul moyen de régler les factures. J'ai fait la pire erreur de ma vie.

Daniel écarta le souvenir de la maladie de Bryan, une malformation cardiaque, pour ne pas revivre les moments d'angoisse qu'il avait traversés avec Amanda, avant l'opération qui avait rendu la santé à leur fils.

Finola redressa la tête.

— Mais si tu n'étais pas revenu...

— Amanda et moi serions sans doute encore mariés.

— Appauvris, précisa Michael.

— Mais mariés, ajouta Shane. Laisse tomber, Daniel. Laisse tomber et épouse Amanda !

— Eh bien, comment la conversation nous a-t-elle amenés là ? demanda Michael.

Daniel rit, mais dans un coin de son cerveau, l'idée cheminait : il devait prendre Shane au sérieux.

— Tu es amer, Shane, constata Finola.

Shane se pencha vers elle avec un petit sourire en coin.

— Je déblaie le terrain, parce que je préfère t'avoir comme P.-D.G. plutôt que Daniel !

— Hé ! Pourquoi ? se récria Daniel en lui donnant une bourrade.

— Elle m'aime plus que toi, répliqua Shane.

— Très juste, approuva Daniel.

Michael mâchonna sa deuxième olive. Il fit un petit signe en direction de Daniel et lâcha :

— Je pense qu'on ne peut pas laisser Finola emporter l'affaire.

— Grands dieux non ! gloussa Daniel. C'est une fille.

— Nous y revoilà ! protesta Finola.

Amanda cligna les yeux de surprise. C'était bien Sharon Elliott qui se tenait dans l'embrasure de son bureau.

— Surprise, observa Sharon, en chaloupant dans la pièce sur des talons d'une hauteur impossible.

Elle portait une jupe en jean noir et un minipull noir et blanc. Ses cheveux étaient lissés en chignon, et son maquillage était aussi peu discret que le reste de la tenue.

Julie grimaça dans le dos de Sharon et referma la porte. Amanda rabattit la chemise du dossier qu'elle était en train d'étudier et se leva.

— Est-ce que je peux faire quelque chose pour toi ?

— En fait, c'est moi qui suis venue t'aider, répondit Sharon.

Ses lèvres d'un rouge intense esquissèrent un sourire. Elle prit place, face au bureau, sur l'une des chaises destinées aux clients. Puis, elle posa son sac près d'elle.

— Euh… merci, dit Amanda en se laissant choir sur son propre siège.

Sharon s'avança sur le bord de la chaise, ce qui fit dodeliner ses pendants d'oreilles en diamants. Et

443

quand elle croisa les mains, ses bagues brillèrent de tous leurs feux.

— Je sais ce que tu es en train de faire.

— Vraiment ?

Amanda préparait ses conclusions pour l'affaire Spodek, mais elle se doutait bien que Sharon avait autre chose en tête.

Sharon hocha la tête.

— Je peux le respecter, ajouta-t-elle, mais je pense que tu chasses sur les mauvaises terres.

— Ah ?

— Daniel est… disons… exigeant.

— Disons cela.

Amanda espérait qu'en se montrant agréable, elle serait débarrassée plus vite de sa visiteuse. Sharon attrapa son sac, fit claquer le fermoir et extirpa une feuille de papier.

— J'ai pris la liberté de dresser une liste d'hommes.

— Pour quoi faire ? s'enquit Amanda.

— Ce sont des maris potentiels, répliqua Sharon, en affichant un sourire de feinte complicité féminine. Ils sont tous beaux, intelligents, libres et — plus important encore — riches.

Amanda prit la feuille avec réticence.

— Tu me montres une liste de tes prétendants ?

Sharon secoua la tête et son rire cristallin emplit la pièce.

— Pas mes prétendants. Les tiens ! s'exclama-t-elle.

Amanda laissa tomber la feuille.

— Je te demande pardon ?

Sharon hocha la tête.

— Ma chérie, Daniel ne va jamais retomber amoureux de toi. Considère cette liste comme le cadeau d'une femme plaquée à une autre.

Amanda comprenait mieux à présent, et elle dut faire un effort pour ne pas jeter l'intrigante dehors.

— Cela signifie que tu veux qu'il te revienne ? demanda-t-elle d'une voix sèche.

Sharon se mit à rire de nouveau. C'était vraiment un rire adorable qui avait dû abuser plus d'un homme et les conduire à leur perte.

— Moi ? Je ne veux pas le reconquérir, assura-t-elle.

« Bien sûr, ironisa Amanda, en son for intérieur. C'était sûrement par pure bonté d'âme que Sharon avait décidé de se transformer en marieuse ! »

— Une fois que tu n'es plus dans les petits papiers de Patrick, c'est terminé pour toi, continua Sharon. Et il y a eu un temps où Patrick ne pouvait pas se passer de moi.

Amanda tressaillit.

— Tu as *couché* avec Patrick ?

— Bien sûr que non ! s'écria Sharon en portant la main à sa poitrine de manière théâtrale. Il m'a recrutée pour Daniel. Il savait exactement ce qu'il voulait comme belle-fille.

— Et il l'a eue, marmonna Amanda, sachant que Sharon était en tout point conforme aux souhaits de Patrick.

— Pendant un moment, soupira Sharon. Maintenant, revenons-en à la liste.

Elle se leva et se pencha pour lire à l'envers.

— Giorgio est sympa. Pas très grand, mais bien bâti. Il a un penthouse donnant sur le parc et…

— Merci, l'interrompit Amanda en repliant la feuille. Je ne suis pas en quête de rendez-vous galants.

Sharon se redressa et les coins de sa bouche s'affaissèrent en une moue de petite fille.

— Mais…

— Hélas, j'ai beaucoup de travail, reprit Amanda en lui tendant la liste.

Sharon ne la saisit pas.

— Tu sors avec Daniel.

— Pas vraiment.

Elle couchait avec lui, et leur relation n'irait pas plus loin. Cependant, Sharon avait raison sur un point : pour avoir Daniel, il fallait d'abord plaire à Patrick.

La porte s'ouvrit et la tête de Julie passa par l'entrebâillement.

— Amanda ? Il y a quelqu'un pour vous.

Amanda aurait embrassé sa réceptionniste. Julie semblait troublée, mais Amanda se fichait de l'identité

du visiteur, pourvu qu'il la débarrassât de Sharon.
Elle fourra la liste dans la main de Sharon.

— Merci d'être venue, dit-elle.

Julie ouvrit plus largement la porte. Sharon les
regarda l'une et l'autre. Pendant un instant, Amanda
pensa qu'elle allait refuser de quitter les lieux. Puis,
elle la vit serrer les dents, se redresser de toute sa
hauteur et se diriger vers la porte d'un air digne.
Soudain, elle s'arrêta dans l'embrasure, se retourna
vers Amanda et lui lança :

— Apparemment, je t'avais sous-estimée.

Avant qu'Amanda ait pu déchiffrer le mystérieux
message, Sharon avait disparu. Et Patrick Elliott, en
personne, fit son entrée dans le bureau. Amanda émit
un petit signe de détresse en direction de Julie. Las !
sa réceptionniste s'était déjà esquivée. Une fois la
porte refermée, Patrick la salua d'un signe de tête.

— Amanda, dit-il, laconique.

— Monsieur Elliott, répondit-elle.

Elle sentit son estomac se contracter. Depuis quand ne
s'était-elle pas retrouvée seule en sa compagnie ?

— Appelle-moi Patrick, s'il te plaît.

Il désigna les chaises, d'un geste de la main.

— Puis-je m'asseoir ?

— Bien sûr.

Comme il ne bougeait pas, Amanda comprit qu'il
attendait qu'elle s'asseye d'abord. Ce qu'elle fit, en
essuyant subrepticement ses paumes moites sur son
pantalon. Alors, il prit son propre siège.

— Je vais aller droit au but. Mon fils estime que je te dois des excuses.

Amanda ouvrit la bouche, puis tandis que les mots de Patrick s'imprimaient dans son cerveau, elle la referma. Elle fixa en silence l'homme qu'elle avait craint pendant des décennies.

— Je ne suis pas d'accord avec Daniel, continua-t-il. Je ne suis pas désolé.

Amanda reprit sa respiration. « Voilà qu'il redevenait lui-même », songea-t-elle. Ses cheveux avaient complètement blanchi et la ligne de son menton s'était adoucie. Mais les yeux bleus glacés révélaient la même perspicacité. Débarquer dans son cabinet d'avocat pour plaider coupable, c'était bien la dernière chose au monde qu'il ferait.

— Je ne regrette pas d'avoir gardé Bryan dans la famille, reprit-il. Ni d'avoir permis à Maeve de profiter de son petit-fils. Mais je suis désolé…

Il s'arrêta et ses yeux perdirent un peu de leur froideur.

— Je suis désolé de n'avoir pas pris en compte ton intérêt à toi.

Amanda fit un petit signe de tête. Est-ce que ses oreilles lui jouaient des tours ? Patrick Elliott venait-il vraiment de s'excuser ? Il eut un curieux sourire qui ressemblait davantage à une grimace.

— C'était il y a longtemps, articula Amanda.

Elle se rendit compte, avec un temps de retard, qu'elle aurait dû le remercier. Peut-être. Mais comment était-on censés se comporter dans de telles circonstances ?

Il acquiesça.

— C'était il y a longtemps. Mais Daniel a raison : tu étais seule et apeurée, et j'en ai profité.

Levant les mains au ciel, il reprit :

— Oh, je sais que j'ai pris la bonne décision. Bryan méritait d'être élevé comme un Elliott autant que nous méritions de connaître notre petit-fils. Mais... Disons qu'à l'époque, je n'évaluais pas de la même manière les dommages collatéraux.

Amanda se redressa légèrement.

— C'est ainsi que vous me considérez, comme un dommage collatéral ?

Est-ce qu'un être humain pouvait réellement respirer et vivre tant d'années sans âme ?

— J'ai estimé ton arrivée... malencontreuse.

— Alors vous avez joué à Dieu.

Malgré les excuses de Patrick, Amanda sentit bouillonner la colère dans ses veines. Elle n'avait pas mérité de se faire manipuler à l'époque, et Daniel ne le méritait pas non plus maintenant. Pas plus qu'aucun autre des enfants ou petits-enfants de Patrick.

— Je ne me prends pas pour Dieu, affirma-t-il.

— Alors pourquoi agissez-vous comme si vous l'étiez ? demanda Amanda d'une voix amère.

Il se leva.

— Je crois que cet entretien est terminé.

— Je ne plaisante pas, Patrick.

Elle ne pouvait laisser passer cette opportunité. C'était une chance unique de tenter de sauver Daniel et peut-être aussi Cullen et Bryan.

— Vous devez cesser, ajouta-t-elle.

Il fronça les sourcils.

— Cesser quoi ?

— De tenir votre famille dans une poigne d'acier.

— J'imagine que tu n'es pas au courant. Je démissionne de mon poste de P.-D.G.

Amanda ricana.

— Tout en les manipulant comme des pions sur votre échiquier.

— Tu penses que je fais ça ?

— Ce n'est pas le cas ?

Ils s'observèrent, en silence, pendant un moment.

— Avec tout le respect que je te dois, Amanda, je n'ai pas à t'expliquer mes actes.

— C'est vrai. Mais il vous faudra un jour les expliquer à Daniel. Le jour où il se réveillera et où il vous verra tel que vous êtes.

— Je pense que c'était aujourd'hui.

— Alors vous me comprenez.

Patrick la regarda longuement.

— Non. Mais je crois que je vois autre chose.

Elle attendit.

— Je crois que je vois ce que tu représentes pour Daniel.

Amanda se recula. Etait-il au courant de leur

aventure ? Patrick fit courir ses doigts le long du dossier de la chaise.

— Il semble que mon erreur n'a pas été de te forcer à l'épouser. Mon erreur a été de te laisser divorcer de lui. Il a encore besoin de toi, Amanda, dit-il en lui adressant un sourire calculateur.

— Laissez-moi tranquille, Patrick !

— Non, Amanda. Je ne pense pas. Bonne journée.

- 12 -

Daniel calcula qu'il lui faudrait au moins un tour de Central Park pour se donner du courage, et un de plus pour convaincre Amanda qu'ils avaient une chance. Il remit la bague en diamants dans sa poche et vérifia la présence de la bouteille de champagne, sous le siège de la voiture à cheval.

Dans le rôle de la complice dévouée, Julie avait réussi à attirer Amanda à l'entrée du parc à l'heure dite. Il ne savait de quel argument elle avait usé, mais il pouvait apercevoir les deux femmes remontant la 67e Rue. Il ajusta sa cravate, tapota le léger renflement de la poche intérieure de sa veste, et se dirigea vers elles, le long du trottoir bondé.

— Amanda !

— Daniel ?

— Il faut que j'y aille, dit Julie en se fondant très vite dans la foule.

Amanda pivota dans la direction de la voix de Julie.

— Que...

— Elle doit avoir quelque chose à faire, commenta Daniel en prenant Amanda par le bras.

— Mais, elle voulait me montrer une paire de chaussures.

— Peut-être a-t-elle changé d'avis ?

Elle jeta vers lui un regard soupçonneux.

— D'où sors-tu exactement ?

— Du parc.

— Tu faisais une promenade ?

Il acquiesça d'un signe de tête. Après tout, c'était une histoire aussi crédible qu'une autre. Indifférent à la foule qui les entourait, il lui étreignit la main.

— Tu me manquais, confia-t-il.

Amanda sourit et ses yeux brillèrent de malice.

— J'aurais pu repasser à ton bureau.

Il lui rendit son sourire, grisé comme un enfant au matin de Noël.

Elle allait accepter de l'épouser. Alors ils pourraient faire l'amour tous les jours, se réveiller l'un près de l'autre, rendre visite à leurs petits-enfants, et vieillir ensemble. Il leva la main d'Amanda et y déposa un baiser.

Il envisageait une autre chose, aussi, dont ils pourraient discuter quand il l'aurait convaincue de l'épouser. Il sentait qu'elle le soutiendrait dans ce changement de carrière.

— Tu pourrais aussi venir à mon bureau, dit-elle en levant leurs mains entremêlées à ses lèvres. J'ai eu ce fantasme…

— J'aime beaucoup cette suggestion, mais pour le moment, j'ai un autre projet, dit Daniel.

— C'est sexuel ?

— Mieux que ça. C'est spontané.

Il l'attira à travers la foule jusqu'à l'entrée du parc, et s'arrêta près de l'attelage qu'il avait réservé.

— Grimpe ! dit-il.

— C'est ton fantasme ?

— Tu vas devenir difficile avec moi ?

Elle secoua la tête.

— Oh non ! Bien sûr que non !

— Alors grimpe !

Une fois installé près d'elle, Daniel fit signe au cocher de démarrer. Les sabots du cheval battaient en cadence sur le bitume. Le crépuscule tombait sur la ville ; les gratte-ciel commençaient à s'éclairer. Daniel allongea son bras sur le dos du siège.

— C'est beau la nuit, dit Amanda.

Il lui entoura les épaules.

— C'est toi la beauté ici.

Amanda posa la tête sur l'épaule de Daniel. Il la sentit respirer. Soudain, le monde lui sembla parfait. Les bruits de la ville s'estompèrent. Le martèlement des sabots du cheval, les grincements de la carriole et le cliquetis du harnais emplirent la nuit.

Il allait lui poser sa question, mais avant, il voulait que la balade nocturne s'éternise.

— Champagne ? lui murmura-t-il à l'oreille.

Elle se redressa.

— Où allons-nous trouver du champagne ?

Il lui fit un clin d'œil, écarta le plaid, découvrant la glacière. Il en retira la bouteille de *Laurent Perrier* et deux flûtes.

— Spontané ? demanda Amanda, sourcil levé.

— Je n'en ai eu l'idée que ce matin.

En fait, Amanda arborait un magnifique sourire. Il ne put résister à l'envie d'embrasser ses lèvres douces. Nouant ses bras autour du cou de Daniel, elle lui rendit son baiser avec fougue.

— Qui a besoin de champagne ? murmura-t-il.

Amanda s'écarta et regarda la bouteille.

— Je ne voudrais pas détruire ton projet spontané si bien planifié.

Il saisit la bouteille et ôta le fil métallique.

— Si tu me promets qu'on pourra s'embrasser plus tard.

— On verra.

Daniel fit sauter le bouchon. Le champagne jaillit hors du goulot.

— Amanda, dit-il dans un souffle.

Il se demanda s'il devait mettre un genou à terre. Cela aurait été la manière classique de procéder. Mais Amanda n'avait pas une très haute opinion de certains usages.

— Oui ? demanda-t-elle.

— Ces dernières semaines, ensemble, elles signifient beaucoup pour moi, ajouta-t-il.

Un sourire s'épanouit sur les lèvres d'Amanda.

— Pour moi aussi.

— Je me suis souvenu de choses. J'ai ressenti des émotions que je n'avais plus éprouvées depuis des années.

Le regard de Daniel se perdit au-delà des arbres sombres. Puis, il revint plonger dans les yeux d'Amanda.

— Je me suis rendu compte que mes sentiments pour toi étaient enfouis mais qu'ils n'avaient pas changé.

— Daniel…

Il lui posa un doigt sur les lèvres.

— Chut.

Il retira sa main pour la glisser vers la poche intérieure de sa veste, d'où il sortit la petite boîte en velours qu'il ouvrit d'un mouvement de pouce.

— Epouse-moi, Amanda.

Elle ouvrit de grands yeux et cessa de respirer. Avant qu'elle ait pu réagir, Daniel ajouta très vite :

— Je t'aime tant. Je n'ai jamais cessé de t'aimer. Je n'ai pas vécu pendant ces quinze dernières années, juste existé.

Les yeux d'Amanda allaient et venaient de la bague au visage de Daniel.

— C'est…

— Je sais que tu penses que c'est précipité. Mais nous nous connaissons si bien, depuis si longtemps…

— J'allais dire incroyable.

Le ton de sa voix n'était pas ému, mais presque accusateur.

— Amanda ?

— Il n'a pas pu faire si vite. Personne n'est capable de faire si vite.

Daniel la dévisagea. Pour être honnête, cela faisait plusieurs semaines. Et ils n'étaient pas vraiment des étrangers. Et ils avaient fait l'amour deux fois.

— J'y ai beaucoup réfléchi, dit-il.

— Toi ? Tu y as réfléchi ?

Mentalement, il se repassa leur conversation à toute vitesse, se demandant à quel moment les choses avaient déraillé.

— Oui.

Elle jeta un coup d'œil à sa montre.

— Il a quitté mon bureau, il y a moins de deux heures.

— Qui ?

Elle secoua la tête et elle rit avec froideur.

— Non, Daniel. Je ne vais pas t'épouser.

Sa réponse fut comme un coup de poignard dans le cœur de Daniel.

— Je ne serai pas le jouet de ta famille ! ajouta-t-elle. Pas de nouveau !

Tout en cherchant un moyen de la faire changer d'avis, il se sentit gagné par la panique.

— Que vient faire ma famille dans cette histoire ?

Amanda renversa son champagne par-dessus bord.

— Ta famille est dans cette histoire depuis le début.

Il fixa le verre vide d'Amanda. Ainsi, c'était raté. Il n'en valait pas la peine.

— Tu veux dire que notre amour ne peut neutraliser ton aversion pour ma famille ?

Elle reposa sa flûte dans la glacière.

— Je veux dire, ramène-moi chez moi.

Amanda resta éveillée toute la nuit, se demandant si elle avait eu raison. Daniel ne voulait pas l'épouser, pas plus qu'il ne voulait être le P.-D.G. du groupe Elliott. Patrick leur avait fait un lavage de cerveau, à tous. Elle n'y pouvait rien changer.

Quand le réveil sonna, elle se répéta encore qu'elle avait pris la bonne décision. Sous la douche, elle s'en persuadait toujours. Mais devant son thé et son muesli, elle commença à se poser des questions insidieuses et dérangeantes.

Evidemment, Patrick était derrière tout ça. Daniel n'aurait probablement pas fait sa demande, sans l'insistance de son père. Mais une sorte de magie opérait entre eux, et elle aurait pu passer le reste de sa vie à l'explorer.

Elle lâcha la cuillère de muesli et se prit la tête à deux mains. Et si elle avait commis la plus grosse erreur de sa vie ? C'était une bague parfaite, une demande parfaite. Daniel était un homme parfait.

Elle se sentit seule, tout à coup. Ce qui était ridicule, puisqu'elle ne le revoyait que depuis quelques semaines, après seize ans sans lui. Il fallait qu'elle l'évacue de ses pensées. Elle saisit le téléphone et composa le numéro de Karen, sans même y réfléchir.

— Allo ? répondit la voix de Karen, chaleureuse, malgré l'heure matinale.

— Karen ? C'est Amanda.

— Oh mon Dieu ! s'écria alors Karen. Michael m'a dit ce qui s'était passé.

— Vraiment ?

— Toute la famille ne parle que de ça !

Amanda s'adossa dans sa chaise, pas sûre de bien comprendre. Daniel aurait raconté sa demande en mariage ratée à toute la famille Elliott ? Incroyable.

— Cullen a tout entendu, expliqua Karen. Il l'a répété à Bryan…

— Cullen a entendu quoi ?

Karen baissa la voix.

— Patrick doit fulminer.

— Parce que j'ai dit non ?

Il y eut un silence.

— Parce que aucun de ses enfants n'avait osé crier sur lui auparavant.

— Je n'ai pas…

— J'aurais payé pour voir ça ! Michael dit que Daniel n'a pas lâché Patrick. Maintenant, tout le monde prend les paris pour savoir lequel va craquer le premier.

— Que veux-tu dire ?

Pour Amanda, la querelle était vidée puisque Patrick était venu s'excuser et, qu'en échange, il avait décidé Daniel à faire sa demande en mariage.

— Ils ne se parlent plus.

— Non. C'est impossible. Ils se sont parlés hier.

Dans l'après-midi, songea-t-elle. Entre le moment où Patrick était venu la voir et celui où Daniel l'avait emmenée au parc.

— Non. Certainement pas, rétorqua Karen.

Amanda passa la main dans ses cheveux humides. Cela n'avait pas de sens. A moins que... Oh, non !

— Amanda ?

— Il faut que j'y aille. Je te rappellerai plus tard, répondit Amanda avant de raccrocher précipitamment.

Si Daniel n'avait pas parlé à Patrick, alors l'idée de la demande en mariage venait de lui. Mais c'était impossible, sinon cela voudrait dire... Amanda poussa un juron.

Daniel déposa la lettre parfaitement tapée sur son bureau. Il avait imaginé qu'Amanda serait à ses côtés en cet instant, lui souriant avec fierté, lui prenant le bras, faisant des projets pour un mariage tout simple, peut-être sur un bateau au large de Madagascar.

Il était prêt à tout pour elle. Mais hier soir, elle ne l'avait même pas laissé parler. Elle les avait jetés d'un revers de main, lui et toute sa famille. Comme s'il n'avait pas d'existence propre.

Certes, il aimait rendre sa famille heureuse et, en général, il était plus facile de suivre la vague que de lutter à contre-courant. C'était vrai qu'il ne s'était pas beaucoup remis en question, depuis leur divorce. Mais il était revenu à la vie, grâce à elle. Il était sur le point de tout changer et elle n'avait même pas eu la courtoisie de l'écouter.

Il saisit un stylo et apposa sa signature au bas de sa lettre de démission. Apparemment, il allait partir pour Madagascar tout seul.

Soudain, la porte de son bureau s'ouvrit. Il leva la tête, s'attendant à voir Nancy. Mais ce fut Amanda qui fit irruption dans la pièce. Elle ralentit l'allure, en voyant son air interrogateur. Nancy apparut aussitôt derrière elle, prête à la reconduire à la porte.

— Tout va bien, dit Daniel, en faisant signe à sa secrétaire de se retirer.

Nancy les laissa seuls.

— Je peux faire quelque chose pour toi ? demanda-t-il.

— Je… euh…, commença Amanda.

Elle fit un nouveau pas vers lui, s'éclaircit la voix.

— Je voulais…

Il remit le stylo à sa place, sans prendre la peine de

masquer son impatience. Il voulait garder sa colère intacte et y parvenait très bien. Il se croisa les bras sur la poitrine, et la regarda droit dans les yeux.

— Je suis assez occupé, ce matin.

Les yeux sombres d'Amanda s'agrandirent, lui donnant un air étrangement vulnérable. Il se cuirassa contre leur pouvoir d'attendrissement.

Elle déglutit.

— Pourquoi m'as-tu demandé de t'épouser, Daniel ?

— Il me semblait avoir été assez clair.

— Je pensais que ton père t'avait parlé.

— Il me parle tout le temps.

— Est-ce qu'il t'a demandé de m'épouser ?

— Pas depuis les années soixante-dix.

La voix d'Amanda se fit implorante.

— Alors pourquoi ?

Il haussa les épaules.

— Oh, je ne sais pas. Comme je ne peux pas penser par moi-même, n'ayant pas de cerveau, j'ai appelé *SOS Bonnes Manières*. Ils m'ont dit que je pouvais faire ma demande après le cinquième…

— Daniel !

— … rendez-vous. Ils m'ont aussi suggéré la voiture à cheval et le champagne. Puis ils m'ont expédié la bague et un lot de cartes avec des phrases toutes faites. Tu veux les voir ?

— Daniel, arrête !

Il soupira.

— Je vais avoir une rude journée. Est-ce que tu peux me dire ce qui t'amène, puis t'en aller ?

Face à sa colère, elle recula. Mais il ne se sentait pas d'humeur charitable. Surtout pas en la voyant, si sexy et désirable, lui rappelant ce qu'il allait perdre.

— Tu me fusilles du regard, lui reprocha-t-elle.

— Non.

— Si. Je ne peux pas te dire ce que je suis venue te dire si tu me regardes comme ça.

Il laissa retomber ses bras le long de son corps et tenta d'adoucir son expression. Maintenant, tout ce qu'il désirait c'était d'en finir au plus vite. Elle s'approcha tout près de lui.

— Je suis venue te dire que je suis désolée. Et aussi que c'était une bague parfaite.

Daniel resta immobile, troublé par la proximité d'Amanda, par son parfum. Quand elle lui toucha doucement le bras, il se sentit fléchir.

— Je suis désolée de ma méprise. Mais comme ton père…

— Mon père ?

— Il a débarqué à mon bureau, hier après-midi, pour s'excuser.

Daniel s'accrocha à son bureau.

— Mon père t'a présenté ses excuses ?

— Il m'a dit que tu le lui avais demandé.

— Oui, eh bien… C'est exact.

Jamais de la vie, il n'aurait cru que son père le ferait !

— Puis il m'a dit que tu avais encore besoin de moi. Ensuite tu es arrivé avec ta bague, et je…

— Tu as fait le lien entre les deux ?

— Je me suis trompée, pardonne-moi.

Daniel sentit la main d'Amanda trembler sur son bras. Elle le regarda dans les yeux.

— J'aimais vraiment cette bague.

Ce fut comme si un poids s'envolait des épaules de Daniel. Son cœur battit plus vite.

— Est-ce que ça veut dire que tu voudrais la récupérer ?

Il l'avait déjà renvoyée, mais cela pouvait s'arranger avec un simple coup de fil.

— Elle était parfaite, dit-elle.

— Tu détestes la perfection.

— Ah oui ? Eh bien, j'essaie de corriger ça.

Elle l'entoura de ses bras et se serra contre lui.

— Parce que tu es parfait et que je te veux. Vraiment.

— Je n'ai pas la bague, confessa-t-il.

Il lut un grand désappointement dans les yeux d'Amanda et se sentit tel un goujat. Il aurait dû prévoir cette éventualité. Il avait toujours des plans d'urgence pour toutes les circonstances imprévues. Ce fut alors que son regard tomba sur le trombone accroché à sa lettre de démission. Il pourrait peut-être miser sur la spontanéité ? Sans plus réfléchir, il dégagea le trombone et le tordit en forme d'anneau. Puis, il tendit la bague de fortune à Amanda.

— Est-ce que tu m'épouseras quand même ?

Elle sourit en lui tendant son doigt.

— Oui. Mais ne crois pas que ceci t'épargne l'achat d'un gros diamant et la préparation minutieuse d'une demande en bonne et due forme, dit-elle.

Il glissa le trombone autour du doigt d'Amanda.

— Tu détestes mes plans.

— Je pensais à une suite au Riverside. Quelques douzaines de roses. Du champagne. Un quatuor à cordes.

— Je crois que je vais te laisser organiser ça.

Il attrapa sa lettre de démission sur le bureau, la brandit sous les yeux d'Amanda et ajouta :

— Parce que moi, j'ai d'autres projets à organiser.

— Je ne comprends pas, fit-elle en parcourant la feuille des yeux.

— J'offre mon poste de rédacteur en chef à Cullen.

— Pourquoi ?

— Je vais voyager.

— Où ?

— Partout. Je vais essayer de lancer un magazine d'aventures.

Amanda écarquilla les yeux.

— Ton père est d'accord ?

— Je n'en sais rien, répondit-il en haussant les épaules.

— Tu ne lui as pas demandé ?

— C'est une décision spontanée. Tu veux venir avec moi ?

Un sourire illumina le beau visage d'Amanda.

— Et comment !

Amanda se pelotonna contre le torse nu de Daniel, souriant aux anges. Cullen avait pris le poste de rédacteur en chef de *Snap*, et Patrick avait accepté avec une étonnante facilité que Daniel étudie le lancement d'un magazine d'aventures pour le groupe Elliott.

Bryan et Cullen nageaient dans le bonheur à l'idée de voir leurs parents réunis, et ils leur avaient fait promettre de se marier avant de partir en voyage. De fait, ils n'avaient encore rien préparé, mais Amanda ne s'inquiétait pas. Elle était persuadée que, tôt ou tard, Daniel ne résisterait pas à la tentation de louer une salle de bal quelque part.

Elle lui déposa un baiser sur les pectoraux.

— Est-ce que je t'ai dit dernièrement que je t'aimais ?

Daniel lui embrassa le sommet du crâne et l'étreignit.

— Pas depuis trente bonnes minutes. Mais c'est très bon pour mon ego de t'entendre yodler comme tout à l'heure.

— Je n'ai pas yodlé !

— Si, je t'assure.

— Tu vas continuer à inventer des histoires ?

Il lui caressa les cheveux de la paume de la main.

— Oui. Mais à partir de maintenant, je vais les inventer au jour le jour. Plus de planification !

Amanda sentit sa poitrine se serrer.

— Tu sais, Daniel, je ne veux pas que tu changes pour moi.

— Je change pour moi. Et en partie pour toi aussi, parce que tu es la meilleure chose que j'aie jamais planifiée de ma vie. Je t'aime, Amanda, chuchota-t-il.

Leur baiser fut interrompu par le téléphone, posé près du lit de Daniel. Amanda regarda l'heure.

— Qui peut bien…

Daniel décrocha.

— Allo ? Cullen ?

Amanda se redressa d'un bond.

— Ils vont bien ! la rassura Daniel en souriant. C'est une fille.

Amanda sauta du lit et attrapa ses vêtements.

— Trois kilos trois cents grammes, précisa Daniel. Maeve Amanda Elliott.

Amanda se sentit fondre et ses yeux s'emplirent de larmes.

— Dépêche-toi, chuchota-t-elle à Daniel.

— On arrive, annonça-t-il en riant.

— Nous sommes grands-parents, dit Amanda en enfilant son pantalon.

Ils arrivèrent à l'hôpital moins d'un quart d'heure

plus tard. Il s'arrêtèrent devant la vitre de la nursery, scrutant les noms pour localiser leur petite-fille. Ce fut alors que Cullen, bouleversé, franchit la porte à double battant de la maternité.

— Maman ! s'écria-t-il.

Une blouse en papier lui battait sur les mollets. Il prit sa mère dans ses bras et la serra avec une telle force qu'elle en eut le souffle coupé.

— Je n'arrive pas à croire que tu sois passée par tout cela pour moi. Comment te remercier ? dit-il d'une voix cassée par l'émotion.

Amanda écrasa une larme.

— Tu n'as pas à me remercier, murmura-t-elle contre la poitrine de Cullen. Tu étais le fils le plus merveilleux du monde.

Cullen s'écarta pour la regarder. Elle lui sourit et lui releva une mèche de cheveux humides qui lui tombait sur le front.

— Félicitations, mon fils !

Il secoua la tête, l'air incrédule, puis il se tourna vers Daniel, la main tendue.

— Papa. Tu as vécu cela. Deux fois !

Daniel rit, serra la main de Cullen et l'attira contre lui. A cet instant, une infirmière entra dans la nursery, poussant un berceau.

— Là voilà, soupira Cullen. Elle est si minuscule.

Amanda s'approcha de la vitre ; l'infirmière installa

le berceau au milieu du premier rang et leur adressa un chaleureux sourire.

— J'ai presque peur de la toucher, confessa Cullen.

Daniel lui donna une tape dans le dos.

— Tu vas très bien t'en tirer, mon fils ! Tu vas la nourrir, la changer, lui donner le bain. Et avant que tu aies eu le temps de réagir, elle sera déjà en train de te réclamer une histoire avant de dormir.

Avec un rire un peu forcé, Cullen prit chacun de ses parents par les épaules.

— J'espère seulement parvenir à passer les vingt-quatre premières heures !

— Comment va Misty ? s'enquit Daniel.

— Très bien. Elle est merveilleuse. Elle dort maintenant.

Bryan et Lucy arrivèrent sur ces entrefaites.

— Eh, frérot ! Bravo ! cria Bryan.

Amanda et Daniel s'écartèrent pour laisser Cullen accueillir son frère. Puis, les uns après les autres, les membres du clan Elliott débarquèrent dans le couloir de la maternité. Amanda ressentit la même pointe de gêne qu'autrefois, alors que cinq, puis neuf, puis douze Elliott s'agglutinaient devant la vitre, discutant et plaisantant les uns avec les autres.

Lorsque Maeve et Patrick firent leur apparition au coin du couloir, l'estomac d'Amanda se contracta sous l'effet de l'anxiété.

— Cela va aller, chuchota Daniel à son oreille, tout en la prenant par la taille.

Patrick la salua d'un petit signe de tête et d'un sourire, tandis que Karen criait son nom et agitait la main au-dessus de la foule.

A cet instant, la petite Maeve ouvrit la bouche en un large bâillement, et toute l'assemblée des adultes soupira. De toute évidence, leurs cœurs battaient en harmonie pour la nouvelle Elliott.

Alors Amanda se laissa aller contre Daniel et reprit espoir dans la solidité des liens familiaux. Il y aurait peut-être d'autres embûches sur la route. Mais ils les surmonteraient cette fois.

Ensemble.

Vous avez envie de connaître
la suite de cette saga…
Rendez-vous le 1er septembre 2007

Passions

— Le 1ᵉʳ septembre —

Sur le point de désigner son successeur, le magnat de la presse Patrick Elliott lance un défi à ses héritiers. Entre amour et ambition, chacun d'eux va devoir faire un choix...

L'héritière cachée - Roxanne St. Claire

Afin de découvrir pourquoi Jessie Clayton, sa nouvelle stagiaire, s'évertue à éviter tout contact avec Finola Elliott, la directrice du magazine pour lequel il travaille, Cade McMann invite la jeune femme à dîner en tête-à-tête. Sans savoir quel scandale il s'apprête à déclencher chez les Elliott...

Scandaleuse alliance - Emilie Rose

En découvrant que la jeune femme qu'il a séduite n'est autre que Audrey Holt, Liam Elliott sent son sang se glacer. Car Audrey est la petite-fille de Matthew Holt, l'ennemi juré de son propre grand-père, Patrick Elliott, qui mourrait plutôt que d'accepter une telle alliance...

Le seigneur du désert - Susan Mallery

Amoureux de Liana, une jeune Américaine, le prince Malik l'enlève, persuadé qu'elle ne résistera pas longtemps à la force de son désir... Peu à peu, en effet, Liana se laisse séduire et finit par accepter de suivre Malik dans le désert où une fête a été organisée à son intention. Sans se douter qu'elle va, à son insu, participer à son propre mariage...

L'amant d'une nuit - Victoria Pade

Au cours d'un bal d'anciens élèves, Claire a partagé un moment de folle passion avec Ben, l'ex. mauvais garçon de Northbridge, sa ville natale. De retour à Denver où elle travaille, elle tente en vain d'oublier son amant d'une nuit. Jusqu'au jour où elle découvre qu'elle attend un enfant de lui...

Le secret de Victoria - Nalini Singh

Persuadée que Caleb, qu'elle aime plus que tout au monde, entretient une liaison avec sa secrétaire, Victoria s'est résignée à le quitter. Mais quand elle apprend, bouleversée, qu'elle attend un enfant de lui, elle comprend qu'elle va devoir trouver la force de laisser Caleb revenir auprès d'elle...

Un troublant ennemi - Caroline Cross

Si Mallory Morgan a tout perdu, sa fortune, son brillant avenir et son honneur, c'est par la faute des Steele. Aussi se sent-elle scandalisée quand Gabriel Steele ose lui proposer son aide : plutôt mourir que d'accepter sa main tendue. Sauf que de la haine à la passion, la frontière est parfois ténue...

HARLEQUIN

—— Le 1ᵉʳ septembre ——

Un été à Willow Lake - Susan Wiggs • N°298

Pour oublier une douloureuse déception sentimentale, Olivia accepte la proposition de sa grand-mère : passer l'été à Willow Lake pour remettre en état le camp de vacances appartenant à ses grands-parents, où, enfant, elle a passé tous ses étés. Or le jour où se présente l'entrepreneur devant l'aider dans cette tâche, elle reconnaît avec stupéfaction Connor Davis, le garçon qu'elle a secrètement aimé durant son adolescence...

Poison - Alex Kava • N°299

C'est impossible. Et pourtant, tout le confirme. Sabrina Galloway, brillante scientifique qui travaille dans une usine experte en énergies renouvelables, vient de découvrir que celle-ci rejette des déchets toxiques dans la rivière toute proche. Consciente des conséquences mortelles de ce qui semble être un sabotage, elle décide d'en parler à ses supérieurs. Mais l'un vient de disparaître dans d'étranges circonstances, tandis que l'autre reste sourd à ses alertes...

Noirs soupçons - Brenda Novak • N°300

Lorsqu'Allie McCormick revient à Stillwater, la petite ville de son enfance, elle est fermement décidée, en tant qu'officier de police, à faire toute la lumière sur la mystérieuse disparition du Reverend Barker. Car depuis vingt ans toute la ville, en proie aux rumeurs les plus sombres, accuse de meurtre Clay Montgomery, son fils adoptif. Celui-ci, taciturne et solitaire, semble porter un lourd secret... Intriguée, mais aussi séduite par cet homme au charme mystérieux, Allie va devoir garder tout son sang-froid pour découvrir s'il est ou non l'assassin qu'elle est venue démasquer.

La poupée brisée - Amanda Stevens • N°301

Depuis la mystérieuse disparition de sa fille Ruby, il y a sept ans, Claire est inconsolable. Mais un jour, c'est le choc : dans une vitrine de la Nouvelle-Orléans, elle découvre une poupée de collection qui reproduit à la perfection les traits de sa fille... Mais la poupée est enlevée à son tour, comme Ruby, sept ans plus tôt. Volée par un homme de l'ombre, que la beauté de la petite fille avait autrefois fasciné – et dont l'obsession n'a jamais pris fin...

Retour à Belle Pointe - Karen Young • N°302

Épouse du célèbre champion Buck Whitaker, Anne a apparemment tout pour être heureuse. Mais sa vie ne la satisfait pas : elle veut un enfant, lui non. Et, quand elle fait une fausse couche, le couple entre en crise. Anne part pour Tallulah, Mississippi, où l'accueillent son père et sa belle-mère. Elle décide alors d'étudier le passé de la petite ville, où la famille de Buck possède depuis des générations la grande plantation de Belle Pointe, célèbre dans toute la région. Elle ne se doute pas, ce faisant, qu'elle va découvrir des secrets enfouis depuis bien longtemps...

L'héritière de Rosewood - Brenda Joyce • N°303

Amérique, Irlande et Angleterre, 1812 – À la mort de ses parents, Virginia Hugues apprend que son oncle, établi à Londres, compte vendre Rosewood, la plantation de tabac familiale située en Virginie. Bouleversée, la jeune fille se révolte. Certes, la propriété, incendiée pendant la guerre de Sécession, n'est plus qu'une ruine, mais elle reste la maison de son enfance, le berceau de ses souvenirs... Aussitôt, elle embarque pour l'Angleterre avec l'espoir de convaincre son oncle de renoncer à son projet. Mais elle est enlevée par un pirate irlandais...

Mortelle impasse - Helen R. Myers • N°177 *(réédition)*

Lorsqu'elle découvre une empreinte de main rouge sang tracée sur un panneau « Impasse », non loin de chez elle, Brette Barry veut d'abord croire à une farce macabre liée à Halloween. Mais l'inquiétude s'empare d'elle lorsque son fils lui révèle que Hank, son meilleur ami, a disparu la veille. L'adolescent au caractère révolté a-t-il une fois de plus décidé de fuguer... ou l'empreinte sanglante était-elle la sienne ?

Oui, je désire profiter de votre offre exceptionnelle. J'ai bien noté que je recevrai d'abord gratuitement un colis de 2 romans* ainsi que 2 cadeaux. Ensuite, je recevrai un colis payant de romans inédits régulièrement.

Je choisis la collection que je souhaite recevoir :

(cochez la case de votre choix)

❏ **AZUR** : Z7ZF56
❏ **BLANCHE** : B7ZF53
❏ **LES HISTORIQUES** : H7ZF53
❏ **AUDACE** : U7ZF52
❏ **HORIZON** : O7ZF54
❏ **BEST-SELLERS** : E7ZF53
❏ **MIRA** : M7ZF52
❏ **JADE** : J7ZF52
❏ **PRELUD'** : A7ZF54
❏ **PASSIONS** : R7ZF53
❏ **BLACK ROSE** : I7ZF53

*sauf pour les collections Jade et Mira = 1 livre gratuit.

Renvoyez ce bon à : Service Lectrices HARLEQUIN
BP 20008 - 59718 LILLE CEDEX 9.

N° d'abonnée Harlequin (si vous en avez un) ┗┛┗┛┗┛┗┛┗┛┗┛┗┛┗┛┗┛┗┛

Mme ❏   Mlle ❏   NOM _____

Prénom _____

Adresse _____

Code Postal ┗┛┗┛┗┛┗┛┗┛   Ville _____

Le Service Lectrices est à votre écoute au 01.45.82.44.26
du lundi au jeudi de 9h à 17h et le vendredi de 9h à 15h.

Composé et édité par les
éditions **Harlequin**
Achevé d'imprimer en juillet 2007

par

LIBERDÚPLEX

Dépôt légal : août 2007
N° d'éditeur : 12980

Imprimé en Espagne

Découvrez GRATUITEMENT la collection

J'ai bien noté que je recevrai d'abord GRATUITEMENT un colis de 2 romans BLACK ROSE, ainsi qu'un bijou et un cadeau surprise. Ensuite, je recevrai, tous les mois, 3 livres BLACK ROSE au prix exceptionnel de 4,70€ (au lieu de 4,95€) le volume simple et 5,65€ (au lieu de 5,95€) les volumes doubles, auxquels s'ajoutent 2,50€ de participation aux frais de port par colis. Je suis libre d'interrompre les envois à tout moment. Dans tous les cas, je conserverai mes cadeaux.

Renvoyez ce bon à :
Service Lectrices HARLEQUIN
BP 20008
59718 LILLE CEDEX 9

I7HF01

N° abonnée (si vous en avez un) └┘ └┴┴┴┴┴┴┴┘

Mme ☐   Mlle ☐   NOM _____

Prénom _____

Adresse _____

Code Postal └┴┴┴┴┘ Ville _____

Tél. : └┴┴┴┴┴┴┴┴┴┘

Date d'anniversaire └┴┴┘└┴┘└┴┴┴┘

Le Service Lectrices est à votre écoute au 01.45.82.44.26
du lundi au jeudi de 9h à 17h et le vendredi de 9h à 15h.